Een schuldig leven

Francois Smith

Een schuldig leven

Verkracht in de Boerenoorlog

Vertaald door Riet de Jong

Athenaeum–Polak & Van Gennep
Amsterdam 2015

De vertaler heeft voor deze vertaling een werkbeurs ontvangen
van het Nederlands Letterenfonds

Exotische woorden worden verklaard op p. 286-287

Oorspronkelijke titel *Kamphoer*
Copyright © 2014 F.A.H. Smith (Originally published by Tafelberg,
an imprint of NB Publishers, Cape Town, South Africa in 2014)
Copyright vertaling © 2015 Riet de Jong /
Athenaeum–Polak & Van Gennep,
Spui 10A, 1012 WZ Amsterdam

Omslag Britgitte Slangen
Omslagbeeld Cy Twombly, Pan (Part III), 1980/ mixed media on
paper, 76x57 cm
Zetwerk Zeno
ISBN 978 90 253 0705 9
NUR 302

www.uitgeverijathenaeum.nl

Voor mijn ouders, Hendrik en Grietje Mor, die
mij zowel het Afrikaans als het Sotho hebben
meegegeven, en voor Nico Moolman, die mij voor het
schrijven van dit boek een watervast potlood heeft
toegestuurd

Hoofdstuk 1

Hij ligt met zijn rug naar haar toe; op zijn zij naar de grauwe gordijnen gekeerd die bewegingloos voor het raam hangen. In het flauwe licht ziet ze zijn profiel alleen vanaf de achterkant: het oor een donkere flap aan de even donkere homp van zijn hoofd. Als er licht was, denkt ze, zou zijn oor rozig doorstraald en fijn dooraderd tegen het heldere schijnsel zichtbaar zijn, wellicht wat schilferend aan de rand van de vleugelachtige curve van de schelp. Dit is waarvoor ze is opgeleid, om licht en leven te zien. Dit is waarom ze hier is. Maar in de schemering is alles anders dan het zou kunnen zijn. Of wellicht juist zoals het moest zijn.

Ze maakt haar blik los van het oor en wendt hem naar de schouder die boven de lakenrand uitsteekt en naar de arm die enigszins geknakt op de deken ligt, de pyjamamouw wat opgeschoven. De hand hangt over de heup naar voren, uit het zicht, maar de arm, het stukje dat zichtbaar is, is dunner dan zij had verwacht. Wat had ze dan verwacht? Kan ze zich dat wel herinneren?

Ze kijkt snel naar Hurst, die naast haar staat; hij staart recht en uitdrukkingloos naar de patiënt op het bed. Er is geen ontsnappen mogelijk, ze móét kijken. Naar de zachte, pluizige plooien van de katoenen mouw bij de elleboog, de kraag als schutbladeren om de dunne stengel van de hals.

Dan weer naar het oor.

Ze is niet verbaasd. Het is zo voorbestemd. Op het moment dat ze in dit land voet aan wal zette, had ze al het gevoel dat zich hier in het wildvreemde iets oerbekends zou bevinden en dat er iets – iemand – ergens achter een façade, een deur, een omheining op haar zou wachten. En het was juist die groeiende gewaarwording in haar die haar ogen recht naar het oor leidde. Dat was wat ze het allereerst had gezien, het oor. De hap eruit als het merkteken bij een schaap. Waar je de zachte uitstulping van de oorlel zou verwachten, viel de boog van de schelp stomp weg tot bij de zenuw van de hals.

Dit merkteken heeft *zij* aangebracht.

Haar tong kleeft aan haar verhemelte, komt met een smakgeluidje los. Ze draait zich om naar de deur die achter hen in het slot is gevallen. Ze haalt haar adem diep in, houdt hem lang vast voordat ze hem hortend laat ontsnappen. Hoe ben ik hier beland? denkt ze.

En zó is het gebeurd: ze stond voor de deur, voor dat donkere, onwrikbare houten paneel dat zich nu achter hen bevindt met de gesloten spleet tegen de deurpost. Ze had voor dat spiegelende vlak gestaan met de barstjes in het vernis zoals in het netvlies van een oog, de geur van geboend hout in haar neus, haar adem tegen het ontoegeeflijke hout, terwijl ze haar ogen probeerde weg te dwingen van de naam op het witte etiket in het metalen lijstje, de naam die zij niet kan uitspreken.

Majoor Hurst stond achter haar, en zij keerde zich om, met gebogen hoofd zodat hij haar ontsteltenis niet zou merken, haar vingers achter zich tegen het hout. Hurst sprak, maar wat had hij gezegd? Hij had haar met zijn ene hand zachtjes opzij geduwd en met de andere de deur opengemaakt. Ze was hem de schemering in gevolgd, de gladgestreken rug van zijn uniform tussen haar en de man in het bed.

Zo was het gegaan.

Het was doodstil in de kamer. Er was alleen die stilte. Tot Hurst begon te spreken. Hij had wel een stap vooruit gezet voor hij begon te praten. Hij had de naam gezegd van de man in het bed. De naam die zij niet kon uitspreken. En het was alsof ze bij het noemen van die naam werd opgetild – ze voelde het rukken en trekken alsof zij in het oog van een tornado stond – en ze werd neergesmeten tussen een groepje tenten op een godverlaten Vrystaatse vlakte.

'Zuster Nell?'

Wat? Het was de stem van Hurst. Hier bij haar.

Op de plek waar ze nu was, samen met majoor Arthur Hurst in het Seale Hayne Hospitaal in Devon. Hier waar ze hoort te zijn, nergens anders; ze moest haar wil tot het uiterste inspannen om in dit ogenblik aanwezig te blijven. Hier was de privékamer van een van de officieren van de koning. Nee, niet die van de koning; een van háár officieren. Ze staat schuin achter majoor Hurst en kan het grootste gedeelte van het bed zien. Ook de spitse vorm van de voeten onder het laken. Ze knippert met haar ogen om haar aandacht te richten. De voeten onder het laken maken een nerveuze beweging.

Zestien jaar geleden had ze zo in een schemerige grot liggen wachten, had ze liggen kijken hoe de schaduwlijn langzaam over de ingang naderbij kwam, had ze liggen wachten en wachten en wachten tot iets in haar tot bedaren kwam.

Hoofdstuk 2

Ik kan zien. Mijn ogen moeten al lang open zijn geweest voordat ik ontdekte dat ik kon zien. Aanvankelijk lag het licht helderwit om me heen, en ik had de indruk dat het geen licht was, maar het was alsof het, het licht, ook zomaar uit mijn mond liep en alles, alles om me heen gevuld werd met die zure, branderige misselijkheid die in me zit. Ik moet niet meer kijken; ik wil niet weten wat het is, ik wil het niet voelen, nee, ik wil het niet. Ik wil het niet. Het moet weg. Ik moet er liever niet aan denken, want als ik eraan denk drukt mijn hoofd me vast, dan worden mijn gedachten tegen het bot geduwd. Het is het denken dat ze openbreekt en dat zo zeer doet.

Het ruikt naar een schapenkraal. Stof, mest, stenen en wol. Ik denk dat ik in een soort grot ben. Ik lig in de schaduw, maar aan de voorkant schijnt de zon zo fel dat ik er niet naar kan kijken. Glanzende strepen met drijvende spikkeltjes erin en meer naar achter iets donkers, als mensen die zich bukken en naar binnen kijken, of misschien zijn het klipdassen die in de wilde olijven zitten. Ik weet het niet ik kan niet denken mijn oren slaan dicht en boven mij en aan de zijkant zijn tekeningen op de rotsen van mensen en dieren en ik hoor de poten van duizenden schapen over harde grond en die zijn over mij heen gelopen allemaal met hun scherpe klauwtjes en mij vertrapt hebben mijn hele lichaam de grond in geboord hebben de huid van mijn wangen afgeschuurd van mijn ribben de harde horens in mijn ogen ik kan niet denken ik kan niet denken.

Nu weet ik wat ik gezien heb. Mijn eigen gedachten. Hoe die bloederig uit mijn hoofd komen, borrelend en spuitend. Ik heb al proberen te schreeuwen dat het zo zeer doet, maar ik kan het niet, want ik lig hier maar. Dit is wat ik gezien heb. Ik lig hier als een afgeslacht schaap met van die blauwe, sijpelende aderen die zo bultachtig op de slijmerige witte pens liggen, een lemmet dat grts, grts doet, een droge beschuit die op de mestvloer valt en verkruimelt daar waar mijn tenen horen te zijn, mijn mond volgepropt met scherpe, harde kruimels. Ik kan niets zeggen want het ruikt naar rook, schapenwol en een stinkende sloot. Iemand heeft een lap in de sloot gegooid en ik kan maar beter wegkijken weg weg want er staan geiten hier bij mij rood als aarde en wit als wolken ze springen over elkaar en door elkaar heen mensen met stokken drijven ze op zwart als modder zijn de mensen en de elanden springen over mij heen, springen op, op, op. Kon ik mijn ogen maar stijf genoeg dichtknijpen zodat alles kon verdwijnen.

Hoofdstuk 3

De trein tjoek-tjoekt gedempt vanaf Harwich door de overdadige mengeling van het groen en bruin van Devon, waterverfkleuren die vervloeien en als tranen van het raam afglijden. Maar haar wezen is nog vol van het deinen van de grijze zee en het halfslachtige gelaten wiegen van het schip, en het is alsof haar gedachten nog altijd in het diepe koude water verzonken zijn.

Ze had bijna de hele reis op het bovendek van de mailboot naar Harwich gestaan, één van het maar handjevol vrouwen tussen een heel stel mannen, hoofdzakelijk bemanningsleden, enkele ambtenaren, zelfs een paar soldaten, allemaal met een speciale vergunning om de waterwegen te bevaren van landen in oorlog, zonder dat kon je niet. De veerbootdienst was stilgelegd en de mailboot is dezer dagen de enige manier om vanuit Nederland Engeland te bereiken.

Ze was voor het laatst op een schip geweest toen ze kort voor het einde van de Boerenoorlog uit Kaapstad wegging – ironisch genoeg weg van een andere oorlog. Plotseling kwam de gedachte bij haar op toen ze daar stond op het krakende dek van de mailboot met zijn vochtige stemmen en spattend zeewater: díé oorlog was de mijne. Deze niet. En terwijl de mailboot voortgestuwd werd door de kalme zee en zich soms log kreunend tegen de deining inwerkte, was het haar opgevallen hoe anders de Noordzee was dan de Kaapse zee die ze zich herinnerde met zijn zilverachtige schittering, het donderende, schuimende breken van de golven tegen de rotsen bij Drieankerbaai, bij Seepunt. Ze had vluchtig geprobeerd iets van háár oorlog terug te roepen, die van zestien jaar geleden. Ze was toen al bijna net zo lang in Nederland als ze in Zuid-Afrika was geweest. Ze had die herinnering bijna geërgerd weggeduwd. Dat is voorbij, had ze gedacht. Mijn oorlog is voorbij.

Waaraan ze wel af en toe nog dacht, en zoals altijd was het alsof ze niet dacht maar het werkelijk beleefde, is hoe jong ze nog was in 1902 toen Kaapstad en de Tafelberg bezig waren uit haar gezichtsveld te verdwijnen. Misschien kon ze beter zeggen dat ze wéér jong was geweest, want daarvoor was ze zo verschrikkelijk oud, tot stervens toe oud. Wat een vreemde gedachte nu, maar het is zoals het was. Die dag op het bovenste dek van de Glenart Castle met het koele metaal van de reling in haar handen en de wind tegen haar lichaam, was zij jong. Het is het plaatje dat ze koestert: ze had haar matelot afgezet, de losse krullen van haar voorhoofd naar achter gestreken en voor het eerst, ja, het moest de eerste keer zijn geweest, was zij zich ervan bewust hoe haar bloes tegen haar lijf aan waaide, hoe haar lichaam verrukkelijk zijzelf was, zelfs nu nog kan zij zich het Sotho-woord herinneren dat erbij hoorde, *monate*, lekker. Ze had de reling met beide handen vastgegrepen en haar heupen naar achter gestoten, de schok van haar gewicht in haar armen gevoeld, en het verdwijnende land en de zee om haar heen had gehophopt terwijl ze meedeinde, en had ze gezucht, had ze gesnikt? Ach nee, dit was wat zij zich herinnerde, dit: haar lijf was wie zij was en het was goed zo, onder haar voeten sidderden de dekplaten van het schip door het pompen van de turbines ergens diep in het ruim, en ver weg vervaagde het land dat zij had verlaten.

En nu was ze op deze boot, en het was niet zo dat zij zich onbewust was van wat ze deze keer tegemoet ging, ze voeren allerminst weg van een oorlog, maar haar hele wezen was nog vervuld van de op de Kaapse rotsen brekende golven, de bijna hysterische energie ervan, handenvol meeuwen die zich in de vochtige lucht wierpen.

In de trein door het Engelse platteland kostte het haar moeite zich bewust te zijn van de voorbije werkelijkheid. Ze dwong zichzelf als het ware op haar sporen terug te keren, want ze geloofde in de waarde zich bewust te kunnen zijn van het huidige ogenblik, om met open ogen door het leven te gaan.

Ze was op de mailboot, daar stond ze, in de omhelzing van een warme jas. De boot duwde zich voort door een grijze zee en een grijze lucht, en dat was zinvol, want hij was samen met haar op weg naar een ándere, diepere duisternis.

Het was nog niet volledig tot haar doorgedrongen. In Nederland leefden ze verschanst tegen het reële fysieke geweld. Maar op die boot... de kleurloosheid van alles, alsof alles bij voorbaat al van het leven beroofd was.

Het dek stond vol grijze soldaten die als mieren rondscharrelden, want als ze zouden stilstaan, vermoedde zij nu, zou de angst hen te pakken krijgen. Ze had geprobeerd zich een voorstelling te maken van wat ze tegemoet gingen, hoe een slagveld eruitzag en wat deze mannen daar moesten doen. Ze had in haar verbeelding een van de gezichten die ze op de boot had gezien, een bleke man met een scherpe puntneus en de onrustige hoofdbewegingen van een meeuw, in een loopgraaf geplaatst, maar dat was haar niet gelukt. Vreemd genoeg kon ze hem alleen zien liggen met zijn rug tegen een mierenhoop – ja, een mierenhoop, stel je voor! – met een lange dunne sigaret in de mond en een sliertje rook dat langzaam omhoog krulde.

Ze had geprobeerd zich de angst voor te stellen, de gruwelen, maar ze kwam niet veel verder dan het bleke, lege gezicht van haar vriend Jacques voordat hij weer naar het front ging. Als het om de oorlog ging, dacht ze aan Jacques. Jacques la Mer, haar Dordrechtse onderwijzersvriend die spontaan besloot soldaat te worden omdat zijn land, Frankrijk, hem nodig had. Op een keer had ze zijn hand gegrepen alsof ze hem wakker wilde schudden, zijn hand tegen haar borst gedrukt, maar...

Iets is verschrikkelijk schokkend en absoluut onpeilbaar aan dat toneel: de hand van Jacques op haar borst. Zijn hand ónder de hare. Haar hart onstuimig kloppend. Zijn verstarde gezicht, zijn mond een beetje open alsof hij iets wil zeggen. Zijn hand die traag uit de hare glijdt en terugvalt in zijn schoot.

Ze ziet haar ogen vaag weerkaatst in het raam van de trein. En achter die donkere vlekken, achter het doffe beeld van haar hoge voorhoofd waarvan haar rossige haren energiek wegkrullen voordat het weer langs haar wangen in haar hals valt, ziet zij opeens dat het landschap verandert, dat het reliëf heeft, anders dan in Nederland, en dat het door de kantelende horizon, het stijgen en het dalen, om aandacht vraagt. Maar het lijkt alsof zij niet helemaal langs haar eigen weerspiegeling voorbij kan kijken, alsof iets, als een schicht, naast haar in dat beeld verschijnt. Ze kijkt telkens even opzij, maar geen enkele keer ziet ze iemand.

Deze reis brengt me helemaal in de war, denkt ze. Waarom? Ik ga gewoon mijn werk doen. Ik hoef niet naar de loopgraven.

Ze denkt weer aan Jacques, aan de soldaten die ze op de mailboot heeft gezien. Ze was rakelings langs een van hen voorbijgelopen om aan dek te komen; eigenlijk was het een wat grappig geworstel geweest omdat ze allebei tegelijk door dezelfde deur wilden. Een ogenblik lang stonden ze tegen elkaar aangedrukt in een metalen deurpost met een scherpe rand waarvan de verf hier en daar was afgeschilferd zodat het zwarte metaal tevoorschijn kwam. Ze ziet het zo helder voor zich dat het lijkt alsof het zich nu afspeelt: haar jas die tegen zijn uniform schuurde, en zij die langs zijn gezicht keek naar het afschilferende metaal van de deurposten, en ze hadden niets gezegd, alleen zo snel mogelijk geprobeerd los te komen uit deze onvoorziene, geheel ongevraagde intimiteit. Toch is het alsof haar lichaam weer verkrampt door de schok van het soldatenlichaam tegen het hare, het uniform met de leren banden en gespen, de grove stof en het harde metaal, en daaronder de witte sidderende huid, de geur van een baalzak vol warm korenzaad. Nadat ze van elkaar los waren geraakt zette ze een stap in de vochtige lucht, bleef even staan, wat geschrokken, niet door het ongevraagde contact, nee allerminst, maar waarom dan wél kon ze niet zeggen.

Het was ook niet einde geweest van die bizarre dans – nu komt de gedachte aan een laatste wals bij haar op – het was slechts het voorspel tot iets anders, tot iets wat, ja, hoe zal ze het noemen, zoveel somberder was?

Toen ze op het dek kwam, stond daar een groep mensen samengedromd tegen de reling te roepen en te wijzen. Ze ging bij hen staan, bij al die mannen met die onrustige ogen, en ze keek naar waar ze in die grijze verte naar wezen, alsof er ergens in de nevel een vlekje kleur moest zijn. De mailboot blies op zijn hoorn, en toen zag ze het ook: uit de mist doemde een schip op, stil, levenloos, schuin in het water, duidelijk een wrak dat elk moment kon zinken. Het schip helde sterk, wiegde moeizaam op de deining, krakend, verlaten, met metalen platen waarvan de verf bij de boeg afschilferde, de masten, schoorstenen en kanonnen in rigor mortis. Iedereen keek verstard toe. Het was een spookschip. Ze had haar hoofd voorzichtig omgedraaid en al die gezichten om haar heen waren nog steeds verstard: het was inderdaad een spookbeeld dat voor de wind kwam aangedreven.

Ze had zich tussen de lichamen door gedrukt tot bij de reling, stond gehypnotiseerd te staren naar waar het in al die grijsheid wegkwijnde.

Wat was dit in 's hemelsnaam? Wat was dat voor een ding dat zomaar was verschenen en weer verdwenen? Ze had iemand gezocht met wie ze kon praten, aan wie ze het kon vragen, maar het leek wel alsof iedereen bezig was met iets wat om de dooie dood niet

onderbroken mocht worden. Een muur van grijze ruggen stond naar haar toe gekeerd.

Zo is deze oorlog, denkt ze, een schim in de mist,
niets anders. Het is niet mijn oorlog. Niets van dit alles
kan iets van mij wegnemen. Ik leef, en het is mijn rol
ervoor te zorgen dat het leven zegeviert. Daarom ben
ik hierheen gekomen. Maar het beeld van het spookschip blijft haar bij, en op een vreemde manier raakt ze
er niet door van streek.

Als de trein het station van Newton Abbot bin-
nenrijdt, is het alsof ze nog de scheepsgeluiden in de
mist hoort: zoiets als plonggg van prikkeldraad dat te-
rugschiet nadat het doorgeknipt is op het dek van het
stervende schip en het geluid dat weergalmt, galmt,
galmt. En ze herinnert zich het zachte, meegevende lichaam van de soldaat waar ze tegenop was gelopen, en
de scherpe metalen rand die in zijn rug moet hebben
gedrukt, en ze vraagt zich af toen de trein tot stilstand
kwam, of zij dichter bij de oorlog zou komen dan tijdens die dans met die soldaat.

Ze is een van de twee vrouwen die hier uitstapt,
merkt ze, en ze ziet hoe een eind voor zich uit een
jongeman in uniform, waarschijnlijk een van de ordonnansen van het ziekenhuis, de andere vrouw aan-
spreekt, hoe zij haar hoofd schudt en de andere kant
uit kijkt. De man lacht verlegen, dan valt zijn oog op
haar, hij heft zijn arm als een signaal en komt op haar
toe lopen.

Ze gaat hem tegemoet, steekt haar hand uit om hem
te groeten. Maar net voor hun handen elkaar raken, en
de eerste keer op Britse bodem, geneert zij zich voor
haar accent. In zijn oren hoort het als goed Nederlands

te klinken, denkt ze, en haar Engels is straks beslist beter dan dat van de meeste Nederlanders.

Hij luistert een tijdje naar haar met gebogen hoofd, alsof hij zich moet inspannen om haar boven het stationslawaai uit te verstaan, en pakt dan haar grootste koffer op. Jacobs, heet hij, weerman Patrick Jacobs, met iets te prominente voortanden, die waarschijnlijk verantwoordelijk zijn voor zijn erg nasale stemgeluid.

Bij de stationsuitgang loopt Jacobs vooruit. Op straat, voor het gebouw, onder de milde, lage hemel, keert hij zich half naar haar toe en zo al lopend maakt hij een weids gebaar alsof hij haver zaait, en daar staat hij dan, als een reusachtige metalen spinnenkop: een motorfiets met zijspan.

Ze blijft spontaan staan, zet haar koffertje bij haar voeten, laat het eigenlijk vallen. Het is niet zoals het hoort, denkt ze, om hier, in deze situatie, zo uitgelaten te reageren, maar toch kijkt ze de soldaat lachend aan. Het is een Douglas. Ja, kijk, daar staat de naam. Jacques had er ook zo een, maar die van hem had geen zijspan. Die domme Jacques, dat hij haar op deze manier tot in den vreemde achtervolgt. Ze gaat dichterbij staan en strijkt met haar wijsvinger over het koele ronde dekseltje van de slanke benzinetank, raakt dan een van de kabels aan die over het stuur zijn gespannen en laat haar duim en wijsvinger eroverheen glijden tot... ah, een koppeling! Jacques was toch zo trots op de koppeling van zijn motor, een van de allereerste. Ze knijpt licht in de gummibol van de claxon, en kijkt dan op naar de Britse weerman die haar geamuseerd gadeslaat.

Wat ze van motorfietsen weet, heeft ze van Jacques

geleerd. Jacques la Mer, een Fransman in Nederland. De Fransman-met-de-motorfiets. Tijdens haar eerste weekend in Dordrecht had zij op zaterdagochtend lawaai op straat gehoord, snel was ze naar het raam gelopen en daar zag ze hem wijdbeens op het gevaarte zitten. Hij had naar haar opgekeken en de motorfiets laten brullen. Ze had kramp in haar maag gevoeld.

De weerman pakt het koffertje naast haar voeten op. 'Het is ongeveer vijf kilometer naar het hospitaal,' zegt hij en hij kijkt naar haar op terwijl hij zich bukt, glimlacht scheef. 'Laten we van het leven genieten zo lang we kunnen, vind je niet?'

Dan lacht hij hard, nogal geamuseerd, en bindt haar bagage achter op de motorfiets. Hij duwt een stofbril in haar hand en houdt haar zijn elleboog voor zodat ze erop kan steunen bij het opstappen.

Van het leven genieten... Wat zou hij bedoelen? De ordonnans is echter al druk bezig om de motor op gang te krijgen, tenminste dat is wat ze denkt. Ze had het al eerder gezien, dat stevige aantrappen, maar die van Jacques moest je op gang duwen en er dan snel opspringen terwijl hij reed.

Prrr, prrr, prrr, trapt hij, en zij doet wat ze de hele weg vanuit Harwich heeft gedaan: goed kijken naar wat zich om haar heen afspeelt, houvast proberen te krijgen aan het landschap, de gebouwen, déze wereld peilen. Is er werkelijk ergens een oorlog aan de gang? En waarom merkt zij er zo weinig van? Er is wel een vreemd, vaag soort ongedurigheid in haar, maar dat heeft niet speciaal met het land en de oorlog te maken, meer met haar onvermogen om zich geheel en al op iets wat daar buiten ligt te kunnen concentreren. Ze heeft altijd het gevoel dat er nog iets anders is, iets net buiten haar gezichtsveld, wat eigenlijk haar aandacht verdient.

Jacobs pogingen te starten maken het er ook niet gemakkelijker op en als ze weer terug is in het heden, wordt haar blik gevangen door de blos die zich over zijn kaak en zijn gladde wangen uitspreidt – wangen zonder een enkel spoor van een baard – en het uniformjasje dat opwipt over zijn billen. Ach, lieve heer, ook dáárin ziet zij Jacques. Maar het feit blijft dat zelfs wanneer zíj reed daar in Dordrecht, hij eerst de motor warm moest laten lopen voordat ze konden vertrekken, pompend aan zo'n hefboom. En nu, hier in het vreemde dorp en in het vreemde land en met een wildvreemde soldaat die de opdracht heeft gekregen haar te begeleiden, is het dit waar ze plotseling aan moet denken: hoe zij achter op de motorfiets van Jacques la Mer door de riet- en de biezenvelden van de Biesbosch pruttelde. Later mocht ze zelf rijden, hij leerde het haar: hier de schakeling, een twee drie; daar draai je de benzinetoevoer geleidelijk aan open; houd je vingers stevig om de rem.

Kriskras over de weggetjes van de Biesbosch joegen ze, zij wiebelend op de bagagedrager – door de zeewind, door de banen zonlicht en schaduw, snakkend naar adem bij het afdalen in bochten vol koele lucht om dan weer omhoog te koersen in het lome heldere licht, haar handen onder zijn jasje, met onder haar vingertoppen het trillen van zijn ribben, daar weer onder het hortende, rozige pompen van zijn longen, het onzichtbare kruipen van zijn bloed. Rietsnijders die zich oprichtten en wezen met hun sikkels; zij die stevig, doelbewust, minachtend tegen Jacques' achterhoofd lag te lachen met haar adem in zijn nek, en hem ineen voelde krimpen. Ja, dat herinnert zij zich nu, hoe hij telkens onder haar vingers ineenkromp.

Dat zij zich juist dit moet herinneren... Op een keer was Jacques, nadat ze terug waren bij het appartement, stevig met zijn handen om het stuur geklemd blijven zitten. 'Wat is er?' had ze gevraagd. 'Kom je?'

Hij had niet opgekeken, en het leek alsof hij met zijn motorfiets praatte. 'Ik denk niet dat we dit moeten doen,' had hij gezegd.

'Wat moeten we niet doen? Waar heb je het over?'

Hij was afgestapt en stuurs langs haar heen gelopen. 'Dat weet je maar al te goed,' had hij gemompeld.

Ze had hem nagestaard. Zijn lange, bedachtzame stappen, zijn ineengedoken schouders. Zielig toch, had zij gedacht, en onmiddellijk schrok ze alsof hij het was die zich had omgedraaid en het woord sissend als een wilde kat naar haar toe had gegooid. Zzzzielig toch! Maar hij was gewoon de trap op gelopen en had de voordeur achter zich dicht laten vallen.

Jacobs zwaait zijn been over het zadel van zijn sputterende motorfiets, kijkt haar aan over zijn schouder voordat hij de schakeling tussen zijn benen laat klikken en de motor brullend de straat uit laat lopen. De vaart drukt haar vast tegen de zitplaats; ze kijkt wat geschrokken links en rechts en grijpt de rand van het zijspan vast. Hoewel ze dacht dat ze het al had uitgepluisd, blijven haar gedachten over dat ding met Jacques haar bezighouden terwijl huizen, mensen en bomen aan haar voorbijflitsen, een vreemde, vreemde confrontatie. Er was toch niets tussen hen. Hij was een soort gelegenheidsvriend. Ja, dat was het woord, gelegenheidsvriend. Misschien was het probleem dat de gelegenheden door haar en alleen door haar werden bepaald. Dat was in ieder geval de conclusie waar zij destijds toe gekomen was: dat hij haar te bazig had gevonden, te heerszuchtig. Maar nu vraagt ze zich dat af. Ze ziet de rietsnijders weer voor zich die overeind komen en met hun sikkels zwaaien, ze hoort de lemmeten door het gras ritsen, ze voelt zijn trillende huid onder haar vingers. Hij moet er iets van gedacht hebben. Maar wat dan precies?

Uit haar ooghoeken ziet zij een groot bouwsel voorbijflitsen en ze draait haar hoofd om: in het midden van de straat staat een klokkentoren, bonkig, massief, het lijken overblijfselen van een kerk die in de grond is weggezonken, de ruïne half overwoekerd door klimop, het uurwerk echter nog volledig intact. Nu is haar aandacht weer volledig bij de omgeving, bij de stampende, lawaaiige vaart van de motorfiets met de soldaat aan het stuur. Kennelijk is het een alledaags gezicht, want een man die zijn fiets voortduwt, kijkt niet eens naar hen, en op straat lopen de mensen in gedachten door. Ze drukt haar clochehoed vaster op haar hoofd, klampt zich met de andere hand vast aan de rand van het zijspan.

Tijdens het rijden wijst Jacobs haar herkenningspunten aan, bezienswaardigheden, dingen waarvan hij vindt dat zij ze om een of andere reden moet weten als ze een tijdje in deze gemeenschap moet wonen en werken. Een paar keer stopt hij bij een kruispunt, schuift zijn bril omhoog en geeft haar een schooljongensachtige uitleg: het huis waar een of andere cricketspeler is geboren, het favoriete café van het hospitaalpersoneel. Een aantal verpleegsters komt hier, zegt hij met die kwakende lach die ze al van hem hoorde. Ze lacht mee, gretig ontvankelijk voor zijn opwinding, ze leunt naar voren en zegt hard genoeg om boven het motorlawaai verstaanbaar te zijn: 'Ik zal hier vast niet zonder een metgezel kunnen komen.'

'Ik weet zeker dat dat wel geregeld kan worden,' zegt hij met een knipoog.

Ze kijkt de andere kant uit. Iets irriteert haar. Ze heeft te veel toegestaan; ze heeft zijn vrijpostigheid aangemoedigd. Ze hoort hem achter haar praten, maar doelbewust stuurt ze haar gedachten van hem weg, van alle soldaten met een motorfiets. Ze kent de opwinding, de ingebouwde waaghalzerij van de mens-machine-combinatie. Wees voorzichtig, pas op.... Ze voelt de kriebels tegen haar heupen op kruipen en kijkt snel naar Jacobs. Hij zit nog steeds naar haar te kijken, ontdekt ze, maar nu richt hij zijn blik op iets waarvan hij denkt dat het haar aandacht heeft getrokken. Hij zoekt, zegt dan hoofdschuddend: 'Nee, ik weet het niet, het zijn maar gewone huizen.'

Ze lacht opgelucht, maakt een gebaar met haar hand dat het niets te betekenen heeft, steekt haar arm naar hem uit en beduidt met haar vingers: toe maar, rij maar door.

In de buitenwijken van het dorp stopt hij nog een keer, schuift de bril over de klep van zijn pet, zet de schakeling nogal omslachtig in zijn vrij en wijst met een lange wijsvinger terwijl zijn elleboog op het stuur rust: 'Zie je dat huis daar,' zegt hij en hij wijst naar een aantal spitse daken, rijtjeshuizen die boven een nieuwe ringmuur uitsteken, 'dat huis helemaal links, daar is een van onze grootste generaals geboren, Leslie Rundle.' Hij laat de naam tot haar doordringen. 'Voornamelijk in Afrika gevochten. Tegen de Zoeloes, de Boeren.' Hij kijkt terwijl hij knikt naar de witte façade met het enkele schuifraam dat boven de stenen muur zichtbaar is.

Haar blik, die kort tevoren nog bijna argeloos over de contouren van muren en daken, van horizon naar straat gleed, is plotseling gevangen. Ze kijkt naar waar hij wijst, en voelt het ongedurige in haar veranderen, niet precies in irritatie, hoewel de onverbloemde bewondering van Jacobs haar even doet denken dat ze kinderachtig reageert. Iets anders roert zich in haar bewustzijn; om de een of andere reden slaagt zij er niet in haar volledige concentratie aan dit nieuwe landschap te geven.

Gedurende ruim anderhalve kilometer rijden op de hobbelige weg het dorp uit probeert ze de afweer in zichzelf te overwinnen, deze verduistering van haar blik. Later doet ze haar best zich de rit weer voor de geest te halen, probeert ze zich te herinneren wat ze heeft gezien. Lage stenen muurtjes waar de bladeren zich tegen ophoopten; een vrouw die met gestrekte arm uit een raam leunde alsof ze om geld vroeg; bomen die in een bijna identieke nabootsing van dat gebaar hun takken over de weg uitstaken. Losstaande beelden.

Jacobs begint te remmen en wijst met zijn hoofd naar het gebouw voor hen aan de weg, maar ze ziet het hospitaal nauwelijks. Ze ziet wel de kasteelachtige poort, maar haar gedachten blijven draaien om dat witte rijtjeshuis, steeds weer als een rad dat in beweging blijft. Dat is ongewoon, zij is niet iemand die blijft wroeten. Impulsief is ze wel, ja, dikwijls zelfs te voortvarend, maar zij blijft niet aan dingen vasthouden. Ze kan dus nauwelijks wachten tot Jacobs zijn weidse bocht heeft voltooid en recht voor de ingang tot stilstand komt. Bij het afstappen rebbelt ze al weer. Hij is met zijn aandacht nog bij het laatste pruttelen van de motor, of druk bezig met een van die bestudeerde intimiteiten die tussen mannen en hun machines bestaan, als zij bijna schreeuwt: 'Waarom heb je dat...' Ze ziet hem onthutst opkijken, blaast dan onmiddellijk stoom af, haalt diep adem en probeert het opnieuw: 'Waarom heb je mij dat huis aangewezen?'

Hij weet zo snel niet wat ze bedoelt. 'Dat huis?'

'Ja, dat huis. Van generaal die-en-die. Waarom?'

Langzaam zet hij zijn bril af, en het is alsof dat trage, argeloze gebaar alles is wat nodig is om haar los te maken van zichzelf. Alsof ze dan pas, en op een afstand, hoort wat ze gezegd heeft en ze zichzelf daar ziet staan, in een nieuwe wereld – vrouw, man en machine, en achter hen het grote hospitaal.

'Laat maar,' zegt ze en ze neemt haar koffer van hem over. 'Laat maar.' En ze draait zich om en loopt voor de allereerste keer het hospitaal in. Hoe kon ik? denkt ze en ze weet dat Jacobs haar nakijkt. Dat was echt niet leuk. Ze heft haar kin en stapt vanuit het heldere namiddaglicht de schaduwrijke poort van het hospitaal door.

Hoofdstuk 4

Op mijn zij liggen is het gemakkelijkst. Mijn hoofd ligt op een opgevouwen stuk zak of zoiets, en onder mij is een zwartachtige deken die vast en zeker over geplukt gras is gelegd. Mijn lichaam rilt nu niet, niet nu, maar ik weet dat het trillen komen en gaat. Mijn hoofd bewegen doet te veel pijn. Mijn ogen zitten ook nog vol met beschuitkruimels of zoiets.

Mijn gedachten komen iets gemakkelijker, maar de meeste tijd dwarrelen ze nog weg. Als modder op de bodem van een rotspoel, als je je hand erin steekt maakt dat van die bruine wolken en kun je niets vastpakken.

Kon ik maar iets krijgen tegen die vreselijke dorst, maar hoe kan ik drinken als mijn mond vol grond zit? Wat moet ik drinken?

Het doet pijn. Het stinkt. Er is licht, ja, er is licht. Ook geluid. Een roodvleugelspreeuw, die doen zo. Dat herinner ik me.

Rotssteen. Boven me en om me heen. Ik ben in een grot, weet ik nu. Tegen de stenen wand de elanden die over me heen springen, en daartussen zwarte mannetjes met vechtstokken in hun handen. Ik weet ook wat dat is. In Bosrand is er een holte in een berg met Bosjesmantekeningen. Ja, Bosrand. Nu komen de dingen terug. Papa heeft ze ons laten zien. Papa. Mama. Neels. Ik.

Ik zag ook al een gezicht voor me. Dat herinner ik me nu. En de schrik. Hij hurkte bij me neer, en eerst zag ik de zandkorrels op zijn broek en zijn hand. De hand was zwart. Toen deed ik mijn ogen dicht. Alleen toen. Later probeerde ik weer te bedenken waar ik was, maar ik zie alleen van die modderwolken en het enige wat er is, is die verschrikkelijke angst.

Hij praat nu ook, dat gezicht. Het klinkt als stenen die van een hoge berg af rollen. Een geluid dat ik ken. Ik begrijp wat hij zegt. *Kgotso, Mofumabatsana*, zegt hij. Dat is hun begroeting. De goede, die groeten zo. Maar hij wil me alleen laten denken dat hij een van de goede is, want eigenlijk wil hij gewoon een witte vrouw hebben om met haar te doen wat hij wil.

Ik kan hem nu goed zien. Hij zit met zijn knieën opgetrokken en met een *kierie* met een knop erop die hij vasthoudt tussen zijn benen. Zijn hoofd houdt hij van mij afgekeerd, maar ik weet dat hij vanuit zijn ooghoeken naar me kijkt. *Metsi.* Dan moet ik zeggen. Water. Ik wil water hebben. Hij moet mij water geven, dat is het enige wat ik wil, daarna kan hij me gerust dood laten gaan. Maar hij moet me snel doodmaken zodat ik niet kan zien wat hij doet, of voelen wat hij doet.

Hij legt zijn kierie neer en komt overeind. Ik ben zo bang dat ik wel kan sterven. Maar hij duwt zijn hand alleen in een kalebas die naast me staat – dat zie ik nu pas – en dan brengt hij zijn hand naar mijn mond. Zo'n tuithand.

Als ik mijn tong uitsteek, voel ik toch water. Hij laat het afdruppelen. Ik probeer te slikken, maar mijn tong is plakkerig. Gelukkig valt er nog een druppel, en nog een. Het water is bitter, het smaakt naar bladeren, iets als aloë of alsem. Mijn hele gezicht wordt nat en ook mijn kin en mijn keel.

Er zit iets om mijn hoofd gewikkeld, voel ik nu. Waarom lig ik hier onder een deken? Heb ik kleren aan? Wat heeft die jonge kerel hier met mij gedaan? Wat gaat hij met me doen?

O mang? moet ik vragen. Wie ben jij? Maar de woorden willen er niet uitkomen. Ik kan niet praten. Zoals mama, toen zij probeerde te bidden, maar de woorden niet kon vinden en ze haar handen naar mij uitstak. Here, bescherm ons toch, laat uw licht over ons schijnen.

Mijn lippen kraken als ik mijn mond open doe. Bidden is het enige wat zal voorkomen dat de duisternis over het land komt. Ik ben de Alfa en de Omega, het Begin en het Einde, zegt de Here. Er is een dominee die zijn handen opsteekt in de lucht, pijlrecht steekt hij zijn handen omhoog naar de wolken en hij kijkt op mij neer, en ik kijk weg van zijn verschrikkelijke aangezicht, weg van zijn ogen die naar mij kijken als een gloeiende oven en die alleen het kwaad en de ellende zien. Waar is die man die hier altijd naast me zit, waar is hij?

Hij heet Tiisetso. Hij noemt me niet *nooi.** Maar hij kijkt de andere kant uit en zegt *ke sôno.* Het is heel erg, zegt hij. Hij zegt dat ik moet slapen en dat ik dan weer kracht zal krijgen. Hij zegt dat ik iets heel ergs heb meegemaakt daar bij Balla Bosiu. Hij stampt met zijn kierie op de grond tussen zijn voeten.

Balla Bosiu. Het kamp. De plek waar 's nachts gehuild wordt, zo noemen ze het. Dat kan ik me ook herinneren. Het kamp. Daar kom ik vandaan. Dat weet ik nu. Maar als ik mijn ogen dichtdoe en nadenk dan is het enige wat in mijn hoofd opkomt het gevoel van de poot van een schaap, hoe dun en hard het bot is onder de huid en hoe de wollen haartjes prikken in mijn hand en het schaap trekt zo hard dat mijn arm uit de kom wordt gerukt. Dan zie ik ook hoe iemand de kop van het schaap achterover trekt en vlug met een mes over de keel gaat en snijdt, snijdt, snijdt, snijdt terwijl het bloed opborrelt en de luchtpijp openbarst, en ik kan niet de andere kant uit kijken al wil ik dat wel en de man die slacht, kijkt mij aan, zijn neus is dun en krom en zijn lippen zijn droog en hebben dezelfde kleur als zijn huid, niet rood, en hij zegt iets tegen mij, maar ik kan niet horen wat hij zegt.

Ik doe mijn ogen maar liever open.

Maar hoe ben ik hier gekomen? Deze man moet het mij vertellen. Wat gaat hij met me doen? Kon ik dat maar vragen. Wat gaat hij met me doen?

Hoofdstuk 5

Daarna, pas heel lang daarna, was de gedachte bij haar opgekomen dat haar hele leven en alles wat er met haar was gebeurd, naar dat precieze moment had geleid, dat moment waarop ze haar hand uitstak naar de deurklink, vanonder het dode gewicht van de tijd haar hand omhoog had gedwongen naar de knop – dat alles daar naartoe op weg was geweest, naar die deur en wat daarachter had gelegen.

Iets in haar had echter eerst tot bedaren moeten komen voordat ze erin slaagde het duidelijk te zien: haar gestalte voor die deur en hoe ze tot daar was gekomen. Vreemd genoeg was het pas begonnen lang nadat ze de zekerheid had verloren over waar alles in de wereld hoorde te zijn, of hoe het daar was gekomen, of wat de rangorde van de dingen was. Ze was toen al volledig opgenomen in de directie van Reymaker Psychiatrie, en de kloof tussen wat zij theoretisch geloofde en instinctief deed, was uiteindelijk klein genoeg gebleken om spontaan, zelfs onbevangen haar beroep te kunnen uitoefenen. Wel met een soort Nederlandse nonchalance, nee, meer met een bijna permanente boosheid, een ongeduld voor beuzelachtigheden. Ze was inderdaad volledig geassimileerd. Hoe kon het ook anders, ze zag er zo Nederlands uit: haar gezicht open en stralend, roodblonde haren die ze vaak achter op haar hoofd vastmaakte zodat het oude litteken links op haar voorhoofd zichtbaar was; de dagen waarop ze het zo ijverig had weggestopt waren al lang voorbij. Ook was ze lang en beslist niet tenger, haar mond breed en vol – ietwat gulzig die mond van mij, dacht ze soms als ze zich toestond kritisch over haarzelf te zijn. Maar daar waakte ze tegen: te veel zelfkritiek deed niemand goed, niet best voor jezelf en ook niet voor de mensen om je heen. En als ze naar haar ogen keek, vandaag nog, wist ze: voorzichtig, voorzichtig, je bent niet zo sterk als je denkt dat je bent. Een dwarsligger kon ze wel zijn. Het was beslist daardoor dat ze haar Nederlands een Afrikaanse kleur had laten behouden. Puur met opzet. Maar koppigheid was meer een Nederlands kenmerk. Dus, waar kom je dan terecht?

Iets over haarzelf waar ze erg zeker van was, is dat ze zich beter thuis voelt in een meer zakelijke sociale omgeving. Vergeleken met zeg maar de sfeer waarin ze is opgegroeid, met het gezellige gebabbel. Ook in haar optreden tegenover patiënten is ze eerlijk en op de man af. Een zeurende patiënt zal ze bijvoorbeeld de mond snoeren door te zeggen: laten we het kaf van het koren onderscheiden. De vrouw aan wie ze nu moet denken, was toch zo bang dat háár melancholie, haar zwartgalligheid en fixatie met de dood de aanleiding was geweest tot de moord op haar man, dat zij dus als het ware de dood had uitgedaagd. Tegen die vrouw had ze gezegd: zo moet je niet denken. De omgeving staat totaal onverschillig tegenover jou; die stoort zich niet in het minst aan wat jij denkt of doet, aan wat er met jou gebeurt, of wat er per slot van rekening met je man is gebeurd.

Vreemd dat ze daar nu hier aan zit te denken. Het is vroeg in de avond en in het kantoor is het al een hele tijd stil. Haar leven is trouwens nog stiller. Het waanzinnige jagen is voorbij. Het is niet zozeer een kwestie van afnemende energie, als wel de behoefte aan stilte. Als ze eerlijk wil zijn: er is nu een mogelijkheid de stilte te beleven. Nu pas. Het gebeurt dus meer en meer dat ze na het werk een tijdje op het kantoor achterblijft. In alle rust aan haar bureau zit, voor het lege, gladde vlak. Ze kan niet verdragen dat er iets op haar bureau ligt of staat, geen boek of zelfs geen leeslamp, ze pakt een notitieboek uit een la als ze dat nodig heeft. De muren van het kantoor vormen een andere kwestie, die zijn rommelig, met een rafelig behang bestaande uit boeken, versieringen, kunstwerken: een ritueel masker uit Kongo, een ingelijste reproductie van *De dame met de hermelijn* van Da Vinci, een aarden pot en een kleedje gevlochten van biezen dat iemand voor haar uit Zuid-Afrika had meegebracht. Dit is háár wereld; de tegenstrijdigheden zijn geruststellend. Zo wil ze het hebben. En hier is het dan ook dat ze zichzelf voor die deur van toen terugvond, en ze ontdekte hoe die omgeving, háár wereld, geheel tegen alle logica en fatsoen in en zonder dat ze zich ervan bewust was, alle contouren van dat toneel begint aan te nemen. Alsof de omgeving zich op een macabere wijze bemoeit met haar leven.

Het was lang onmogelijk geweest, maar nu ziet ze waar die gedachtegang naartoe leidt, nu is ze daartoe in staat. Zoals die rit samen met Jacobs op de motorfiets met het zijspan. En die kamer daar in het hospitaal. En ooit, dat weet ze, zal ze in staat zijn terug te gaan naar daar waar alles begonnen is.

Het hospitaal is een fortachtig gebouw van rode baksteen afgewisseld met witte sierpleister; de ingang bestaat uit een poort onder een burchttoren met kantelen. Ze loopt vanuit de schaduw van de poort naar een binnenhof waar het licht vanochtend verblindend wordt weerkaatst door het grijs-witte grind op de grond en de rijen ramen van de twee verdiepingen die hem omringen. Ze loopt met ingetrokken kin zodat het lijkt alsof ze zich letterlijk de hele tijd moet beheersen. Het is geen gracieuze manier van lopen, maar de beweging van haar schouders, ritmisch voor- en achteruit, geeft de indruk dat ze denkt aan een dans, of zelfs dat ze de marsbewegingen van soldaten in gedachten heeft. Zo beweegt ze zich voort, zodat haar serene gezicht de ingehouden energie van haar passen tegenspreekt.

Gisteren had Jacobs haar gewezen waar Hursts kamer was. Hij was het hoofd van het hospitaal, maar op dat moment bleek hij niet beschikbaar, en het voorzichtige kloppen van Jacobs werd met stilte begroet. De gangen waren wel vol ziekenhuisbedrijvigheden, ook vrouwen in verpleegstersuniform liepen er rond, sommigen hadden een zijdelingse blik op haar geworpen. Vanuit een van de ramen in de gang had ze neergekeken op een wat verwilderde tuin. Tussen de struiken had ze twee mannen in uniform zien lopen.

Deze keer wordt haar klop beantwoord. Hij zit aan een bureau naar haar te kijken, en hij ziet eruit alsof hij van was is gemaakt. Heel even is ze er ook van overtuigd dat daar een wassen beeld zit, al behoort ze er tegen die tijd wel aan gewend te zijn dat Europese mannen er anders uitzien dan die waartussen zij is opgegroeid. Hoe schoon gewassen ze eruitzien. Dokter Arthur komt haar echter bijna doorzichtig voor, zijn haar glanzend van de brillantine achterovergekamd, de bovenlip een gespannen snaar boven de vlezige, beweeglijke onderlip. Die onderlip en die ogen, denkt ze, zijn de enige delen van zijn gezicht die niet met een ragfijn penseeltje op het blanco gelaat zijn geschilderd. De oogkassen en de onderlip zijn ruwweg tussen duim en wijsvinger uit klei gefatsoeneerd, en je zou hem veel dichter moeten benaderen om te zien wat er in die duimholtes is aangebracht.

Hij komt overeind achter zijn bureau, en spreekt vanonder de boog van zijn lichaam. 'Zien is geloven,' zegt hij op een toon die haar doet denken aan de argeloosheid van sommige van de gebaren van Jacobs, en ze voelt een afstandelijkheid in haar ontstaan. 'U bent inderdaad een vrouw.' Hij loopt op haar toe, zijn hand half uitgestoken om haar te begroeten. 'Ik viel bijna van mijn stoel toen Rivers zei dat hij...' Zijn mond valt stil, wordt weinig meer dan een verlegen plooi schuin over zijn kin.

'Had u liever een man gehad?' vraagt ze koeltjes nadat ze hem de hand heeft geschud. Het is zijn spontane verlegenheid die haar zelfvertrouwen heeft gegeven, beseft ze. Daarin ligt zijn charme.

'Hemel, nee, begrijp me niet verkeerd...' Hij wijst naar een rechte kantoorstoel. 'Ga alsjeblieft zitten.'

Hij is in uniform. Niet het kaki dat ze in Zuid-Afrika heeft leren kennen, maar het olijfgroene duffelse materiaal. De Sam Browne-riem met de schouderband die schuin over de borst loopt, kent ze wel, en ook de beenwindsels. Terwijl hij terugloopt naar zijn stoel, herkent ze ook de afgemeten, berekende passen die eigen zijn aan de dragers van die windsels.

Zij is gekleed in haar Nederlandse verpleegstersuniform, en als ze haar kin laat zakken, voelt ze het ongelooflijk grote gele kruis bij haar hoge boordje. Ze strijkt de witte schort glad over haar bovenbenen, en ze moet, op dit ogenblik, in dit kantoor en onder de blik van deze man, sterk denken aan de enige foto van haarzelf die genade in haar ogen vindt: daarop is haar gezicht hoekig en niet plat, haar brede mond waarvan de stijf dichtgeknepen hoeken bijna, bijna minachtend opgekruld staan. Haar gezicht is afgekeerd van de camera zodat er een schaduw over de linkerkant valt, maar waarom deze foto haar het best bevalt, is de... nee, 'minachting' is niet het juiste woord, dat is niet waartoe ze geneigd is, maar toch is er een soort uitdagendheid die ze uitstraalt. Of komt het gewoon omdat zij erin geslaagd is om de attenties van de camera totaal te negeren?

Als Hurst weer spreekt, schrikt ze op; ze was even helemaal in gedachten verzonken. 'Welnee, je bent hier immers niet de enige vrouw,' zegt hij, maar zonder een spoor scherpte. 'Deze plek was bovendien nog niet zo lang geleden – ach, we zitten hier nauwelijks een jaar - het hoofdkwartier van de *Women's Land Army*.'

Hij zwijgt en observeert haar afwachtend. Ze voelt hoe ze onwillekeurig begint te blozen, en geërgerd gaat haar blik naar haar handen, hopelijk heeft hij het niet gemerkt. Maar als ze hem weer aankijkt, zit hij voorovergebogen op zijn stoel, zijn ellebogen nu op het bureaublad. Haar reactie was kennelijk aanvaardbaar, of tenminste niet verdacht, want hij spreekt nu met een merkbare levendigheid in zijn stem: 'Dat zijn de strijders met de ploegschaar. Je moet al over hen gehoord hebben, misschien ben je hen zelfs al tegengekomen. Hoe lang ben je nu al hier? Ach, dat maakt ook niets uit, feit is dat deze plek eigenlijk een landbouwcollege is, ik bedoel was, voordat het hoofdkwartier besloot dat het belangrijker was om soldaten met een shellshock terug te kunnen sturen naar het front, dan om vrouwen op te leiden om de plaats van de mannen op de landbouwbedrijven van het koninkrijk in te nemen.'

Ah, ze weet nu waarover hij spreekt! Ze vraagt zich even af of hij het sarcastisch bedoelt, maar zijn gezicht verraadt niets. Nu weet ze ook waarom ze begon te blozen. Ja, ze weet het weer: toen zij en Jacobs vanochtend met het zijspan naar het hospitaal reden, hadden ze opeens de weg versperd, deze vrouwen. Ze had de randen van het zijspan vastgegrepen, voelde hoe Jacobs krachtig remde. Het had haar een hele tijd gekost om te begrijpen wat ze zag: de korte overjassen, de hoog opgetrokken kniebroeken, lange grijze kousen, blauwgekleurde truien in de broek gestopt, sommigen droegen rubberlaarzen, en bijna als toegift de schoffel over de schouder. Maar ontegenzeglijk heupen, dijen, haren en borsten – het waren vrouwen!

De groep werkende vrouwen, boerinnen, waren snel maar heel speels, uitbundig zelfs, voor de motor uit de weg gegaan, Jacobs had het tempo verhoogd, was er voorbij gejaagd, en zij had geprobeerd om te kijken naar de joelende groep, maar Jacobs had boven het motorlawaai uit iets naar haar geschreeuwd en zij had haar hoofd teruggedraaid en zich naar hem toe gebogen. Hij moest de motor bijna tot stilstand brengen voordat ze kon horen wat hij zei en ze begreep wat zijn kwakende lach betekende, zijn mond opengesperd en zijn tong... ja, nu ze eraan dacht, vond ze het nogal obsceen, de manier waarop hij zijn tong tussen zijn ontblote tanden liet flapperen. Ze had snel de andere kant uit gekeken, recht voor haar op de weg, zich aan de randen van het zijspan vastgeklemd terwijl ze heen en weer schuddend, ratelend voortjaagden naar het hospitaal. Schommelend en zich vastklampend had ze geprobeerd de betekenis te begrijpen van wat ze zojuist had gezien en hoe Jacobs erop had gereageerd. En bovenal voelde ze die vreemde onrust in zichzelf. Er was iets onbehoorlijks aan het stel belachelijke vrouwen in mannenkleren, maar – en dat liet haar weer blozen – ook iets heerlijk opwindends.

Ze ontdekt dat Hurst haar fronsend zit aan te staren, en ze kijkt weer naar haar handen. Ze voelt zich nu echt verlegen over haar reactie. En waarom weet ze niet precies, het heeft niets met haarzelf te maken. Het moet het onbekende in alles zijn. Het land is vreemd; zij is vreemd. Ja, dat beseft ze nu, ook zij is voor haarzelf enigszins vreemd. Maar dan hoort ze Hurst praten en ze kijkt halverwege zijn zin op, merkt de vraag in zijn blik en probeert te glimlachen.

'Ik besef dat het een nogal omstreden kwestie is, en voor jou als Nederlandse moet het nog vreemder zijn.'

Nederlandse? Heeft Reymaker hun dan niet laten weten dat ze Zuid-Afrikaanse is? Of was. Maar nu weet ze opeens niet meer wat Reymaker vindt dat anderen over haar moeten weten. Wat zou hij hun hebben geschreven? Hij zal beslist met zijn vriend Rivers over haar gesproken hebben, want zo is ze hier terechtgekomen – hij was het voornaamste contact. Maar wat had Reymaker tegen Rivers gezegd? Hebben jullie plaats voor een vrouw met – en niet lachen, hoor – belangstelling voor shellshocks?

Ach, het is ook niet zozeer die shellshock die haar gelokt heeft, al dacht Reymaker dat wel. Of, nee, hij dacht dat ze een of andere morbide belangstelling had voor de oorlog. Dat had hij haar naar haar hoofd geworpen toen ze hem de eerste keer over haar 'oorlogsplan' had verteld. Toen zij hem vroeg of er misschien een plaats voor haar was in een van de Engelse militaire hospitalen, had hij geantwoord: maar het is niet onze oorlog.

Inderdaad. Het is niet 'onze' oorlog. Niet eens het feit dat er Zuid-Afrikanen in deze oorlog vechten van wie de lijken in de Franse modder worden vertrapt, maakt hem tot haar of Reymakers oorlog. Hún oorlog, die van Reymaker en van haar, speelt zich af in hun kliniek in Dordrecht. Elke dag strijd om een paar mensen greep te laten krijgen op de werkelijkheid, misschien zelfs greep op de betekenis van de werkelijkheid. Op geluk? Maar dat is niet wat Reymaker bedoelde. Hij zinspeelde gewoon op het feit dat Nederland neutraal was, niet meedeed aan de oorlog.

Was dit wel echt wat hij bedoelde? Reymaker zakte weg in zijn stoel achter zijn bureau, schuin achter het bronzen beeld van een zittende kat op het schrijfblad. Zijn geliefde kat. Langs de kat heen keek hij haar recht aan, zijn ogen steenkoolzwart boven zijn dunne, vlassige baard. Zij was met haar handen op een stoel geleund blijven staan. Door het raam links kon ze de rimpelingen op het kanaal zien, aan de horizon van de stad de stompe toren van de Grote Kerk met daarachter de pluizige wolken waaraan ze na meer dan vijftien jaar in dit land nog niet gewend was geraakt. Maar aan de vreemde grapjes van Reymaker was ze allang gewend.

Ze had weer eens geprobeerd uit te leggen waarom zij zo geïnteresseerd was in het werk van Rivers. Het was niet zo dat de benadering van dr. W.H.R. Rivers op een of andere manier specifiek verband hield met Afrika, allerminst met Zuid-Afrika, maar het had dat waarvoor ze van meet af aan belangstelling had gehad; het was het feit dat zijn werkwijze gefundeerd was op zijn research naar de traditionele geneeswijzen van primitieve stammen. Ze kon het niet geloven. Bijgeloof! Tovenarij! Heksen! In de wereld waarin zij woonde en werkte waren het verwensingen – en och ja, zij kwam zo af en toe wel eens in de kerk. Maar hij had gezien dat er kunst verbonden was aan die vermaledijde praktijken, de kunst van de geneeskunde. Niet de wetenschap, nee, de kunst! En dat inzicht had hem, Rivers, gebracht tot een gespannen relatie met de moderne westerse psychiatrie. Dat had ze bijna instinctief begrepen. Toen ze er de eerste keer over hoorde, was ze ontroerd. Een droog, feitelijk relaas in een vaktijdschrift had de tranen in haar ogen doen springen.

Reymaker was er niet zo snel in meegegaan, al kenden Rivers en hij elkaar. Ergens op een of ander congres ontmoet. Ze waren wellicht zelfs bevriend; ze had er trouwens op gerekend dat ze meer waren dan alleen kennissen. Reymaker had de Fitzpatrick-lezing van Rivers in Londen bijgewoond, maar hij stond tamelijk sceptisch tegenover de 'nieuwe benadering' van zijn collega over de behandeling van hysterische toevallen van soldaten. Maar zij tweeën, haar baas en zij, hadden er genoeg over gedebatteerd waardoor zij, toen ze haar plannen kenbaar wilde maken, geen aanloop meer nodig had gehad. Ze was met de deur in huis gevallen: 'U hebt toch contact met dokter Rivers, is het niet?' had ze gezegd. 'Ik vraag me af of u iets voor mij zou kunnen regelen.' En toen zijn ene wenkbrauw onthutst omhoogging, had ze er snel aan toegevoegd: 'Die ervaring kan uiteindelijk iets betekenen voor de praktijk.'

Zijn mond was opengevallen, en toen had hij nors naar zijn papieren op zijn bureau gekeken. 'Zozo,' had hij gebromd, 'jouw alles verterende ambitie.'

Ach, die ouwe Reymaker! Zijn nukkigheid had haar niet verrast; dat was niet meer mogelijk. Hun schermutselingen waren allang een vorm van familiariteit. 'Nee, het gaat over Rivers,' had ze met nadruk gezegd, 'zijn benadering, bedoel ik.' Ze had er echter voor gezorgd dat haar stem zo gelijkmatig mogelijk klonk. 'Het is nieuw, vindt u niet? U hebt het zelf zo gezegd. Daarbij komt dat het hele verschijnsel... wel...' Ze had de zin niet afgemaakt; het was niet nodig om het woord te noemen, dat woord dat door de oorlog in de wereld was gebracht. Zelfs in Nederland, waar mensen doodgewoon konden doorgaan met het verzorgen van hun stadstuintjes, en ook daar in hun kliniek in Dordrecht waar elke dag woorden als neurasthenie en idiotie onder spierwitte lakens werden gelegd, zelfs daar bracht het noemen van het woord een siddering teweeg: shellshock.

Shellshock. Shellshock-hospitaal. Soldaten die zichzelf helemaal kwijt waren, al hun woorden, hun hele geheugen, het volledige beheer over hun spieren; lichamen bezeten door spasmes van een niet te bevatten gruwelijkheid; soldaten die niets liever wilden dan doodgewoon doodgaan.

Dat was echter de weg die zij wilde gaan. Nee, 'wilde' was niet het juiste woord. Op de boot hier naartoe had ze gedacht aan die vastberadenheid in haar, en als ze eerlijk was, moest ze bekennen dat ze eigenlijk hierheen werd gedreven door een kracht in haarzelf waarvan ze zich geheel en al onbewust was. Of liever: tóen onbewust was, want diezelfde kracht had zich al eerder in haar leven gemanifesteerd. Tien tegen een was het dat wat haar destijds, toen ze nog maar achttien was, aangevuurd had om ondanks alles in een vreemd land, een vreemde cultuur, en bijna als enige vrouw, te gaan studeren en uiteindelijk een baan te krijgen bij het psychiatrisch instituut Reymaker.

Het was Reymaker zelf die haar speciaal was komen vragen tijdens haar laatste praktijkjaar in het Wilhelminahuis in Amsterdam toen ze al jaren opleiding achter de rug had. Alleen de beste student wilde hij om hem in zijn kliniek in Dordrecht te komen bijstaan. De deugdzaamste, daar was hij naar op zoek, had ze daarna soms verbitterd gedacht, hoewel bitterheid een emotie was waarvoor ze haar hele leven had gewaakt. Degene die het minst klaagt, die wilde hij hebben. Maar wat hij toen niet had geweten en haar docenten zeker ook niet hadden vermoed, was dat haar ijver een uitvloeisel was van het vuur in haar. Je kon haar ook opvliegend noemen, als je wilde, maar ze was ervan overtuigd, ook zoals ze hier onder zijn koele taxerende blik tegenover Hurst zit, dat ze haar standpunten altijd op een beschaafde manier overbrengt. Eerlijk is ze, en ze kan sterk zijn in haar overtuiging, maar ze is fatsoenlijk. Fatsoenlijk op een Afrikaanse manier? Ach, dat is niet belangrijk, weet ze dan. In praktisch alle opzichten is ze Nederlandse.

Ze gunt Hurst dus geen handreiking. 'In Nederland,' zegt ze, 'is de psychiatrische verpleging hoofdzakelijk in handen van vrouwen.' Dat is de zuivere waarheid, hoewel niet iedere vrouw het gele kruis krijgt. Ze moeten uit de middenklasse afkomstig zijn, aangezien deze vrouwen gezien worden als de dragers van de waarden waarop een gezonde samenleving gebouwd moet worden. Geesteszieke patiënten worden gezien als mensen die zijn afgedwaald van deze waarden en die dus teruggebracht moeten worden op het rechte pad. Ze denkt weer aan de groep boerinnen die ze onderweg had gezien en zegt: 'Hier bij jullie is het misschien anders, maar wij moeten... ik begrijp dat de oorlog alles omvergeworpen heeft.'

'Nee, we hebben hier ook heel wat vrouwen, dat zul je gauw genoeg ontdekken. Maar niet veel buitenlanders. Ik vermoed dat mensen vooral in hun eigen land helpen, maar ja, in landen die niet bij de oorlog betrokken zijn, is dat een andere kwestie. Je had net zo goed in Duitsland kunnen gaan werken.'

Vreemd dat de vraag waar ze zou gaan werken ook ter sprake kwam toen ze Reymaker erover polste. Hij zat intens naar zijn geliefde kat te kijken terwijl hij sprak en hij draaide er nogal omheen: 'Tegen Engeland zelf heb ik niets. Integendeel. Ik heb het nu over dat typische van Engeland.' Hij hield zijn hoofd een beetje schuin zodat een van die steenkoolzwarte kijkers haar kon vasthouden.

Dat typische van Engeland? Ze wilde de zin laten doordobberen op de stroom woorden, een relaas dat eigenlijk niets meer was dan een formaliteit, maar toch had het haar beziggehouden. Ze was geneigd deze vage ergernis in zichzelf te negeren, maar ze slaagde er niet in. Dat typische van Engeland? Wat betekende dat voor haar? Ze probeerde snel te denken en een paar indrukken fladderden als nachtvogels in haar op: het gezanik van doedelzakken die 'God save the King' speelden, een klokvormige tent die als een lantaarn gloeide in een zwarte, pikzwarte nacht, een lantaarn die zwengelde en zwaaide alsof hij aan een kar bengelde. Opeens was de beklemming er weer, en ze was tot niets in staat behalve tot het oproepen van deze verwarde beelden. Pas later, toen ze weer terug was in haar kamer, begon ze zich af te vragen of dit misschien juist het probleem was, namelijk dat Engeland voor haar altijd alleen dát zou zijn. Altijd maar weer dát toneel. Een toneel met zijn eigen achtergrondmuziek, eigen belichting, eigen woorden; de choreografie van die macabere dans die onuitwisbaar in haar was vastgelegd.

Maar dat inzicht was pas veel later gekomen. Toen, daar in het kantoor, had Reymaker weer het woord genomen: 'En Rivers? Wat je van hem weet en wat je van hem bewondert, heb ik je verteld. Ik vind dat hij wel een beetje ver gaat met zijn fascinatie voor het primitieve, dat heb ik jou al talloze malen gezegd. Die wilde woesteling!' Reymaker had vanuit zijn buik naar de kat gelachen, maar werd plotseling somber, alsof het opeens tot hem doordrong dat het beeldje aanstoot gaf.

'Hij gaat een beetje te ver,' vervolgde hij nadenkend. 'Maar ja, hij heeft wel resultaat, hè. Hij boekt resultaten.' Hij stak een bleke hand uit naar de kat en streelde voorzichtig over de staart die keurig, typisch des kats, om de poten was gekruld. Hij gluurde weer om het beeldje heen naar haar, zijn mond halfopen. 'Het is de oorlog, nietwaar?' had hij gezegd. 'Het is de oorlog die jou trekt.'

Ze had hem zwijgend aangekeken. Zijn woorden gewogen, haar vingertoppen licht op de leuningen van de stoel. Is het de oorlog? Ze keek naar haar baas op zijn troon met het beeld van de godin van de wijsheid naast zich. Ieder ander zou in lachen uitbarsten om deze excentrieke oude man, maar zij had al geleerd zich niet door een karikatuur van de wijs te laten brengen. Om de waarheid te zeggen: zij vond het nogal geruststellend. Het zou veel moeilijker voor haar zijn geweest als hij een man was die je alleen maar ernstig moest bejegenen. Maar is het de oorlog die haar trekt? En als dat zo is, waarom dan?

Nee, kwam ze tot de conclusie. Ze heeft juist dit beroep gekozen om te helpen genezen; haar levenspad had haar geleid naar de wonden die het diepst verborgen liggen en het traagst genezen, de wonden aan de ziel. En ze gaat naar Engeland omdat daar nu zalen vol mensen liggen van wie het innerlijk een spelonk vol rondvliegende bomscherven geworden is. 'Het zijn de ménsen in de oorlog die mij trekken,' had ze gezegd.

Reymaker had haar nog een tijdje aan zitten kijken en begon toen op zijn bureau naar papieren te zoeken. 'Nou goed dan, vooruit dan maar,' had hij gemompeld. Ze moest alleen helpen met het zoeken van een tijdelijke plaatsvervanger; hij hielp haar met een reispas en een baan bij een van de hospitalen van Rivers. Niet bij zijn eigen hospitaal, het Craiglockhart-oorlogshospitaal in Edinburg, maar bij het Seale Hayne Hospitaal in Devon. 'Daar zit een mannetje dat net zulk goed werk doet. Rivers vindt dat hij op het juiste spoor zit, en dat kan maar één ding betekenen. Hurst is zijn naam.'

En nu zit ze hier tegenover dokter Arthur Hurst. Majóór Hurst. Een Britse militair, in uniform. Het is geen doodgewone situatie voor haar. Allerminst. Maar het is precies waarop haar levenskeuze, de keuze van haar beroep, op aangestuurd heeft. Ze had haar leven lang kunnen weglopen van wat ze is, van wat ze in Zuid-Afrika is geworden. Maar ze had lang geleden al besloten dat er voor haar maar één manier van leven is, en dat is een rechtstreekse confrontatie aangaan met dat ding dat voortdurend aan haar deur zal blijven kloppen. Maar zo negatief hoef je er ook weer niet naar te kijken, want per slot van rekening is haar leven ook gered daar in Zuid-Afrika en dus heeft ze gewoon besloten dat soort reddingswerk voort te zetten, de therapie die zij uit de handen van Tiisetso en Mamello in die grot heeft ontvangen, die zal zij voortzetten. Zo is Rivers in beeld gekomen. Ze zal niet toegeven aan de behoefte iemand te zien lijden zoals zij geleden heeft. Die behoefte is er nog. Soms onverwacht. Maar het is niet de basis van haar leven.

Hurst spreekt weer; zij concentreert zich. 'Maar je belangstelling voor de psychiatrie is toch geen voor de hand liggende keuze?' zegt hij.

Niet verrassend. Ze had de vraag al een paar keer in haar leven moeten beantwoorden. Al tijdens de opleiding. Vaak. Daarna had Reymaker ernaar gevraagd... Maar lang tevoren had ze zichzelf een antwoord moeten geven. Het zijn de feiten die haar bezighouden: ze was een *bijwonersdochter*, een concentratiekampkind. Goed, een kind was ze beslist niet meer, maar het is waar dat haar schoolopleiding volgens de normen gebrekkig was. Hoe was het dan mogelijk dat iemand met haar achtergrond in de psychiatrische verpleging terechtgekomen was?

Ze had een paar standaardantwoorden, maar deze keer, hier bij Hurst, besloot ze de vraag totaal te ontwijken. 'Nee, dat is zeker zo,' zegt ze, 'maar het is om professionele redenen dat ik hier ben.' Hij kijkt even neer op zijn hand die op het bureau gestrekt ligt, en dan weer naar haar. Ze vervolgt: 'In Nederland werden er een tijd geleden, zo'n jaar of tien, actief vrouwen geworven voor de psychiatrische verpleging. Uitsluitend deugdzame vrouwen uit de middenklasse.' Ze lacht wat ironisch, een ingeoefend gebaar. 'Het uitgangspunt was dat dit type verpleging toegespitst moest worden op de herintegratie van de patiënten in de samenleving. Ze moesten dus in eerste instantie de burgerlijke normen en waarden leren kennen, en de Nederlandse overheid dacht dat vrouwen uit de middenklasse ideaal waren voor de taak de verdoolden weer op gebaande de wegen te brengen.'

'En zo ben je in dit beroep beland, gewoon per ongeluk?'

Tot nu toe slikt hij het niet zo gemakkelijk. 'Nee,' zegt ze, 'niet per ongeluk.' Nee, hij laat haar er niet mee wegkomen. 'Het geluk was wel aan mijn kant.' Ze denkt even na over de mogelijkheden die deze woordspeling haar biedt, en vervolgt dan: 'Er waren wel mensen die mij beïnvloed hebben, mensen die mij geholpen hebben deze beslissing te nemen. Die hebben het voor mij, ook in praktische zin, mogelijk gemaakt.'

'En nu ben je hier. Ik ga ervan uit dat dit ook niet per ongeluk is?' Ze merkt dat hij niet echt gediend is van haar vage verhaal. Voorzichtig nu.

'Nee, zeker niet.' Weer die glimlach. 'Kennelijk ben ik nogal gemakkelijk te beïnvloeden... Het komt door uw collega, dokter Rivers. Ik heb over zijn werk gehoord; hij en mijn werkgever in Nederland zijn...' – zijn ze bevriend? – 'staan regelmatig met elkaar in contact en ik wilde, namens onze praktijk, ervaring komen opdoen met zijn type therapie.'

Hij knikt een paar keer. 'En ik ga ervan uit dat jullie in Nederland niet zoiets als shellshock hebben. Ik begrijp het. Ja, het heeft zin. Weet je wat shellshock is? Heb je ze al gezien?'

Niet in de Nederlandse praktijk, nee. Ze denkt aan de vrouw die gras begon te eten achter de zinken platen van het ooienhok in het Winburgse kamp; ze denkt aan die keer dat ze totaal onwetend in een stoet zwartgeklede vrouwen haar verdoemenis tegemoet liep. Haar antwoord klinkt gedempt: 'Maar toen ik het zag,' zei ze, 'had de wereld er nog geen naam voor.'

Hij kijkt haar een tijdje nadenkend aan voor hij zegt: 'Weet je wel wat we verplicht zijn hier te doen? Officieel, bedoel ik? Weet je dat?'

Ze geeft geen antwoord; kijkt hem uitdrukkingsloos aan, in gedachten nog bij het ritselen van de wijde zwarte zijden rokken, als wind die door blauwe distels ruist. Shellshock. Is dat de naam die ze hiervoor in gedachten heeft?

'Wij zijn de bewakers van de moraal van het volk,' zegt hij, en de manier waarop zijn onderlip de woorden laat vallen, doet haar een grote mate van wrangheid vermoeden. 'De moraal van het volk in oorlogstijd. Het komt er voornamelijk op neer dat we ervoor moeten zorgen dat onze soldaten gezond genoeg zijn om te vechten. Geestelijk gezond. We zijn dus hier om te zorgen dat we deze militairen genezen, onze patiënten, die in eerste instantie echt ziek zijn en niet doen alsof ze ziek zijn omdat ze te bang zijn om door te gaan met vechten. Te bang zijn om dood te gaan. Onze eerste taak is dus om ze zo snel mogelijk terug te kunnen sturen naar de loopgraven.'

Hij kijkt haar uitdrukkingloos aan. Ze is nu vast overtuigd van zijn ironie. Hij had op een fijnzinnige manier, of met erg fijnzinnig beheerste verbittering, de spot gedreven met zijn officiële opdracht. Ze was er absoluut zeker van dat haar indruk juist is. Dus waagt ze het om te zeggen: 'Ik begrijp het, dokter Hurst,' en ze kiest haar woorden voorzichtig, 'ik begrijp dat jullie hier in dit hospitaal het welzijn van de patiënt op de eerste plaats stellen?'

Zijn mond krijgt een licht verlegen trek en ze verbeeldt zich dat ze een blosje op zijn wangen ziet. 'We proberen ons best te doen hen beter te maken. En als ze weer gezond zijn, kunnen ze terug naar de samenleving.' Hij heft zijn hoofd zodat ze de ogen in hun oogkassen kan zien glanzen, en zegt dan: 'En jammer genoeg verkeert onze samenleving op dit moment in staat van oorlog.'

Ze begrijpt wat hij bedoelt. Ze hoeft geen antwoord te geven. Voor deze mannen is oorlog nu de enige wijze van bestaan. Het normale leven is oorlog. De enige toevlucht. Ze wil zeggen wat ze zich heeft voorgenomen te zeggen, iets over de aspecten van het werk van Rivers waarover ze al zo vaak heeft nagedacht en waar ze al min of meer klaarheid over heeft gekregen. Ze hoort zichzelf echter iets anders zeggen: 'Ik denk dat een deel van het probleem is dat mensen tot de conclusie komen dat ze zelf de oorlog zijn en niets anders. De ironie is dat jullie hen hiervan los moeten maken zodat ze weer in dezelfde situatie vallen.'

'Of zich psychisch zo sterk maken dat ze onderscheid kunnen zien tussen henzelf en de oorlog.'

Het is alsof zijn woorden langzaam en door dikke modder op haar toe kruipen; een voor een komen ze bij haar aan en drinkt ze ze op. 'Jij bent dus niet je eigen oorlog?' Ze schrikt bijna als al deze woorden in gelid voor haar staan. Zich in haar binnenste inkapselen. Zo duidelijk had ze het nog nooit voor haarzelf kunnen zeggen, en ze was er al bijna haar hele leven mee bezig. Met verwerken, met afhandelen, met het afsluiten van háár oorlog.

Jij bent je eigen oorlog niet.

'Juist,' zegt hij en hij staat op. 'Maar om dat onderscheid te maken... en ik zeg je dat dát soms bitter moeilijk is. Kom, ik zal je laten zien waarmee we hier te kampen hebben.'

Hoofdstuk 6

Als ik rechtop ga zitten, kan ik door de ingang van de grot naar buiten kijken. Niet lang, want dan begint er iets zo hard tegen mijn slapen te drukken dat mijn hoofd wel kan barsten. Dus ga ik maar weer liggen, al is het gemakkelijker om mijn gedachten weg te sturen als ik kan kijken naar iets, of als ik tenminste de zon kan zien schijnen. 's Nachts is het anders. Het duurt lang voor ik in slaap val en ik lig maar gewoon zo met mijn ogen open in het donker te staren. Ik hoor vogels, jakhalzen. Soms ook ergens roepen. Van veraf. Vooral dan ben ik bang dat iets of iemand deze grot vindt. Het is alsof het eigenlijke ding waarvoor ik bang ben ver daarbuiten ligt en niet hier in de grot. Ik weet niet waarom ik het zo voel, maar er is daar iets buiten.

Onder de lap hier om mijn hoofd zit een hard en knobbelig ding. Het knelt tegen mijn huid. En ik moet heel stil blijven liggen, want als ik me beweeg, doet het pijn. Tussen mijn benen zit ook zoiets. Dingen. Ik kan met mijn vingers al onder mijn rok friemelen om te voelen. Het lijkt wel iets van gras wat daar ingestopt zit en ook met een lap of een verband of zoiets om mijn heupen is vastgemaakt. Ik ben te bang om het aan te raken. Ik ben eigenlijk te bang om te bedenken wat het is of waarom het daar zit. Mijn benen houd ik dan ook strak languit en doodstil. Ik lig hier maar met mijn hoofd op de zak naar de tekeningen boven me te kijken, en als ik mijn ogen dicht doe, zie ik nog steeds de dieren zo half over mekaar heen en soms is het dan alsof ze beginnen te bewegen.

Ik kan me nog niet goed herinneren hoe ik hier gekomen ben, of wat er met me gebeurd is. Mijn hoofd doet te veel pijn als ik denk. Mijn herinneringen gaan maar tot bij het kamp, niet verder dan van daar kan ik mijn gedachten terughalen. Maar dan blijft wat is gebeurd als stof tussen de tenten hangen, daar tussen het hoesten, kermen en klagen. Dan waait het weer weg. Als adem. Weg. Het slachten van het schaap herinner ik me ook. Dat vult eigenlijk mijn hele hoofd, maar ik weet niet of het in het kamp was. Dat is de gedachte waar ik het meest bang voor ben. Het gezicht van een man is er ook bij.

Daarom ben ik blij af en toe Tiisetso te zien, al weet ik nog steeds niet wat hij met me wil doen. Er is hier ook een vrouw. Ik weet niet of het zijn vrouw is, ze is veel ouder dan hij, pikzwart van ouderdom. Maar zij zorgt voor mij. Ze voert me *motôho*. Ik hoefde het niet eens te zien om te weten wat het is. Ik ken die zurige, melige smaak. Ze geeft me ook koel water dat ze met een blikken beker uit een aarden pot schept. Het water met de bittere smaak van bladeren.

Ze is netjes aangekleed, de vrouw die hier samen met Tiisetso is. In zo'n wittige lange jurk die tot boven toe is dichtgeknoopt en ze heeft een hoofddoek op. Mamello is haar naam. Ze spreekt Afrikaans, en ze praat met mij al kan ik nog niet terugpraten. Het beetje Sotho dat ik ken, zal me ook niet veel helpen. Ze zegt altijd dat ik haar moet roepen als ik moet plassen. Het spul op mijn hoofd en tussen mijn benen zijn medicijnen die Tiisetso maakt, hij is een *ngaka*, een dokter van het veld. Zo zegt ze het. Ja, hij heeft van die armbanden om zijn polsen, dat heb ik al gezien. Van koper en kleurige kraaltjes en dierenhuid.

Mamello praat meer dan Tiisetso. Ik wil haar vragen wat ze met me gaan doen. Ze hebben geen geweren, dat kan ik zien. Ze maakt vuur, pakt aanmaakhoutjes en mestkoeken, houdt haar hoofd schuin uit de rook.

Tiisetso zegt *kgotso* als hij groet. Vrede. Het is goed dat hij in het midden van de oorlog zo groet. Hij is tenminste niet met de *Scouts** van Olof Bergh bezig om boerderijen plat te branden en kippen dood te maken. Verderfelijke onmensen. Tiisetso heeft ook niet zo'n hoed als de Scouts dragen. Geen geweer en geen hoed. Wilde hij mij maar zeggen wat er is gebeurd, waarom ik hier lig.

Misschien wil ik niet alles weten. Ik wil niet dat hij me zegt wat er hier tussen mijn benen gebeurd is. Maar Tiisetso zal ook niet alles vertellen. Ik weet dat hij dat niet zal doen, zo zijn ze, deze mensen. Kijken je niet in de ogen, praten altijd schuins naast je.

Ik zal echt wel blijven liggen, Tiisetso, ik voel me niet lekker, maar je moet het zeggen. Ik wil het weten. Ik weet dat het heel erg is, want het is niet zomaar pijn hebben wat ik voel, het is niet alleen dit, er is iets heel erg verkeerd met me.

Tiisetso kan zeker zien wat ik wil, want hij praat met mij. Hij zegt dat hij me alleen kan vertellen wat hij ziet, maar wat betekent dat? Meteen daarna zegt hij dat hij me zo heeft gevonden en hoe dat gekomen is, kan alleen ik weten. Dat zegt hij. Hij zegt dat ik zelf moet zeggen wat er gebeurd is. Hij heeft me zó gevonden, en ik denk dat dit alles is wat hij wil zeggen. Hij zegt dat als we erachter kunnen komen wat er met mij gebeurd is, we medicijnen kunnen krijgen voor het hele land. Het hele land gaat dood aan deze ziekte, zegt hij.

Ik weet niet waarover hij praat. Ik word er doodmoe van. Hoe heeft hij mij gevonden? Hij moet het recht-uit zeggen, er niet omheen draaien. Ik weet niet of ik goed begrijp wat hij zegt. Hij zegt ik, die dood was, was daar. Hij heeft me daar gevonden. Ik was daar maar ik was ook weg. Ik was naar de andere kant. Terwijl hij dit zegt, wijst hij zo met zijn hand over de heuvel. Hij zegt dat ik ben teruggekomen en toen heeft hij me daar gevonden in het veld, in het gras. Hij zegt dat ik gebroken was. Kapot. Hij zegt dat het jammerlijk is, maar dat het waar is. Zo spreekt dit wezen. Ik heb hier geen kracht voor. Laat Mamello maar liever komen, zij zal me kunnen uitleggen wat voor nonsens hij vertelt.

Maar ik weet wat hij bedoelt als hij met zijn hand over de heuvel wijst. Dat weet ik. En ik weet ook waar-om ik de hele tijd het schaap zie dat geslacht wordt. Maar dat gezicht bij dat schaap, dat is het ergste.

Gelukkig is Mamello nu ook hier. Ze blaast het vuur aan, maar niet hard of stotend. Als ze blaast, is het als de wind die over het vuur waait. Er waait ook rook over mij heen. Als ze praat, zoals nu, heb ik het gevoel dat haar stem samen met de rook komt, want haar stem komt en gaat. Ze zegt dat het waar is dat ik daar lag. Daar op de vlakke grond, halverwege tussen de tenten en de beek waar ze het wasgoed wassen, het is waar dat ik daar lag. De kar die de mensen die in de nacht zijn gestorven naar het dorp brengt, heeft mij daar laten vallen. Ze zegt dat ik er slecht aan toe was. Heel erg slecht aan toe. Ze zegt zij, de mensen van het kamp, hebben mij samen met de andere doden weggestuurd omdat ik er zo slecht aan toe was.

Nu weet ik het. Tiisetso is een van de mensen die tussen de tenten rondlopen. Hij loopt er elke dag. Soms krijgt hij zoete melk, soms krijgt hij vlees. Of aardappels. Meel kun je er ook krijgen als je een paar van de mensen kent die daar in het kamp het eten uitdelen. Dat zegt Mamello. En ze zegt dat ik er heel slecht aan toe was.

Terwijl ze spreekt, ben ik op mijn rug gaan liggen. Boven mij de dieren en de mannetjes met de kieries. Ze denkt zeker dat ik in slaap ben gevallen. Maar dat is niet zo. Ik was aan het denken en probeerde het me te herinneren. Ik kan iets zien van wat ze vertelde, en het lijkt alsof het in me beweegt. Als takken in de wind gaat iets heen en weer in mij. Ze denken dat ik slaap, de twee zwarten, maar ik slaap niet.

Mamello begint te zingen. Dan Tiisetso ook. Dat is hun gewoonte. Hun stemmen gaan om en om en op en af. Het gaat maar door en door. Het is als rook die om me heen dwarrelt, hun zingen. Ik wil hun zeggen dat mijn naam Ntauleng is, zo heeft mijn verzorgster mij genoemd.

Hoofdstuk 7

'Kom,' zegt Hurst en hij legt zijn pen neer, 'ik zal je laten zien waarmee we hier te kampen hebben.'

Ze blijft nog even staan, kijkt bijna verdwaasd door het raam achter Hurst, zich bewust van het plotselinge licht, en als ze zich niet vergist roert zich in haar een nieuwsgierige afwachting, bijna een gevoel van opwinding, na het groeiende ongemak van haar gesprek met Hurst. Ja, dat realiseert zij zich nu: het was geen gemakkelijk gesprek. Niet dat ze de indruk heeft gekregen dat Hurst kregelig van aard is, allerminst. Het is alleen... Ze kan er nog niet de vinger op leggen.

Hurst loopt met lange, energieke passen door het vertrek, doet dan de deur open. 'Zoals ik je al zei, gaat het hier in hoofdzaak om angst en de pogingen die de baas te worden.'

Even is ze geamuseerd door het contrast tussen de kracht van zijn bewegingen en de sereniteit van zijn gezicht, maar dan haast ze zich om samen met hem de deur uit te komen. Hij is niet lang, ziet ze nu; zelfs kleiner dan zij.

'Omgekeerd zou je net zo goed kunnen zeggen dat we werken aan hun moed,' vervolgt hij als ze naast hem komt lopen, 'met alle verwachtingen die daardoor geschapen worden, en als gevolg daarvan ook de teleurstellingen. Er zijn er nog altijd in het leger en daarbuiten die denken dat we onaangepasten behandelen, en dat dit mensen zijn die "zwak van geest" zijn en vatbaar voor depressies. Maar feit is dat de meeste van onze patiënten officieren zijn. Nu zul je me meteen zeggen dat het dan om een elitaire zaak gaat, dat ze uiteraard meer aandacht en sympathie van de overheden zullen krijgen, maar de belangrijkste reden is dat het juist officieren zijn die hun emoties niet mogen tonen. Zij zijn de typen die doodeenvoudig hun angst móéten verdringen. En hier zie je dan de hele verzameling: atactische en hysterische manier van lopen, contracties en anesthesie van het gezicht, spierspasmen, knie- en enkelreflexen, paraplegie, oorlogsverwante hyperthyreoïdie, amnesie, woordblindheid en woorddoofheid en dan nog de algemene symptomen die je zult kennen uit de klinische praktijk.'

Ze stappen door een lange schemerige gang met een glanzend geboende vloer. Ze is zich bewust van het flapperen van haar rok tegen haar benen, van het stampen van de zware laarzen van Hurst. Ze lopen door een vreemde, half bovenaardse flikkering van donker en licht – langs open deuren waaruit elektrisch licht bijna verblindend helder over de donkere gangvloer valt. En het is alsof ze, zij en Hurst, zich omhullen met een dun membraan van moderne kennis, de nieuwste wetenschappelijke termen, een fijn net van woorden en in deze heldere bel drijven ze rond op een oeroude zee met om hen heen een gewemel van schokkende lichamen, krioelende ledematen en ogen die glazig door het sponzige oppervlak van de modder ploppen en het slijk van het allereerste begin. En het is alsof geleidelijk aan iets van deze oersoep begint door te lekken naar hun helderheid, zich tussen de moleculen van het membraan door perst en barst, opendwingt, waardoor gestalten, gezichten en geluiden binnendringen. Samen met het relaas van Hurst bevindt zich nu ook een andere stem in haar hoofd, een van die oude, oude stemmen die haar soms nog bezoeken, die van dokter Molesworth in een donkere koets op weg naar Bloemfontein: 'Wat heb je dan gezien, Perry?' En terwijl de stem van Hurst het nieuwe terrein voor haar openlegt, is het alsof een deel van haar aandacht voortdurend wordt weggeleid naar die andere, oudere wegen – de wegen die zij gelopen heeft om hier, in dit hospitaal aan te komen. 'Het is de oorlog, nietwaar?' hoort ze Reymaker zeggen en ze ziet hoe zijn rimpelige bleke vinger het staartje van de kat aait. 'Jij bent niet je eigen oorlog,' wil ze hem toesnauwen; ze wil zien hoe hij zijn ogen dichtknijpt en terugdeinst, maar Hurst is opeens blijven staan.

Niet dat het onverwacht is, maar ze was diep in gedachten verzonken geraakt. Hurst was eigenlijk het hele eind af en toe blijven staan om iets uit te leggen. Hij aarzelt bijvoorbeeld eerst een tijdje voordat ze een trap af gaan, of, heeft ze ontdekt, wanneer ze buiten gehoorsafstand van personeelsleden zijn die ze af en toe tegenkomen in de gang. 'Shellshock is een misleidende term,' zegt hij deze keer. 'Aanvankelijk dachten medici dat het schade aan de zenuwen was als gevolg van de ontploffingen. Nee, herstel, aanvankelijk dachten ze dat het gekonkel was van lafbekken met het doel van het front weg te komen. Dus werden ze tamelijk ruw behandeld. Eenzame opsluiting. Strenge disciplinaire maatregelen. Je kunt je wel voorstellen wat dat betekende. Elektroshockbehandelingen. Emotionele manipulatie. Maar tegenwoordig weten we dat veel van deze militairen, degenen die je hier kunt zien, niet eens in de buurt van een bom zijn geweest, en daarom hebben we het nu liever over "oorlogsshock" dan over "shellshock". In veel gevallen betekent dat langdurige blootstelling aan angst, aan spanning, en gewoon aan dagen, weken en maanden wachten in een loopgraaf, die de schade teweegbrengt.'

Ze lopen zalen in, langs rijen bedden met grijze dekens, witte lakens en grauwe gezichten. Veel patiënten zien hen niet eens, ze kijken naar het dak, uit het raam. De verpleegsters die ze in de zalen zien, hebben het meestal zo druk dat ze niet eens opkijken. Hurst buigt zich soms over een bed om met de patiënt te praten, soms ontlokt hij een glimlach, een paar woorden, maar meestal slechts een bezorgd, verward staren. Soms wil Susan iets vragen, een opmerking maken, maar alles wat ze wil zeggen, komt haar onbenullig voor. Het is alsof ze haar klinische, afstandelijke blik is kwijtgeraakt en ze alleen kan reageren met persoonlijke indrukken of emotionele ontboezemingen.

Als Hurst de zoveelste zaaldeur achter hen dichttrekt, wil ze in het luchtledige tot de volgende deur de gelegenheid aangrijpen om iets te zeggen wat helemaal niets met haarzelf te maken heeft. Ze steekt een hand naar hem uit om zijn aandacht te trekken, maar juist op dat moment gaat de deur aan de overkant van de gang open en staat er een verpleegster in het deurgat, haar gezicht uitdrukkingloos. Susan slikt. Ze slikt letterlijk haar woorden in; haar hand gaat langzaam terug naar haar zij. Over het hoofd van de verpleegster heen, in dat breukdeel van een seconde voordat de deur weer achter haar dichtgaat, ziet zij een lichaam dat zich wriemelend opkrult in een bed, alsof de lakens een witwarme vlam zijn – het was een mens.

De deur valt in het slot en Susan en de vrouw staan sprakeloos tegenover elkaar. Het was een mens, denkt Susan en ze voelt de vertraagde schok van adrenaline in haar vingertoppen prikken. Ze hoort Hurst schuin achter haar praten. 'Anne,' zegt Hurst tegen de verpleegster, 'wil jij zuster Susan Nell een beetje wegwijs maken?'

De blauwe ogen van de vrouw tegenover haar, Anne, en haar hele gezicht, zijn bewegingloos, alleen haar mond beweegt wanneer ze spreekt, en dan met zo'n bijna cynische trek van de volle onderlip. Ze is Anne Maxwell, kennelijk een van de leidinggevende verpleegsters in het hospitaal, maar waar precies haar plaats is in de hiërarchie, is niet duidelijk. Ze blijkt wel op de hoogte te zijn van de komst van de 'Nederlandse', maar ze luistert uitdrukkingloos naar het kordate voorstellen van Hurst, bijna afwezig, zoals verplegend personeel de pols voelt van een patiënt. Ze kijkt Hurst na als hij wegloopt, en als hij buiten gehoorsafstand is, zegt ze, nog altijd tegen zijn rug: 'Wat heeft hij je al laten zien? Een van zijn wonderwerken?'

Ze zegt het met een toonloze, licht verveelde stem, maar de blauwe ogen flitsen naar Susans gezicht en gluren daarna nogal demonstratief naar waar Hurst om de hoek is verdwenen. Susan vermoedt dat de vrouw een parodie speelt van de typische strenge hoofdverpleegkundige. Ze weet niet zeker hoe ze moet reageren. Is Anne Maxwell bezig om Hurst belachelijk te maken? Ze negeert Annes zijdelingse blik en zegt zacht: 'De mensen die ik gezien heb, zagen er ellendig uit.'

Anne gaat meteen van start. 'Kom,' zegt ze, 'ik zal je rondleiden.' Als Susan vlak naast haar loopt, zegt ze, haar blik nog altijd strak op haar gericht: 'Degenen die genezen zijn, wonderbaarlijk genezen, of zij die op de drempel van de genezing staan, kun je in de bibliotheek vinden, of in de muziekkamer, of wandelend in de tuin.'

Susan weet nog altijd niet precies hoe die vrouw het bedoelt: wonderbaarlijk... zou het sarcasme zijn? Die gedachte is niet meer dan een flodder, want wat haar echt bedrukt, is wat zij zojuist vluchtig achter die deur had gezien. Ze maakt haar stappen dus een beetje langer zodat ze schuin voor Anne Maxwell loopt, kijkt haar over haar schouder aan en vraagt: 'Maar wat was dat in die zaal daarachter, waar jij net was?'

Annes ogen dwalen van haar weg en weer terug, een vluchtige blik, maar wat betekent het? Was het een bevestiging? Een waarschuwing? Maar voordat Susan nog iets kan vragen, zegt Anne: 'Persy Meek' en dan: 'Nog niet klaar voor de bibliotheek of tuinwandelingen, hè.' Susan gaapt haar aan. Waar heeft die vrouw het over? Anne gaat echter onverstoorbaar verder: 'Je had hem moeten zien toen hij werd opgenomen.' Met haar linkerhand duwt ze een deur open en ze komen in een vertrek met een lange tafel en stoelen, waar ergens vandaan keukengeluiden komen en de geur van eten dat klaargemaakt wordt. 'De eetkamer van het personeel,' zegt Anne, ze gaat bij het hoofdeind van de tafel staan, vouwt haar handen voor haar borst en vervolgt zonder pauze haar relaas: 'Hij dacht dat hij nog in een loopgraaf was toen hij hier aankwam, precies zo opgekruld bleef hij liggen en dook weg voor de bommen die vielen, zijn pupillen zo groot als een taartbordje.' Ze kijkt Susan voor het eerst recht aan, en dan ziet Susan het: haar irissen hebben een donkerblauwe, bijna paarse rand. En onder die ogen bewegen de lippen nauwelijks merkbaar terwijl ze salvo's van woorden afschieten: 'Daar in zijn bed, een en al spasme, zweette hij als een paard, zijn pols honderd veertig en zijn hoofd, romp, benen, alles rukte en schokte. Hij zag spoken,' zegt ze, 'de spoken van de Duitsers die hij met zijn bajonet had neergeveld. Ze kwamen naar hem toe, hij hoorde de kogels naast hem inslaan, ze kwamen voor hem.'

Nog steeds wist Susan niet hoe ze moest reageren. Onder Annes strakke uiterlijk, haar onbetrokkenheid en de toonloosheid van haar verhaal, schemerde intelligentie en berekening door, het verhaal klonk alsof het ingestudeerd was, en de mond, merkte Susan, ja, die mond was altijd ongeveer een haardikte verwijderd van een glimlach. Susan begon een ironische speelsheid te vermoeden, maar dan weer gaat Anne door met haar verhaal voordat ze iets kan zeggen. Deze keer vertelt ze niet, ze vraagt: 'Maar waarom wil je hier komen werken? Waarom niet in een algemeen ziekenhuis? Daar is een personeelstekort. Om de loopgraafvoeten te verzorgen, of de talloze gevallen van venerische ziekten. En dan heb ik het nog niet eens over degenen die uit elkaar zijn geschoten. Shellshock is maar een druppel in een volle emmer.'

Die vrouw is bezig haar voor de gek te houden, er is geen twijfel mogelijk. Susan laat haar verdedigingswal vallen, en de woorden springen naar haar mond: 'Talloze gevallen... Wat bedoel je?'

'Ach, het is algemeen bekend...' begint Anne, maar het is alsof Susan even spontaan als ze heeft gereageerd door een somber vermoeden overvallen wordt: ze heeft iets ondoordachts gezegd, iets onbehoorlijks, ze heeft zich blootgegeven. 'Het spijt me,' krabbelt ze geschrokken terug, 'ik heb je vraag niet beantwoord.' Ze kijkt Anne een tijdje onderzoekend aan om de uitwerking van haar woorden te peilen, maar de blauwe kijkers met de donkere rand verklappen niets. 'Ik ben opgeleid tot psychiatrisch verpleegkundige,' zegt ze dan, haar stem krachtig, zonder een spoor van aarzeling.

Deze keer trekt Anne een wenkbrauw op. 'O, ja?' zegt ze. 'Hebben jullie in Nederland dit soort specialisaties?' Ze verwacht duidelijk geen antwoord, want de volgende zin stroomt al net zo ontspannen uit haar mond als alle andere: 'IJzeren zelfbeheersing hebben jullie wel geleerd, dat kan ik zien. En dat komt heel goed van pas op deze plek. Wat klets ik, hier hebben ze alleen het allerbeste nodig, want als je een fout maakt met de diagnose van een van deze mannen, kan het vuurpeloton zijn voorland zijn. Rattatatta. Niet echt iets wat mag gebeuren als je mankepootje een foute diagnose opplakt, wel? Dus, kop op, meisje, je bevindt je hier bij de top van de oorlogsgeneeskunde.'

IJzeren zelfbeheersing? Daar moet Susan aan denken terwijl ze naast Anne door de gang loopt. Anne maakt grote, soepele stappen, ontdekt Susan; en even vindt ze het heerlijk om precies met haar in de pas te lopen; er is een soort militaire camaraderie in het samenvallen van de voeten, iets branie-achtigs zelfs, maar dan vindt ze het belachelijk en doelbewust verandert ze haar pas. Toch is er iets in deze vluchtige, nietszeggende belevenis die een tinteling in haar heeft achtergelaten, en ze waagt het dan ook, omdat Annes onverschrokken oneerbiedigheid het mogelijk heeft gemaakt, ze waagt het om iets van die gewraakte zelfbeheersing prijs te geven. 'Schieten ze ook de mannen met venerische ziektes dood?' vraagt ze.

'Wat?' blaft Anne overdreven, maar nog steeds zonder een zweem van een glimlach. 'Zeker waar jij vandaan komt, maar wij hier zijn beschaafd.'

Dat raakt Susan. Waar zij vandaan komt? Ja! Dat is eigenlijk wat ze in gedachte heeft, realiseert Susan zich. De hele tijd al was dát wat ze eigenlijk wilde zeggen. Terwijl Anne sprak, hoe lang nu al, was er een oud beeld in haar hoofd opgekomen, het zat in haar hoofd, hier in de gang en daar in de keuken, en het was iets wat Anne had gezegd dat de aanleiding was tot dit ding, dit beeld uit haar jeugd. Het was in Kaapstad, ja, daar had ze het gezien, het was een van de Engelse soldaten, een kapitein die met een prostituee aan elke arm door de Adderleystraat had gelopen, zo doodnormaal alsof hij... alsof hij... Maar nee, dit was het ook niet, nee, niet dit, het is eigenlijk iets doodgewoons dat ze een tijd in Kaapstad heeft gewoond en praktisch gezien daar vandaan komt. Om de een of andere reden had ze het niet tegen Hurst gezegd, wilde ze het niet tegen hem zeggen, maar nu hier, hier in deze hospitaalgang, staat ze op het punt een vrouw die ze nauwelijks vijf minuten kent, te vertellen waar ze vandaan komt. 'In Kaapstad heb ik ooit...' begint ze, maar dan houdt ze haar adem in.

'Kaapstad? Ben je daar dan geweest?' vraagt Anne boven het klikklak van haar hakken uit.

Susan laat haar adem langzaam ontsnappen. 'Daar kom ik eigenlijk vandaan,' zegt ze. 'Voor ik in Nederland woonde. Daar ben ik opgegroeid.'

Tjee, dat was gemakkelijk, denkt ze. Waarom vond ik het vroeger dan zo moeilijk? Nee, echt moeilijk was het niet, maar toch, met Hurst was het een probleem, een soort obstructie, en dit, dat punt over mijn herkomst, juist dat had het gesprek met Hurst de onderliggende kriebel gegeven, zoiets als een ongewenste aanraking, als vingers die... Ze rilt en schudt haar hoofd om de gedachte te verjagen.

Nu pas komt Susan tot de ontdekking dat Anne abrupt is blijven staan, en zij al een pas of vijf voor haar uit is gelopen. Ze stopt onmiddellijk en draait zich om naar haar collega, en het treft haar dat Anne het ideale gezicht heeft voor dit tijdperk en deze plek, voor deze oorlog, met die ogen met de purperen glanzende krans eromheen en haar mond van pantserstaal. 'Dan ben jij een vrouw die al een hele weg heeft afgelegd,'zegt Anne. 'Jij kunt mij meer vertellen dan ik jou.' Ze begint weer te lopen, deze keer haar blik vastgepind op Susan.

Hoofdstuk 8

Lebitso la ka ke Ntauleng.

Ik kan praten! Ik heb Mamillo verteld hoe ik heet. Ntauleng. Ik kan weer praten! En ze klapte voor mij in haar handen om te bedanken en ze boog en lachte en deed lielielielielie en toen holde ze vlug weg om Tiisetso te gaan roepen. Hij kwam met zijn knopkierie hoog voor zich uit in de grot staan en zei: *Kêna ka kgotso, Ntauleng.* Kom in vrede binnen, Ntauleng. Ik denk dat hij bedoelde dat ik moet binnenkomen waar ik al was. Mamello was druk bezig met de waterkalebas, maar Tiisetso bleef naar mij staan kijken, de knop van zijn kierie naar de kant van zijn oor. Misschien weet hij van die nacht, van hoe ik in het donker wakker lag met de angst die mij wurgde zodat ik bijna niet kon ademhalen en ik de hele tijd alleen maar lag te luisteren, naar ieder geluidje. Soms hoorde ik de tanden van een paard tegen een stang, of een stampende hoef, en dan weer was er zoiets als vleugels die over me heen gingen, of een stel vrouwen in zwarte jurken en grote zwarte kappen op die langzaam door het veld liepen en hun rokken raakten elkaar en maakten van die schurende geluiden, en van hun lichamen kwam de lucht van klipdassenmest die ligt te gisten in rotsscheuren, van hun mondhoeken droop de verbittering tegen de ruwe rotsstenen.

Ze begonnen te zingen, Tiisetso met zo'n hoge stem voor een man en die van Mamello ook hoog maar vlakker, zo vlak en glad als de steen waarop ze slachten. En terwijl ze aan het zingen waren zei ik de woorden die in mij opkwamen, alleen omdat ik weer kan praten, heb ik gezegd. Alleen omdat ik weer kan praten. Hoer! zei ik. Hoer! En weer: hoer! Ik hoorde het mezelf zeggen, het kwam er gewoon uit. Het was eigenlijk het enige woord dat in me opkwam. De twee zwarte mensen zongen, gingen naast elkaar staan en zongen met heel hun lijf dat heen en weer zwaaide alsof ze door de wind bewogen werden, en ik lag daar maar en ik had het gevoel alsof ik leegbloedde als een schaap dat de keel was doorgesneden.

Nu weet ik waar het woord vandaan komt. De man die mij als een schaap tussen de tenten heeft gevangen en aan mijn been naar de slachtplaats heeft getrokken terwijl ik schopte en schopte en schopte. Hij zei dat. Dat zei hij tegen mij. Dat was ik. Kijk, ik gooi haar op het bed voor wie met haar overspel bedrijft, kijk, ik ben degene die nieren en hart doorzoekt, die mijn hand in de ingewanden steekt en ze losrukt van het karkas, ze wegwerpt in de buitenste duisternis, als voer voor de honden zodat hun kaken de hele nacht klapperen van wellust.

De zwarten zingen, maar dat maakt niets uit, dat neemt niets weg. Laat ze maar met me doen wat ze willen. Ik ben niets waard. De Here zal me uitspugen. Hoer is mijn naam! En uit zijn mond komt een tweesnijdend zwaard en zijn aangezicht was gelijk aan de zon die schijnt in haar kracht, gelijk de zon schijnt in haar kracht.

Hoofdstuk 9

De vrouw staat bij haar voordeur te draaien alsof ze daarachter iets zoekt. Wat kan het zijn? Een huisdier dat langs haar voeten is geglipt? Mrs. Simms. Het is een soort dans, denkt Susan. Als een klein ritueel dat voltooid moet worden voordat ze aandacht kan schenken aan degene die heeft aangeklopt.

Jacobs heeft haar hier afgezet en haar ook aan haar hospita voorgesteld. Mrs. Simms woont sinds de dood van haar man alleen en heeft dus een kamer over die ze af en toe verhuurt. Klein gerimpeld gezichtje, hoofdschuddend, zo'n meewarig lachje. Ze laat nauwelijks blijken dat ze Jacobs ziet staan; hij lacht verlegen voordat de vrouw de deur voor zijn neus dichtklapt en dan voor de verbaasde Susan uit drentelt om haar haar kamer te laten zien.

Daarna gaan ze in de voorkamer zitten, Mrs. Simms in de bruine stoel, Susan in de blauwe. Zo hoort het, weet Susan al snel. De oudere vrouw kijkt haar met een ingenomen glimlach aan, maar niet zonder de meewarigheid die er al vanaf het begin was, alsof ze pas het bewijs heeft geleverd van het een of ander grappig menselijk falen.

'Zeg me of ik het goed geraden heb, mijn hartje,' zegt ze. 'Je komt uit Nederland en je gaat in dat hospitaal werken.' Ze zegt het zonder dat de glimlach van haar gezicht wijkt.

Ha, daar heb je het weer. De herkomstkwestie. Susan is er nu min of meer achter gekomen waar het om gaat. In Nederland windt ze er uit principe geen doekjes om, tenminste als iemand ernaar vraagt, maar hier, weet ze nu zeker, is er iets verschoven. Ze weet nog niet zeker waarom het gebeurt, maar het heeft waarschijnlijk te maken met wat Reymaker 'dat typische van Engeland' noemde. 'Het is niet zo dat ik iets tegen het typische van Engeland heb.'

Het typische van Engeland...? Het heeft er iets mee te maken. Het heeft er zelfs mee te maken dat Mrs. Simms in haar absolute Britsheid, en haar eigen excentriciteit, haar vaagweg bekend voorkomt, dat er iets is in haar mysterieuze meewarigheid wat ze instinctief begrijpt. Ach, en natuurlijk heeft dit land en zijn mensen, zijn geschiedenis, voor haar voor de hand liggende connotaties, maar dat zijn toch dingen die ze heeft achtergelaten en ze zal niet toestaan dat die haar leven gaan beheersen. Ze zegt dus snel, onvermurwbaar onder haar hospita's alwetende blik: 'Zuid-Afrika. Ik kom eigenlijk uit Zuid-Afrika. Maar ik werk al zestien jaar in Nederland.'

Het gezicht van Mrs. Simms klaart op. Ze draait haar hoofd om alsof ze haar glimlach aan alle kanten wil laten bewonderen. 'Zuid-Afrika? Hoe is het mogelijk. Hoe is het mogelijk!' Een tel of drie blijft ze zo zitten, gevangen in een of andere vorm van verbazing. Susan leunt met een lichte frons tussen de ogen voorover. Het lijkt alsof de gedachten van Mrs. Simms weer vaste voet krijgen en ze begint te praten terwijl haar rechterhand wat trekkende bewegingen maakt, alsof ze de woordenstroom letterlijk uit haar boezem naar boven haalt. 'Gelukkig hebben we nu een andere oorlog om ons druk over te maken, vind je niet?' zegt ze. 'En wat een ellende is het toch. En deze keer vechten jouw mensen tezamen met die van ons. Zo gaat het tegenwoordig, nietwaar. Het ene moment schieten ze zeven soorten duivels uit elkaar, en het volgende ogenblik vallen ze elkaar om de hals. Ik vraag me toch af wat mijn moeder van dat gedoe zou hebben gezegd. Weet je, ze was nog maar twaalf toen ze al onder de koeien zat. Vier uur 's ochtends. Melktijd. Een respectabele vrouw, mijn moeder. Mijn vader was een weeskind, en het voordeel daarvan was dat hij in het weeshuis een vak heeft geleerd. Smid, dat was hij en aan hem heb ik dit huis te danken. Mijn man werkte bij de spoorwegen, al die jaren, en met zíjn salaris...' Ze maakt een wegwerpend gebaar met haar ene hand. 'Je weet hoe dat gaat. Wat ik van mijn ouders heb geërfd, is het enige wat ik heb. Heb jij nog familie daar?'

Had ze nog familie daar? Waar? In haar vaderland of in de loopgraven? Maar de vraag betekent eigenlijk niets, weet ze. Waarom zou ze het zich zo aantrekken? Het is een typische gemeenplaats van een goedige vrouw die hongert naar gezelschap. Bovendien vindt ze deze stortvloed van persoonlijke bijzonderheden van een wildvreemde niet ongewoon, vooral niet omdat ze in een psychiatrische kliniek werkt. Maar het lijkt wel alsof alle vragen over haar herkomst hier in Engeland beladen raken, of was het alleen zo sinds haar kennismaking met Hurst? Of op het moment dat ze de eerste patiënten had gezien? Toch is er iets, er is iets wat de dingen doet samenkomen die ze tot nu toe altijd uit elkaar kon houden. Tot nu toe gebeurde het nog maar zelden dat ze genoodzaakt werd aan Zuid-Afrika te denken als aan háár land. En nu krijgt de onschuldigste vraag een andere lading. Heeft ze daar nog familie? In Nederland denkt ze daar zo zelden over na. Sinds de dood van tante Marie is Jack Perry eigenlijk haar enige contact met het verleden. In praktisch alle opzichten beschouwt ze het land als gestorven. Ze moet niet, o, vader, waarom denkt ze daar nu aan, maar dan is de gedachte er al, onstuit-baar: er is een graf met haar naam op de steen, een regis-ter met haar overlijdenscertificaat. Daar hoort het einde te zijn. Daar wil zij het laten eindigen.

Maar heeft ze daar familie? Uit haar eerste leven heeft ze eigenlijk niets overgehouden. Niet eens het servies met de blauwe bloemetjes. Alleen een paar her-inneringen die voor een buitenstaander niets te beteke-nen hebben. Haar moeder die de kraag van haar vaders jasje netjes vouwt voordat hij zijn voet in de stijgbeugel zet en zijn rechterbeen over de rug van het paard zwaait. Een blikken beker die aan het zadel bengelt. Mama die voor het laatst papa's kuit aanraakt, zijn broek tegen de trillende flank van het paard, maar eigenlijk wegkruipt onder haar kapje, niet wil laten zien hoe bang zij is voor het eindeloze kale veld met de ruiters, de rook en het stof, en voor wat er zal gebeuren als de ruiters weg zijn, als de rook is verwaaid en het stof is gaan liggen. Er is toch iets, denkt ze. Dit heb ik toch ook.

Mrs. Simms kijkt haar afwachtend aan, en geschrok-ken probeert Susan zich de draad van het gesprek weer te herinneren, maar het kost haar moeite haar gedach-ten los te maken van die oude herinneringen. Ze kijkt

naar haar handen, kromt haar vingers zodat haar nagels scherp in haar dijen drukken, en pas als deze fysieke prikkel tot haar door is gedrongen, herinnert ze zich
de vraag. 'Ja,' zegt ze dan, en aanvankelijk gaat het spreken hortend, maar ze krijgt haar stem al gauw weer onder controle, 'of eigenlijk niet echt, maar het feit dat ik
hier ben en hier kan werken, hier in jullie land, heb ik
aan de goedheid van andere mensen te danken.'

'Je bedoelt dat je hier familie hebt?'

'Nee, wat ik bedoel is dat ik in Kaapstad, waar ik
vandaan kom...' Ze zal het op een of ander moment ook
tegen Hurst moeten zeggen! 'Dat ik daar geld heb gekregen waarmee ik in Nederland een opleiding kon
volgen. Ik heb me daar bekwaamd tot verpleegkundige
in de psychiatrie en nu ben ik hier.'

'Zo ver van huis en haard?'

Zal ze rechtuit zeggen dat ze niemand heeft, dat
haar ouders in de oorlog zijn omgekomen, en haar
enige broer ook? Dat er verder geen familie meer was?
Moet ze het daarover hebben?

De glimlach van Mrs. Simms is uiteindelijk toch
verdwenen, ziet ze, en haar mond vormt nu een sna-
veltje, zo'n bemoeiziek boogje, klaar om 'och' te zeggen,
of 'ach', of om het een of ander zinloos oudemensenge-
luidje te maken. 'Ik ben er al aan gewend,' zegt Susan
en kijkt naar haar handen die plat op haar bovenbenen
liggen. Haar antwoord weergalmt in haar hoofd. Gewend waaraan? Haar moeder en zij die op hun knieën
in de vers uitgegraven rode aarde zitten met de keu-
kenspullen in meelzakjes gewikkeld, terwijl tussen
de eucalyptussen de drie mannen komen aangelopen.
Susan schuift vlug vooruit op haar stoel; ze wil op-

springen, ze weet niet wat er in haar is gevaren. In dit land? In dit hospitaal dat toch helemaal anders is dan ze zich had voorgesteld? Ze hoort haar eigen voetstappen en die van Hurst op de gangvloer, ze ziet een lichaam dat schokt en zich krult alsof het door de duivel bezeten is, de mond van Anne Maxwell die het geluid van een machinegeweer nadoet en ver beneden in de verwilderde tuin twee mannen in uniform die aan het wandelen zijn alsof die tuin het enige is wat er is, en er geen slagveld bestaat waar ze vandaan komen, of een hospitaalzaal waar ze terug naartoe moeten, alsof alles, dit land met zijn vrouwen die uitbundig uit hun mannenbroeken barsten, met zijn vochtig groene velden en druipende lucht, die verschrikkelijke oorlog zelf, alsof alles alleen een droom is.

'Ach, maar wat voor een leven heb je dan?' roept Mrs. Simms uit. 'Geen wonder dat je je opsluit in dat akelige hospitaal. Maar weet je, ik heb ook geen levende ziel meer. Mijn man is al – negen jaar? – ja, zo lang is hij al dood. Geen kinderen, niets. Niet dat het me veel uitmaakt. Maar jij bent nog jong, dan is het een heel andere kwestie.'

Susan maakt vuisten van haar handen op haar bovenbenen, wringt ze dan ineen op haar schoot. Ze moet proberen zich te concentreren op wat de vrouw zegt, ze moet haar aandacht zien te focussen, maar het lijkt wel alsof ze in een stoppelveld loopt en ontelbare bosduiven opeens opvliegen en ze verzwolgen wordt door een overdonderend geluid van vleugels, levende granaten. Ze voelt haar hart kloppen in haar keel. Wat gebeurt er met haar? Een eenvoudig gesprek met een goedige vrouw raakt in hoog tempo doordrongen van indrukken, beelden, herinneringen, die ze niet eens onder woorden kan brengen, behalve dan dat ze weet dat... Dat 'doordrongen' het woord is? Ja, dat is het juiste woord. Alles wat gezegd wordt, wordt zinspeling op wie zij is en waar zij hoort. 'U houdt niet zo van het Seale Hayne Hospitaal, is het wel?' zegt ze dan, en ze vergeet niet beleefd te glimlachen.

De vrouw knipt alleen met haar vingers voor haar in de lucht en draait haar hoofd om met afkeer op haar gezicht. 'Je moet het mij maar niet kwalijk nemen,' zegt ze, maar als ze weer voor zich uit kijkt, is haar glimlach ook weer terug. 'Maar jij vindt het daar fijn? Het werk, bedoel ik. Niet iedereen is geschikt voor zoiets, niet-waar. Maar, als je die oorlog in Zuid-Afrika hebt over-leefd, heb je volgens mij de juiste zenuwen voor dit hospitaal.'

Nu weet ze weer wat het is. Plotseling is het er weer, als een bliksemschicht in de duisternis. Die oorlog! De grond begon onder haar te verschuiven toen Jacobs haar dat huis wees, en nu staat het haar weer helder voor de geest, díé oorlog, dichterbij dan hij ooit is geweest sinds ze vertrokken is uit Zuid-Afrika. Hoeveel van deze sol-daten zijn daar niet geweest? Nu weet ze wat het is: hier beneden in het dorp staat het huis van generaal Rundle, de man die zijn soldaten als mieren over de Brandwa-terkom heeft laten uitzwermen. Ze staat haastig op. 'U moet het me niet kwalijk nemen, mevrouw,' zegt ze als Mrs. Simms verbaasd naar haar opkijkt. 'Ik moet...' Ze loopt naar de deur voor ze haar zin afmaakt. Ze blijft staan en keert zich weer om naar de bejaarde vrouw die haar vanuit haar bruine stoel aangaapt. 'Het spijt me,' zegt ze, 'maar ik moet gauw nog even iets gaan doen.'

Hoofdstuk 10

Het is het doodsfluitje dat ik gehoord heb, daar ben ik wakker van geworden, niet van zomaar een griel die opvloog. Dat fluitje heeft voor mij geblazen en ik weet wat er nu gaat gebeuren. De ezelskar komt, op het pad tussen de tenten zal hij aan komen rijden. Op de bok zit een van de Scouts die telkens met een stuk prikkeldraad in de billen van de magere muilezels steekt. Laat hem maar komen, ik lig er klaar voor, gewikkeld in het laken dat mama van mijn bed heeft gehaald toen de *Kakies** ons van Bosrand kwamen halen. In een doek gewikkeld zal ik liggen schommelen op die kar, achter de menner die vanonder zijn brede hoed neerkijkt op het pad dat diep uitgetrapt naar het dorp leidt. Achter mij in de tent zingen Chrissie, Maggie en Alice, en voor mij raken de huizen van het dorp helemaal van streek door die lijkenkar, ze lopen gewoon weg van die witte tent die zo zwaar ademhaalt door het smalle spleetje van de flap.

Ver, verder weg, onder het zachte gras, ligt de heuvel en de schaduw van de wolken valt daar waar de onderkant zich tegen de aarde vlijt, en naar voren, dichter bij het kamp maar toch ver weg, zijn er zwarte figuren die snel heen en weer bewegen, als langstaartvinken over het hoge gras, iemand op een paard, daar is meer dan één lange man met een deken om de schouders, donkere vlekken die heen en weer bewegen, bij elkaar komen en weer uiteenspatten, mensen waarschijnlijk, maar het kunnen net zo goed zwarte honden zijn, of kalveren. Er zijn stemmen, als een zwerm bijen, als de vleugels van bosduiven die opvliegen uit het koren, en dreunende hoeven op brakke grond, en het lijkt alsof het diepe brommende, bonkende gegons van het lied een vlek uit de schaduw in de lies van de heuvel stoot, een vlek die groter en groter wordt, de stemmen die aanzwellen en de vlek die nu een groep mensen is die eraan komt, dicht tegen elkaar aan lopen ze, glinsterende, ritselende jurken en kapjes zo groot en zwart dat het hele moeras erdoor verduisterd wordt, en te midden van dat zware, donkere blok vrouwen loop ik, wit en bijna doorschijnend, als een mestkever in een brok turf, en het zwart van de jurken trekt al het bloed uit me, de verbitterde monden van de vrouwen en hun woedende ogen, maar daar vooraan loopt Tiisetso met een lang dun riet als de voelspriet van een sabelsprinkhaan, en langzaam tilt hij zijn knieën op en zet hij zijn voeten neer daar waar de heuvel hem zegt ze neer te zetten, de heuvel die zacht is van het gras en nog donkerder van wolken die zich nestelen in de lies van de aarde, nog donkerder, nog donkerder.

Hoofdstuk 11

Ze trekt de deur achter zich dicht en begint zonder aarzelen te lopen. Ze weet min of meer hoe ze er moet komen; de overenthousiaste rondleiding van Jacobs bij haar aankomst heeft toch zijn nut gehad. Ze loopt met lange driftige passen, meer om een nerveuze slapte in haar knieën tegen te gaan dan uit doelgerichtheid. Deze keer draagt ze haar verpleegstersuniform niet. De onderrand van een lichte zomerjurk zwiept om haar kuiten en het leren hoedje is tot bij haar oren omlaag getrokken. Ze is nu haar impulsieve zelf, realiseert ze zich, maar wat wil ze daar eigenlijk gaan doen? Iets in haar, een ongedurigheid, een soort verterende onrust, moet uit de weg worden geruimd. Ze is niet iemand die wegduikt voor dit soort dingen; ze veegt niets onder de mat. En misschien is er iets... Een herinnering, misschien iemand. Het is mogelijk dat de generaal er zelf is. Hoe groot is die kans? Jacobs had wel verteld dat hij in dat huis was opgegroeid, niet dat hij er nu nog woont of iets in die richting. Hoe oud zou hij nu zijn? Misschien leefde hij niet eens meer. Ach, hoe bespottelijk gedraagt ze zich nu – ze kan niet geloven dat ze dit loopt te denken. Maar de frisse lucht en de beweging zijn misschien alles wat ze nodig heeft.

Het huis is nauwelijks tien minuten lopen van dat

van Mrs. Simms. Ze herkent de stenen muur. Die is zichtbaar erg oud, en de stenen zijn donkerder dan die waarmee bijna alle kraalmuren worden opgebouwd die ze zich uit haar kinderjaren herinnert, de structuur is ook gladder.

Ze blijft bij de muur staan, raakt met haar vingertoppen de stenen aan, trekt grassprietjes uit de cementen voegnaad. Dan hoort ze een schrapend geluid en links van haar gaat een hek open. Het is een oude man met een zwaar, uitgezakt jasje aan. Hij ziet haar niet, en zij staat als versteend. Is dit de generaal? Ze knijpt met haar duim en wijsvinger in haar onderlip. Kan hij dat zijn? Hij die het opperbevel had over die duizenden troepen die als mieren, nee als sprinkhanen over de vlaktes trokken en alles, alles verwoestten? Zo'n vermoeide oude man?

De man begint te lopen, zijn blik gericht op iets in de verte. Hij merkt haar nog steeds niet op, en zij kan de kans niet voorbij laten gaan. 'Generaal?' zegt ze en ze loopt snel naar hem toe.

Hij schrikt, zet een paar zijdelingse passen en roeit wild met zijn armen om zich heen om zijn evenwicht te bewaren. Ze grijpt hem bij de elleboog om hem te ondersteunen, maar hij rukt zich boos los. 'Neem me niet kwalijk,' zegt hij, 'maar ben je wel helemaal in orde...'

'Het spijt me,' zegt ze, 'het spijt me.' En dan voegt ze er onzeker aan toe: 'Generaal?'

Hij kijkt haar achterdochtig, onderzoekend aan, hijgend. 'Generaal? Wat bedoel je?'

'Bent u generaal Rundle niet?'

'Rundle!' Zijn ogen worden spleten; drie, vier keer

gaat zijn borst op en neer voordat hij zegt: 'Je bedoelt generaal sir Leslie Rundle? Hè? Goeie god, mijn lieve kind, voor zover ik weet is die nu in Frankrijk op de Duitsers aan het schieten. Ik had zijn vader kunnen zijn.' De hele onderkant van zijn gezicht lijkt aan twee schroeven te hangen die er op de plaats waar zijn ogen horen te zitten zijn ingedraaid.

Had zijn vader kunnen zijn... Was deze brabbelende oude man misschien niet toch zijn vader? 'Ik heb gehoord dat hij in dit huis is opgegroeid,' zegt ze.

'Ik weet niet waar je die informatie vandaan heb, juffrouw, maar dit is absoluut niet de plek waar de oude Sparkhall Rundle gewoond heeft, en hoe heette zijn vrouw ook al weer? Ach, ik zie haar nog lopen. Je weet over wie ik het heb, de moeder van de generaal. Nou ja, dat schiet me later wel weer te binnen.' Zijn mond gaat open en dicht als die van een vis, woordeloos, en dan weet hij toch nog te zeggen: 'Maar, juffrouw, jij bent toch niet van hier? Ik probeer je accent te plaatsen. Je komt hier toch niet vandaan?'

'Nee, daar hebt u gelijk in.' Ze kijkt een ogenblik weg van zijn doorzichtig blauwe, waterige ogen. Hij kan zijn ogen niet meer bewegen, denkt ze. Zijn mond kan nog kwaad worden; zijn stem kan nog emotie tonen, zijn keel beeft van aandoening, maar zijn ogen spelen niet meer mee. Daar begint het, bij de ogen, denkt ze. Over zijn schouder ziet ze de keurige straat, de zelfbewuste gebouwen, al die tekens van een lang gevestigde beschaving, van een echt dorp en niet van zomaar een paar huisjes die in het stof bij elkaar zijn geraapt, of zo'n vervloekt stel tenten, en dan zegt ze met koude, berekende woede, tegelijk roekeloos en volledig beheerst: 'Ik ben een Zuid-Afrikaanse.'

Zijn mond valt ervan open; zijn ogen nog steeds stil en leep maar recht op haar gericht. Hij slikt een paar keer. 'En jij zoekt Rundle?' zegt hij, hij kijkt naar zijn schoenen en dan weer naar haar. 'Ja, ja, ik begrijp het.' Dan kijkt hij eerst links de straat af, dan rechts, alsof hij zeker wil zijn dat er niemand in de buurt is. 'En ben je dat hele eind gekomen om hem te zien?'

Zo snel als haar woede was opgevlamd, zo snel is hij verdwenen. 'Niet speciaal,' zegt ze rustig. 'Ik werk hier, tijdelijk, en toen hoorde ik toevallig dat hij hier is op-gegroeid.'

'En toen wilde je hem zien. Om hem wat te zeg-gen? Neem me niet kwalijk dat ik het zo rechtuit vraag, maar hoe oud was je tijdens die oorlog?'

'In die oorlog?' Ze proest het uit van het lachen, een spetterende ontlading waarbij ze haar hand naar haar mond brengt. Ze onderzoekt eerst het vocht voor ze iets zegt. 'Oud genoeg,' zegt ze, en ze kijkt de bejaarde man recht in de ogen, ziet hoe zijn oogballen speu-rend, zoekend, haar proberen te doorgronden, maar ze beantwoordt zijn blik met alle innerlijke kracht die ze heeft, en ze hééft kracht, o mijn god, wat hééft ze kracht. 'Oud genoeg,' zegt ze en ze voelt de minachten-de trek om haar mond; ze draait zich met een ruk om en loopt weg.

Ze was achttien toen ze daar in de grot weer bij zin-nen kwam. Ze was al vrouw, maar dat wist ze toen nog niet, toen nog niet. Toen ze daar bij Tiisetso en Mamel-lo in de grot bijkwam, was ze zoveel als een slappe, hul-peloze baby, maar toen al gemerkt met de zonde van de vrouw. Een oorlogskind. Een hoer. En zij hebben haar opgevoed en de wereld in gestuurd. En nu is ze hier in weer een oorlog, en ze is hierheen gekomen belast met wat zij daar in die eerste oorlog heeft meegekregen. Een oorlogskind. Een oorlog in een land waarvan zij zich alleen kan herinneren dat zij daar ooit is geweest, in een concentratiekamp, toen in een grot, toen in een trein... Wat nog meer? Wat herinner je je van het leven als je uit de dood bent opgestaan? Dat het hoofdkwartier van Rundle in Senekal was, in iemands Avondmaalshuis – van wie, van de Viljoens? En waar waren zij, de Viljoens, en hoeveel van hen zijn er dood en hoeveel hebben het overleefd, en als je het hun zou vragen, na dat alles, wie zal dan kunnen zeggen wat er precies is gebeurd en wat het voor zin heeft gehad? Wat kan het betekenen voor deze oude man als ik hem zeg ja jouw generaal sir die-en-die had zijn hoofdkwartier in Senekal in iemands Avondmaalshuis en hij heeft zijn soldaten uitgestuurd als sprinkhanen, als een pest die over het land trok, een machtig, sidderend brok mannelijk vlees, en de hele lucht wapperde als een tentzeil in de wind, en vrees heeft het hele land overvallen als een kloktent waarvan de haringen uit de grond waren getrokken, en daar onder dat tentdoek waren de wriemelende, schoppende, krioelende lijven, mijn God, wat betekent dit alles?

Ze komt met een ruk tot stilstand, draait zich om. Ze kijkt de straat af of ze de oude man nog ziet, maar er is niemand meer. Ver weg is wel beweging, maar waar ze zojuist de man heeft gesproken, daar bij het huis van de generaal, ziet ze alleen de weg, een stoep en een stenen muur. Er is geen teken meer van wat daar is gebeurd. En wat was er ook gebeurd? Niets. Het betekende allemaal niets. Dit is een ander land, een andere tijd, een andere oorlog. Het enige wat belangrijk is, is dat ze sterk genoeg is, sterk genoeg om haar werk te doen. Om stukjes mens die in een uniform zijn gewikkeld te helpen weer naar hun loopgraven te gaan om hun oorlog uit te vechten.

Hoofdstuk 12

Maar ik lééf. En ik adem. Ik kan zien. Daar zit Tiiset-so tegen de grijze lucht in de opening van de grot. Er speelt nog een vlammetje in het vuur. Een krulletje rook als de wasem om de tenten als het erg koud was.

Nu weet ik het. Mamello heeft me verteld dat ik van de lijkkar afgevallen moet zijn, want toen Tiisetso vroeg in de ochtend bij het kamp ging zoeken naar ik weet niet wat, zeker om iets te stelen, zag hij mij daar in het gras liggen. Vol bloed. Kapot. Maar hij zag dat ik nog leefde, dat ik niet dood was, en hij heeft me hier-heen gebracht. Ik weet niet hoe hij het heeft kunnen doen zonder dat de Scouts hem zagen. Hier in deze grot hebben ze me verstopt.

Hoe lang lig ik hier al? Dat weet ik niet. 's Ochtends, als ik wakker word, zit Tiisetso voor de grot. 's Avonds als ik in slaap val, zit Mamello er nog. Ze heeft takken-bossen voor bezems voor de ingang geschikt zodat de mensen het vuurtje niet kunnen zien. Ik wacht tot ze allebei weg zijn, en dan zal ik proberen langs de tak-ken te komen om te kijken wat er buiten gebeurt, mij ernaartoe slepen als het nodig is. Ik wil weten waar ze vandaan komen, waar ze mee bezig zijn.

Toen ik vanochtend aan Tiisetso vroeg wat er met mij is gebeurd, zat hij daar zo met zijn hoofd naar het veld gekeerd te kijken. Hij zei toen het is dit land. Daar is iets erg fout. Je kunt bijna nergens lopen zonder op een dood mens te trappen. Hij zegt dat er maar een paar mensen zijn, heel weinig, die weer opstaan van waar ze zijn gevallen. Toen zweeg hij met zijn hoofd zo schuin. Ik dacht eerst dat hij iemand hoorde aankomen, maar er gebeurde niets. Toen begon hij met *Ba re e ne e re...* Eerst dacht ik dat hij vertelde wat er gebeurd was, maar na een tijdje wist ik weer dat de zwarten zo een verhaal beginnen, een vertelling, zomaar een verzonnen verhaal. Ons kindermeisje deed dit ook. *Ba re e ne re*, ze zeggen het was zo dat...

Er moet iets mis zijn met Tiisetso, want hij vertelt me een lang verhaal over die kapitein van hen die zijn mensen die het moeilijk hadden de boodschap heeft gestuurd dat er een eind zal komen aan hun zorgen, maar die mensen hadden al eerder een man geloofd die had gezegd dat ze allemaal doodgingen. Hij praat zo verward, Afrikaans en Sotho door elkaar heen. Hij zegt dat de kapitein zijn zoon had gestuurd om tegen zijn mensen die het moeilijk hebben te zeggen dat ze dood zullen gaan, maar ze zullen weer opstaan. Ik luister naar wat hij zegt, maar er is ook iets anders, iets wat ik me nu herinner. Ik moest medicijnen gaan zoeken, daarom liep ik in het donker tussen de tenten. Alice was aan het sterven, en ik moest het doen, alleen ik moest het doen. Ze hebben mij gestuurd, ik was degene die moest gaan.

Ik weet niet waarom Tiisetso me dat verhaal vertelt. Of misschien weet ik het wel, maar heb ik niet de kracht om het te ontraadselen. En eigenlijk kan het me niet zoveel schelen. Ik heb wel naar het verhaal geluisterd en op een bepaalde manier was het goed het te horen. Voorlopig is het goed voor mij om hier in de grot te blijven met het vuurtje en de rook en de elanden die over me heen springen en Tiisetso die op zijn lesiba speelt en blaast en blaast totdat de hesige, dradige klanken als een bundel gras in mijn borst komen zitten, daar waar voor mijn gevoel mijn hart geweest moet zijn.

Hoofdstuk 13

Naar wie zou ze toch speuren?

Het gebeurt elke keer. Wanneer Mrs. Simms de voordeur opendoet nadat Susan heeft geklopt, kijkt ze eerst angstig over Susans schouder, alsof ze iemand anders verwachtte, een andere bezoeker die ergens achter haar moet zijn. Susan heeft zich zelfs al afgevraagd of ze soms een achtervolger vermoedt. Pas nadat de vrouw heeft rondgekeken, maakt ze oogcontact, pakt Susan stevig aan beide ellebogen vast en zegt dan nadrukkelijk: 'Goedemiddag, mijn schat, hoe gaat het met je?' Met zo veel nadruk dat het klinkt als een waarschuwing voor iedereen binnen gehoorsafstand.

De eerste paar keer had Susan benauwd omgekeken, maar telkens was daar alleen een lege straat, de grijze lucht die zwaar woog op de rijtjeshuizen met hun hoeken zacht en rond van ouderdom en decennialange druilerige regens. En dan keerde de vrouw zich ongestoord om en ging het huis binnen.

Susan komt gewoonlijk een hele tijd voor de avond valt thuis; ze zou eigenlijk wel langer in het ziekenhuis willen blijven om te helpen met het gewone routinewerk, maar ze is aangewezen op het openbaar vervoer dat zich streng aan de kantooruren houdt. Mrs. Simms laat haar dan binnen en sluit de deur weer zorgvuldig achter haar, dan pakt ze gewoonlijk een krant van het tafeltje in de voorkamer, tikt met haar gerimpelde wijsvinger op een kop en zegt: 'Heb je dit al gezien, mijn schat?'

Meestal wacht ze niet eens op antwoord, maar begint ze uitvoerig uit te weiden over de gemeentepolitiek, de lotgevallen van een of andere vooraanstaande burger, of de prijs van bakmeel of aardbeien. Nooit oorlogsnieuws, nooit wereldpolitiek of ook maar in de verte over iets waarvan Susan denkt dat het belangrijk is. De kop van vandaag is: *The Americans are in town.*

De Amerikanen? Susan gaat zoals gewoonlijk in de voorkamer zitten op de punt van de stoel met de grijsblauwe bekleding. Maar voor korte tijd, alleen om niet onbeleefd over te komen. Ze heeft nu al ontdekt dat het waarschijnlijk een soldaat is waarvoor Mrs. Simms zo op haar hoede is als ze de voordeur opendoet. Ze kreeg dat vermoeden nadat Jacobs haar hier eens een keer had afgezet en hij op de stationair draaiende motor zat te wachten tot iemand de deur openmaakte. Toen Mrs. Simms Jacobs zag, draaide ze zich meteen om, klakte geërgerd met haar tong en gebaarde met haar hand naar achter: ga weg! Susan had zich verbaasd omgekeerd, maar Jacobs had haar vragende blik met een schouderophalen en een uitdagend gebrul van de motor beantwoord.

Zou de hospita specifiek iets tegen haar eigen soldaten hebben? Mensen als Jacobs? Susan had zich al afgevraagd wat er zou gebeuren als er een Duitser aanklopte. Zou Mrs. Simms hem om de hals vallen en hem uitnodigen achter in de donkere keuken, een stoel voor hem aanschuiven en hem een flinke borrel inschenken?

Maar wellicht is de zoekende blik van Mrs. Simms op iets algemeners gericht, want op een keer was ze naar aanleiding van een krantenkop over een muizen- plaag in het dorp, halverwege haar relaas, in het mid- den van een zin, stilgevallen en in gedachten blijven staan met haar vuist voor haar mond, de gebogen wijs- vinger als een torentje van een kerk. Toen begon ze als- of het pardoes uit de hemel viel over iets totaal anders te praten, alsof ze er al dagen over had lopen tobben en het juist op dat moment in haar opborrelde: 'Ik heb ze gezegd dat ik geen man neem, geen mannen...'

Susan was helemaal uit het veld geslagen, maar Mrs. Simms had haar vertrouwelijk bij de arm geno- men en haar zin afgemaakt: '...en toen zeiden ze – dat was toen ze voor jou onderdak aan het zoeken waren – toen zeiden ze tegen me nee, het is een vrouw die hier komt, en ze is Nederlandse.'

Zo bleven ze tegenover elkaar staan, zij, twee vrou- wen, de oudere keek bijna stralend op naar de jongere, en de jongere keek ongemakkelijk de andere kant uit. Het was alsof die mededeling vertrouwelijk was be- doeld, maar Susan kon niet meteen vaststellen waar- om, noch wat het precies betekende. Langzaam was ze achteruit gelopen en op een van de stoelen gaan zitten, de blauwe. Ze deed het voorzichtig zodat het niet leek alsof ze vluchtte. Maar toen werd het gezicht van Mrs. Simms weer zakelijk, ze vouwde de krant op en legde hem terug op de tafel, sloeg haar handen in elkaar en zei: 'Ze weten heel goed dat ik geen mannen in huis neem.'

Was dit dan alles? Het doodgewone feit dat man- nen hier niet welkom waren. Mrs. Simms, dit lieve, listige oude tantetje, heeft een hekel aan mannen. Zo eenvoudig is het! En toch, en toch... Op een heel vreemde manier brengt die conclusie geen gemoedsrust, en hoe langer Susan erover nadenkt, hoe raadselachtiger het wordt, het wordt zelfs ontstellend. Maar ze heeft nog niet ontdekt wat het precies is dat haar dwarszit. Het heeft vast te maken met dat gedoe van Mrs. Simms om over haar schouder te loeren. Ze kan gewoon het vermoeden niet kwijtraken dat haar hospita iemand anders achter haar rug verwacht – een man om precies te zijn.

Hoe was dat toch met die tantes? Susan heeft al verschillende keren moeten denken aan de twee Kaapse tantes van haar jeugd, aan lange namiddagen in hun huis in Kaapstad, in de zitkamer of op de zolder aan de voorkant; de aarzelende gesprekken van de vrouwen, de manier waarop ze het gedrag van mensen analyseerden, het in een context plaatsten, hun meningen en zorgen verwoordden. Lang daarna, en pas nadat ze had geprobeerd iemand over die ervaring te vertellen, had zij de humor ervan begrepen, de ironie, de wellevendheid, het spel van schaduw en licht in het koesterende gezelschap van deze vrouwen. Ze kijkt naar de vrouw die nu helemaal schuilgaat achter de krant, het ritselen van het papier alsof er een lichte bries door de kamer waait, het bijna verbeten vastklemmen van de krantenpagina's met de pafferige vingers. Langzaam groeit een vermoeden naar een zekerheid: ze had dit wantrouwen van Mrs. Simms voor haarzelf opgeëist; maar de angst van de hospita was eigenlijk haar eigen vrees. Wat ze heeft aangevoeld is dat Mrs. Simms bang is dat dit samenzijn van hen tweeën verstoord wordt.

Zij samen hier in de voorkamer; zij en de zusters De Wet destijds in Kaapstad, een wat zelfgenoegzaam geheel, afgeschermd voor de bedreiging van mannen.

Mrs. Simms slaat de krant hard op het tafeltje tussen de twee stoelen in. 'En nu zijn ze toch hier bij ons,' zegt ze en ze gaat in de stoel met de roestbruine bekleding zitten. Háár stoel.

Er gaat een schok van schrik door Susan. Over wie heeft ze het nu? Mannen? De vijand? Dan herinnert ze zich de afkeer van Mrs. Simms voor het hospitaal – zou ze het over de geestelijk gestoorden hebben? Hoe vaak had ze al niet geklaagd dat het hospitaal het karakter van het dorp had veranderd. Voor de oorlog leefden ze allemaal met de geruststelling dat iedereen die op welke manier dan ook als 'gestoord' geclassificeerd kon worden, veilig en degelijk uit de gemeenschap werd verwijderd en in een of ander gesticht achter tralies werd opgesloten. Nu liepen de straten vol soldaten en elk van hen droeg het predicaat anderszijn met zich mee, elk van hen kwam uit een vreemde, duistere wereld, allemaal stonden ze als het ware met de ene voet in het graf. Zou ze dat bedoelen?

'Wie, Mrs. Simms,' vraagt ze voorzichtig, 'wie zijn er nu toch bij ons?'

De mond van de oudere vrouw valt open; ze ziet eruit alsof die gedachte haar als een natte vaatdoek in het gezicht heeft getroffen. 'De Amerikanen natuurlijk,' zegt ze verontwaardigd. 'Het station stond er vol mee vanochtend.' Ze slaat haar handen krachtig om de uiteinden van de armleuningen alsof ze zich eraan wil optrekken, maar vervolgt dan heel wat bedaarder: 'Het is voor het eerst dat ik er een in levenden lijve heb gezien, weet je.'

'Een Amerikaan?'

'Een zwarte. Hebben jullie zwarten in Nederland? Ik heb natuurlijk wel foto's gezien, maar van zo dichtbij...' Mrs. Simms slaat haar kerkvormige vuist weer voor haar mond en ze verzinkt diep in gedachten, haar ogen bezorgd, bijna angstig boven haar hand.

Zwarten? Susan voelt haar lichaam verkrampen. Ze kijkt haar hospita aan zonder onmiddellijk te weten wat ze moet zeggen. Wat ze wel weet, nee, wat ze aan de knoop in haar maag vóélt, is dat de opmerking van Mrs. Simms, haar vraag, haar persoonlijk raakt, alsof die gericht is op de een of andere intieme persoonlijke bijzonderheid. Maar voordat ze iets kan zeggen, komt Mrs. Simms half overeind en ze zegt wat afstandelijk dat het eten klaar is.

Susan helpt haar hospita de dekschalen naar de tafel te dragen, maar geen van beiden zegt iets. In Nederland is er inderdaad nauwelijks een zwart gezicht te zien, en wat zou er gebeuren als zij op een dag, zeg maar, tegen Tiisetso zou oplopen? Vaderland, wanneer is deze kwalificatie voor het laatst bij haar opgekomen... Voor haar is het heel eigenaardig om te bedenken dat je voor het eerst in je leven een zwart mens hebt gezien. Wellicht is dat het ook wat haar anders maakt dan Mrs. Simms, dan trouwens alle Nederlanders die ze kent. Zij zal er in ieder geval niet voor op de vlucht slaan. Maar daar gaat het ook niet om. Het is alsof Mrs. Simms... Zou dat kunnen? Ach nee, nu is ze toch helemaal betoeterd. Het kan toch niet zo zijn dat Mrs. Simms de hele tijd had verwacht een zwarte over haar schouder te zien?

Susan slaat haar hospita ongemerkt gade. Ze zijn intussen begonnen met eten, in stilte, allebei bezig met hun eigen gedachten, en het komt Susan voor alsof ze allebei bang zijn voor wat de ander denkt. Maar dan laat Mrs. Simms haar handen naast haar bord vallen, mes en vork als trommelstokken in haar vuisten. 'Heb jij ze al gezien?' zegt ze in de zoetige lucht om haar gezicht. Ze kauwt en slikt voordat ze naar Susan keert en uitlegt: 'De vrouwelijke soldaten op de boerderijen?'

De hap met rijst en het gezouten vlees uit blik komt halverwege Susans mond tot stilstand. Ze laat haar vork langzaam terugzakken op haar bord en veegt haar mond af met het servet. Nu begrijpt ze het. Mrs. Simms heeft het niet meer over de zwarten, maar over de Women's Land Army. Wat een sprong! Nu heeft ze het over die vrouwen... die vrolijke uitdagende vrouwen die de hele weg vulden – ach, ze waren beslist allemaal bloedjong, meisjes nog. Onmiddellijk zit Susan weer op de motor van Jacobs, tussen hen in, en beleeft ze die hele eerste kennismaking, hoort hun gejoel, de brede, vochtige monden, de schaterende lach, de overdaad van alles. 'Hebt u het over die vrouwen in die strakke broeken?' zegt Susan. 'Hebt u het daarover?'

Mrs. Simms laat haar hand voor zich in de lucht flapperen en klakt afkeurend met haar tong. 'Ach,er zijn er wel van dat soort die je in een fatsoenlijke jurk kunt zien en met iets behoorlijks op het hoofd.' Ze trekt een dekschaal naar zich toe maar Susan krijgt de indruk dat de schaal als vanzelf gedienstig aan komt schuiven onder haar kritische blik. 'Er zijn natuurlijk mensen die de mond vol hebben over die boerse vrouwen.' Ze zet 'boerse' met haar twee wijsvingers tussen aanhalingstekens. 'Maar ik durf wel te beweren dat het toch vooral de mannen zijn die het voor het zeggen hebben. Mannen die nog genoeg ruggengraat hebben om te gaan vechten, nog genoeg eelt op hun handen om te gaan ploegen. Ach, als ik een jaar of tien jonger was...' Ze zit even na te denken met haar kin in haar omgebogen hand. 'Kenneth zaliger draait zich om in zijn graf,' zegt ze dan grinnikend. 'Mijn man is nu al negen jaar overleden, en weet je, ik heb heel wat dierbare herinneringen aan mijn ouwe baas, maar lieve hemel toch, als ik een meter lint wilde gaan kopen, of een puntzakje suiker voor in huis, moest hij eerst met zijn sleutelbos komen om de geldla open te maken. Als een...' Met haar vingers grijpend in de lucht zoekt ze het woord. 'Als een kind moest ik met een open hand staan bedelen.'

Susan zit sprakeloos te luisteren naar deze woordenvloed. Ze voelt zich wat verlegen omdat ze er niets op kan zeggen, kijkt naar haar bord en tilt haar vork weer op. Kan het zijn...? Nu begint zij er toch iets van te begrijpen. De levensvreugde, die uitbundigheid van de vrouwen op de landerijen, trouwens de onbezorgdheid van bijna iedereen die ze tegenkomt, zelfs van het meisje dat op straat met een handkarretje aardbeien loopt te verkopen, kan dat worden toegeschreven aan het feit dat de mannen allemaal weg zijn? Zij, de mannen ver van hier in hun eigen afzonderlijke wereld en bezig met wat ze het liefst doen: vechten en ombrengen. En de vrouwen zijn vrij om te doen waarvoor ze in de wieg zijn gelegd: grootbrengen. De logica is verbijsterend. Het is altijd al zo geweest, zo heeft ze de wereld leren kennen. Nu weet ze wat tante Lena destijds op Bosrand bedoelde toen ze zei dat ze oom Thys liever in een kist terug zag komen dan dat hij met zijn handen omhoog zou gaan staan en zich zou overgeven voordat ze hun vrijheid terug hadden. De mannen waren aan het vechten en de vrouwen zwaaiden de scepter op de *plaas.** Zo was het ook met haar eigen moeder. Zij, haar moeder, maakte deel uit van dat verbeten vrouwen-koor dat de mannen naar buiten joeg de verschroeide velden over. Ze hoorde nog hoe haar vader het moest ontgelden. 'Ga vechten jij, wij zijn met genoeg vrou-wen, je dochter en ik, om samen met het werkvolk te boeren.' En zo was het uiteindelijk ook gegaan! Zelfs nadat er van die boerenhuizen met hun porseleinen dekschalen en huisorgels, de voorraadrekken vol *biltong**en ingemaakte perziken, de ovens, de pluim-vee- en de varkenshokken, de perzikboomgaarden en zelfs hier en daar wat stukjes siertuin, nadat er van dat alles helemaal niets was overgebleven, toen nog stonden ze daar met hun magnifieke woede. Toen de laatste kip met een bajonet was doodgestoken, de paar-den in de kralen lagen te verrotten, de rookpluimen over de van god verlaten Vrystaat bleven hangen en de vrouwen moesten toekijken hoe hun kinderen op een hard bevroren flard zeil hun laatste adem lagen uit te hoesten, ook toen waren er nog die met kaken wit op-eengeklemd als graatmagere schaapgeraamtes zeiden: over mijn dooie lichaam. Over mijn dooie lichaam! En er was niets meer, geen vooruitzichten, geen hoop. Al-leen verbittering, het koude lemmet van verbittering. En ze zag hen daar nog in dat stinkende moddergat van het Winburgkamp met die man, die Pretorius die bij de vleestafel de vrouwen in toom probeerde te houden door met zijn kierie, eigenlijk zomaar een tak van een acacia, naar hun schenen te meppen, en de vrouwen die als ganzen bliezen van woede, en dat beeld voor haar ogen van die man met die kierie en de ziedende vrouw ziet ze als één geheel, je kunt ze niet van elkaar losscheuren, zonder elkaar kunnen ze niet.

'Is er iets met je, lieverd?' Hemel nog aan toe! Susan kijkt geschrokken op haar handen, ziet hoe ze haar bestek vastklemt. Haastig kijkt ze weer op, legt haar mes en vork kletterend op haar bord en brengt het servet naar haar mond. Wat is er met haar aan de hand? Dingen die zij al zo lang heeft verwerkt, steken opeens de kop op, zo heftig dat zij ze kan ruiken, proeven en tegen haar huid voelen. Ze kijkt Mrs. Simms recht aan, is zich vaag bewust van haar bezorgde, verbijsterde gezichtsuitdrukking, ze weet dat ze iets moet zeggen, en als ze spreekt, weet ze niet meer waar de woorden vandaan komen, of wat precies het verband is met haar ontsteltenis. 'Maar is het nodig er zo van te genieten?' zegt ze, en ze weet dat Mrs. Simms haar hoogrode kleur opmerkt, ze ziet de waakzame, licht geschokte blik.

'Genieten? Bedoel je nu dat ze het fijn vinden wat ze doen?' zegt Mrs. Simms.

'Nee, nee...' Ze kijkt weer neer op haar lege bord. 'Het spijt me, ik heb me verkeerd uitgedrukt. Ik bedoel eigenlijk alleen dat ik het vreemd vind...' Ze dwingt haar blik weer naar Mrs. Simms. 'Nee, niet vreemd, maar dat het mij heeft geraakt dat ze gewoon door kunnen gaan alsof we nu niet in de ellende zitten, in zo'n enorme tragedie.'

'Maar wat zouden we volgens jou dan moeten doen?' De oudere vrouw laat de opscheplepel terug in de schaal vallen en verbergt haar handen onder de tafel. 'Onszelf bejammeren en met ons borduurwerk gaan zitten wachten op de redding die zal komen, of misschien helemaal niet komt? Of vind je dat we ons allemaal moeten aansluiten bij het Women's Army Auxiliary Corps en in Frankrijk moeten gaan vechten? Denk jij er zo over?'

Ze had een totaal verkeerd paard opgezadeld, dat ziet Susan nu. Ze had eigenlijk het tegenovergestelde gezegd van wat ze wilde zeggen. Wat maakt haar eigenlijk zo van streek in deze situatie, de hele middag al? Het lijkt wel alsof ze de indruk heeft dat alles wat hier gezegd wordt, alles wat ze hier ervaart, op haar persoonlijk betrekking heeft, dat het hele gesprek met Mrs. Simms vol insinuaties zit, verwijzingen, bedekte beschuldigingen. En het is niet alleen vanaf vandaag dat ze het zo voelt, haar komst naar Engeland heeft heel wat oud zeer opgerakeld, beseft ze nu, dingen die door de jaren heen als sediment waren weggezakt tot op de bodem van haar gemoed, maar nu roert deze vrouw erin en laat al die viezigheid opdwarrelen. En Susan weet – dat heeft haar opleiding haar tenminste bijgebracht – dat er geen andere uitweg is dan om zich in het troebele water van haar geheugen onder te dompelen. Ze zal terug moeten gaan, hoe dan ook, naar waar het begonnen is.

Als ze begint te spreken, houdt ze haar stem zo emotieloos mogelijk: 'Ik ken zwarte mensen heel goed. Vergeet niet dat ik uit Afrika kom. Oorspronkelijk.'

Mrs. Simms fronst haar voorhoofd: 'O, oooo,' zegt ze en ze leunt achterover op haar stoel, je bent nu terug bij de...'

'Bij de zwarten, ja.' Susan glimlacht flauwtjes om de oude dame gerust te stellen, en vervolgt snel: 'Een van de redenen waarom ik hier naartoe ben gekomen, en hier in het Seale Hayne kom werken, is omdat ik lang geleden, toen ik nog in Zuid-Afrika was, een zwarte man en een vrouw...' Ze wil zeggen 'gekend heb', maar ze weet dat die woorden in dit gesprek te intiem zullen klinken, en bovendien: had ze hen echt gekend? '...ik zwarte mensen ben tegengekomen,' zegt ze dan, 'die mij eigenlijk op het spoor hebben gezet van de psychiatrie. Het is niet zo dat het hun bedoeling was, allerminst, het waren geen geleerde mensen of zo, het waren maar gewoon...' Weer vraagt ze zich af waarvoor Mrs. Simms ontvankelijk zal zijn, of wat precies zij kwijt wil over haar ervaringen daar in een grot in de van god verlaten, oorlogsverschroeide Vrystaat. 'Het enige wat de man deed was verhalen vertellen,' zegt ze. 'En de vrouw... ja, die was alleen maar goed voor me. Maar wat ik met zekerheid kan zeggen is dat die man erg goed was in verhalen vertellen.'

Mrs. Simms lijkt nog meer uit het veld geslagen, en Susan besluit dan maar om liever een van de verhalen te vertellen, dat van de hoofdman die zijn mensen de boodschap wilde sturen dat hun ellende niet lang meer zou duren.

Mrs. Simms begint de tafel af te ruimen terwijl Susan vertelt, en ze realiseert zich dat ze in zekere zin het verhaal aan zichzelf vertelt, hoe onwerkelijk en absurd het ook is. Verbaasd ontdekt ze dat ze zich de details herinnert alsof ze het gisteren nog heeft gehoord. Ze hoort haar eigen stem als was het iemand anders die vertelt, Tiisetso zelf, zijn ritmes en intonaties worden deel van haar stem, soms probeert haar tong de zachte, borrelende brij van de Sotho's na te doen, wil ze die woorden gebruiken; wil ze het verhaal als een bonte blauwgekleurde deken om haar schouders trekken.

'Toen stuurde de hoofdman zijn zoon weg naar zijn mensen met een boodschap. Hij zegt tegen zijn zoon: "Zeg tegen mijn mensen dat ze zullen doodgaan maar weer opstaan." Maar het ongeluk wil dat een van de mensen die in het huis van de hoofdman werken het heeft gehoord, en die is toen hard naar hen toe gelopen en heeft tegen hen gezegd, nog voordat de zoon van de hoofdman bij hen was aangekomen, heeft hij tegen hen gezegd, en ik weet niet of het opzet was of alleen een fout, maar hij zei tegen hen: "Alle mensen zullen doodgaan en niet meer opstaan." Het is zeker niet verwonderlijk dat deze boodschapper, degene die de valse boodschap heeft gebracht, Akkedis heette. Als de zoon van de hoofdman bij de mensen aankomt en de ware boodschap brengt, als hij tegen hen zegt dat ze weer zullen opstaan, zeggen de mensen: "Nee, de eerste boodschap is de eerste boodschap; wat gezegd is, is gezegd." De zoon houdt vol en zegt dat zijn vader, de hoofdman, gezegd heeft dat ze zullen doodgaan en weer opstaan. Maar de mensen willen er niets van weten. "We kennen jou niet," zeggen ze, "en Akkedis heeft toch gezegd dat we niet meer zullen opstaan. De eerste boodschap is de eerste boodschap. Wat gezegd is, is gezegd. Zo zal het gaan."'

Susan weet niet of Mrs. Simms nog luistert. Ze weet ook niet meer op welke manier dit verhaal destijds enige geneeskracht had, of wat het betekende. In die tijd. Maar nu, in dit land en in deze oorlog... wat kon het anders betekenen dan het zich toenemend bewust worden van haar eigen verhaal. Niet alleen het laatste deel ervan, ook het begin. Dit was er gebeurd: toen zij haar voeten op het slijmerige plakkerig beton van de kade in Harwich neerzette, kwam ze niet uit Nederland, maar rechtstreeks uit haar geboorteland. Ze voelt weer het deinen van de mailboot onder de dunne zolen van haar schoenen; ziet weer dat spookschip dat uit de nevels naar hen toe komt gedreven, en de soldaat die tegen haar aanschuurt met zijn geur van zaad en angst. Dat alles is eigenlijk maar een deel van de reis die zij als jonge vrouw was begonnen, lang geleden. Recht uit een stofzuil die vanuit de Vrystaatse leegte oprijst voor een bloedrode zon is ze uitgestapt in het gedempte licht en de onpeilbare schaduwen van dit land. En toen ze dat rijtjeshuis zag hier in Newton Abbot en de naam van de Engelse generaal hoorde, was het net alsof alles nog net zo was als jaren geleden, niets was voorbij.

Wat gezegd is, is gezegd. Het is zoals het zal zijn.

Hoofdstuk 14

Ik kan proberen om me met de toppen van mijn vingers dichter naar de ingang van de grot te trekken. Als ik daar genoeg kracht voor heb. Als het niet zo'n pijn deed. Ik moet hier weg zien te komen. Op een of ander moment moet ik hier weg. Waar naartoe weet ik niet, maar wat is mijn leven trouwens waard? Misschien is het het beste om voor eeuwig en altijd in het donker te blijven. Misschien is dat de straf van de Here.

Tiisetso gebaart af en toe zo met zijn knopkierie als hij praat. Hij is opeens rechtop gaan staan, alsof hij weet welke plannen ik smeed, en daarom vraag ik hem naar de tekeningen op het dak van de grot. Hij zegt dat de Baroa ze hebben gemaakt, de eerste mensen. Die hebben hier heel lang geleden gewoond. Hier in de gaten van de berg hebben ze gewoond, van het begin af aan. Zij waren de allereerste mensen op aarde. Zij hebben de zon voor de eerste keer zien opkomen. Toen ze hier uit kwamen, samen met een kudde vee, uit de gaten, was de wereld helemaal bedekt met water, en de vinken hingen boven het water aan het riet. Zo was het toen de eerste mensen uit de grot kwamen. De Baroa, die hebben zich de eerste tijd herinnerd, en die hebben hier in de berggaten getekend.

Ik lig te kijken naar de tekeningen terwijl Tiisetso

zingt. Weer en weer zingt hij, dezelfde woorden steeds weer. In het begin waren die woorden alleen geluiden voor mij, helemaal onverstaanbaar, maar geleidelijk aan begon ik de klanken te herkennen, als borrelende belletjes die in een kuil naar boven komen en floep, een glanzend vlekje in het donkere water maken: *Kea utlwa, mme; kea utlwa, mme...* Ik luister, mama; ik luister, ik luister. Mama, jouw stem als die van de mus, de vink; jouw stem als de vink aan het riet.

Hij houdt op met zingen, maar wiegt nog naar voor en naar achter. Dan praat hij. Kijk, zegt hij, en hij wijst naar de tekeningen tegen de rotswand. Je moet je eigen koeien gaan halen, zoals die mensen, de Baroa. Je moet ze gaan halen van ver, ver, ver. Jij zelf moet dat pad lopen. Ver, naar de *badimo* toe. Maar jij moet die weg gaan, jij moet die weg gaan. De gespikkelde koe, die met de vlekjes als van een parelhoen, die bonte, dát is de koe.

Ik weet wat Tiisetso bedoelt. Ik ben niet dom. Alsof ik tijd heb voor hun vooroudergedoe. Ik geloof in de Here. Hij zal mij helpen. Laat Tiisetso maar praten en zingen tot hij omvalt. Als ik echt bid, gaan mijn gedachten recht naar de hemel, ik moet alleen de juiste woorden weten te vinden. En ik moet bidden dat de Here deze verschrikking van mij wegneemt, want het is een grote, grote zonde. Ik weet niet of Tiisetso bedoelt dat ik de zonde over het land heb gebracht, en dat hij en Mamello mij alleen vet voeren om me dan te offeren zodat de zonden van het land vergeven kunnen worden. Maar ik ben niet de enige, de Here hoort mij, ik ben niet de enige. En hoe zit het dan met de Engelsen, die alle boerderijen hebben platgebrand en iedereen in de kampen laten doodgaan? Dat is toch ook zondig in de ogen van de Here. Ik zal boeten voor mijn zonde, maar de Here slaapt niet. Hij zal de Engelsen ook laten boeten.

Het kan me ook niet schelen dat Tiisetso zingt, want dan weet ik tenminste dat hier iemand bij me is. Het kan me niet schelen, laat hem maar zingen. Ik ken dat liedje nu ook al, dat van die vink aan het riet. Het wijsje en de woorden ken ik goed en ik kan het al mee-zingen. En ik heb ook ontdekt dat als ik zo met hem meega en meega dan is het net alsof ik licht word en begin te drijven. Het haalt me weg van de dingen die mijn gedachten zwaar maken.

Het zijn zeker mensen als opa en oma over wie Tii-setso het heeft. Mensen die al lang dood zijn. Het zul-len hun stemmen wel zijn die zich als een vink vast-klauwen aan dat riet dat in de modder staat te trillen. Ik hoor het, mama, ik hoor het, ik hoor het... Ik luis-ter, papa, ik hoor het, ik hoor het. En eigenlijk kon ik papa's stem al lang niet meer horen, in het kamp al is hij stil geworden in mij. Nu staat hij als een riet te be-ven in die modder waaruit de eerste mensen zijn geko-men als een kudde vee uit een kraal. Hij zit nu in mijn hoofd. Pa. Als koeien die in het hoge gras lopen, zo is mijn vader in mijn hoofd gekomen, zoals die gespik-kelde koe, of zoals een paard dat met zijn hoge hoofd tegen een afrastering aan draaft. Dat is mijn vader.

Papa ging zijn hengst halen uit de kraal, en mama en ik stonden aan weerskanten van het paard. Het dier schopte naar vliegen op zijn buik, en ik giechelde. Maar dat was meer omdat ik niet wist wat ik moest doen. Het enige wat ik me nu herinner, is dat het paard poepte toen het over het erf weg draafde, bij elke pas pff-pff-pff.

Toen we weer nieuws kregen, was papa dood. En de oorlog was nog maar pas begonnen. Veel van de mensen van het district waren nog niet eens op *kommando*.*

De eigen veldkornet van Heilbron kwam het nieuws brengen; ook hij was nog niet weg. Mama zat rechtop in de voorkamer. De mond van Neels hing open. Oom Hennie en *tannie** Lena kwamen tegelijk met de veldkornet binnen, ze bleven allemaal staan. De veldkornet vroeg of de kinderen niet beter konden gaan spelen. Ik liet alleen mijn hoofd hangen, en mama zei dat ik geen kind meer was en dat de veldkornet maar moest zeggen wat hij te zeggen had.

Ik keek naar Neels en zag een lange streep kwijl aan zijn onderlip hangen. Toen tilde ik hem op om hem de kamer uit te brengen, maar hij klampte zich vast aan de poot van mama's stoel. Ik moest zijn handen bijna openbreken. Ik kan het me weer herinneren. Hoeveel kracht ik moest gebruiken om zijn jongetjesvingers terug te buigen en hoe hij begon te kermen. Als een jong dier of zoiets.

Een maand later woonden alleen mama, Neels en ik in het bijwonershuis. Tannie Lena bleef in het grote huis. En het volk. Wij waren alleen nog op de plaas. Alle mannen waren weg. De meeste van papa's paarden ook, samen met de mannen op kommando. De enige die er nog was, was de bonte merrie die papa had afgericht kort voor hij vertrok. Toen papa voor het eerst op haar rug ging zitten, sprong ze rond als een dolle tot ze viel. Papa bleef zich vasthouden. Toen ze viel gaf ze een heel diepe zucht, het leek wel alsof haar energie weg was, want haar bek ging open en met haar tong die zo omkrulde probeerde ze adem te halen. Daarna kon je op haar rijden, maar ze was zo koppig als een ezel. Tsela reed toen op haar, maar hij kreeg haar ook maar af en toe in een korte galop. Soms bracht hij het vee naar huis zodat ik kon helpen tellen. Dan stond de bonte merrie roerloos daar bij het hek van de kraal en ik had altijd het gevoel dat ze naar me keek met de ogen van mijn vader.

Die merrie heeft één keer een veulen gehad. Een hengst die over de afrastering sprong. Papa had haar een tijdje in de kraal laten sluiten, en dan stond die hengst soms daar bij de kraal te hinniken en tegen het hek te duwen met zijn voorpoten in de lucht en... en... ik heb het allemaal gezien, het is te verschrikkelijk, lieve Here wat moet er van mij worden, want ik kon niet schoppen en bijten zoals die merrie, en al was er een hek en een kraal, de buik van de merrie is opgezwollen totdat ze in het gras is gaan liggen en vanaf het huis kon ik zien hoe ze af en toe haar hoofd optilde en haar nek naar achter boog om te zien wat er gebeurde. Daarna ben ik gaan kijken en er lag een natte plek met bloed bij haar en mest en van die sporen van een kapmes in de grond.

Ik heb niet eens gemerkt dat Tiisetso is opgehouden met zingen. Mijn lieve Here toch, Tiisetso! Waarom ben je opgehouden? Zing, in 's hemelsnaam, zing toch! Je mag niet ophouden, alsjeblieft, nu niet! Je moet zingen zodat mijn gedachten kunnen lopen, zoals koeien uit de kraal kunnen lopen, en ik de paden kan nemen die mijn voeten zo goed kennen, het warme zand dat zacht onder mijn blote voeten bolt.

Het veld is kaal, er is bijna geen graspol te zien, alleen papa's lijk met het zachte fluweel van de kraag van zijn jasje, de kraag die mama nog omgevouwen heeft, en de wolk bromvliegen die je van hier kunt zien, dat is de plek waar papa lag. Kom kijken, zegt mama, kom kijken en breng Neels mee. We lopen achter de wolk aan. Als blauwe vonken gloeien de vliegenlijven in de nacht, en wij zitten ernaar te kijken als naar een vuur. Luisteren naar het gebrom dat harder en harder wordt totdat alles, alles alleen nog maar bromvliegen is.

Hoofdstuk 15

Ze schrikt wakker. Het gezicht van een van de dienst-
doende verpleegsters hangt boven het hare; er valt
elektrisch licht door de open deur van de slaapkamer
voor de nachtdienst. In het flauwe licht herkent Susan
het gezicht boven haar. Er is een nieuwe patiënt aangekomen, zegt de verpleegster, en er moet een senior
zuster aanwezig zijn bij de opname.

Susan wast haar gezicht bij de wastafel – lang na
middernacht is ze zomaar in haar kleren op het smalle
hospitaalbed gaan liggen en in slaap gevallen. Een paar
uur ononderbroken slaap is een luxe als je nachtdienst
hebt, want voor de meeste patiënten is de nacht ook
figuurlijk de donkerste tijd van de dag.

Ze loopt berustend samen met de verpleegster naar
de binnenplaats; ze had toch over een paar minuten
moeten opstaan om te helpen met de ochtendroutine.
Sommige soldaten moeten gewekt en geholpen worden met het ochtendtoilet en het aankleden, daarna
klaargemaakt voor het ontbijt waar elk hapje dat gegeten wordt nauwkeurig wordt geregistreerd. Ze vraagt
of er hulp nodig zal zijn; soms moeten erg hysterische
patiënten zelfs verdoofd worden. Maar het meisje
schudt van nee.

Het olijfgroene legervoertuig staat gewoonlijk geparkeerd op de binnenplaats als er nieuwkomers worden gebracht. Zo te zien is er maar één patiënt en daar staat hij, in de ochtendschemering, donker als een ankerpaal die vanuit wit steengruis oprijst. Het gebeurt zelden dat er maar een enkele patiënt opgenomen wordt; gewoonlijk is het een groep die door een zwerm ordonnansen en verplegers wordt begeleid, ondersteund en in toom gehouden en sommigen moeten zelfs gedragen worden. Hij keert zich zwijgend naar haar toe als ze bij hem staat. Bleek, lippen op elkaar geklemd, zichtbaar oneindig vermoeid. Hij heeft een officiersrang, ziet ze, en de chauffeur staat te wachten met zijn plunjezak naast zich.

'Zal ik je wegwijs maken?' vraagt Susan. De luitenant knikt en ze leidt de kleine processie naar de ontvangstkamer waar de eerste evaluatie gedaan wordt en een besluit wordt genomen over de onmiddellijk ingaande behandeling. Ze vraagt hem op een van de vier bedden te gaan zitten; de ordonnans zet de plunjezak bij het voeteneind en verontschuldigt zich. Susan pakt een klembord met formulieren en een pen en gaat op een stoel naast het bed zitten. Zoals eigenlijk alle nieuwe patiënten kijkt hij haar niet aan. De meesten zeggen geen woord, antwoorden kortaf en ongeïnteresseerd op de vragen, of soms helemaal niet. Deze man spreekt echter in volzinnen, al is het zacht en met een vermoeide zucht in zijn stem: naam, rang, eenheid, gevechtszone... de basisgegevens. Ze zorgt ervoor dat ook haar stem zacht klinkt, sympathiek – het is het eerste beginsel van de medische zorg in dit hospitaal. Patiënten moeten in staat worden gesteld een rafeltje menselijkheid in handen te krijgen, een los eindje dat ze dan zelf moeten lostornen tot ze weer iets zachts ontdekken in de vernietigende bol prikkeldraad van de oorlog.

'Weet je ook waarom je hier naartoe bent gestuurd?' vraagt ze.

Hij knikt.

'Een van de artsen zal straks het medisch onderzoek doen, maar zou je misschien vast kunnen proberen je symptomen voor mij te beschrijven?'

Hij strijkt over zijn gezicht en zijn angstige ogen vliegen naar haar toe en weer weg. 'Slaap,' zegt hij. 'Ik kan doodgewoon niet in slaap komen. En als ik wel slaap, droom ik. Over de oorlog.' Er ligt nu een bezorg- de trek op zijn gezicht en hij maakt de indruk zich in- tensief te moeten concentreren op wat hij zegt, of zich te herinneren wat hij wil vertellen. 'Het licht moet de hele tijd aan blijven, anders kan ik niet slapen, want in het donker doet elk klein geluid mij opspringen. Het is mij onmogelijk naar bed te gaan, want...' Hij kijkt naar zijn benen, hij houdt zijn handen aan weerskanten op het matras gedrukt. '...want ik kan die gedachten niet uit mijn hoofd krijgen.'

'Heb je soms doorverwijzingen bij je, medische verslagen ofzo?'

Hij steekt zijn hand onder zijn jasje en haalt een zakboekje uit zijn binnenzak, doet het op zijn schoot open en geeft haar een opgevouwen formulier dat tus- sen de bladzijden zit. Ze leest terwijl hij door het boek- je bladert, kennelijk alleen om zijn handen iets te doen te geven.

Op het formulier staat dat hij in Frankrijk een ver- wonding heeft opgelopen. Een ontploffing heeft hem onder een hoop aarde doen belanden, en toen hij bezig was zich uit te graven, trof een kogel hem in zijn arm. Hij werd naar huis gestuurd, kwam in een Londens hospitaal terecht. Daar zijn aantekeningen gemaakt over nerveuze symptomen, slapeloosheid en gebrek aan eetlust.

'Ben je na Londen weer teruggegaan?' vraagt ze.

Hij spreekt met gebogen hoofd, zijn handen druk met het zakboekje. 'Nadat de wond was genezen, werd ik naar een revalidatieoord op het platteland gestuurd,' zei hij. 'Northumberland.' Hij kijkt haar nu aan, maar zijn blik schuift onmiddellijk weg van haar gezicht, naar iets links van haar. 'Maar die dromen wilden niet weg. Bijna niet geslapen en elke nacht banger dat ik nooit beter zou worden.'

'Maar nu kom je toch niet uit het revalidatieoord; volgens het verslag kom je uit Londen.'

'Ik dacht dat terugkeren naar mijn bataljon de enige manier was om te genezen, maar de medische raad moet het goedkeuren. Toen ik voor de raad moest komen, heb ik gezegd dat ik mij goed voelde, maar toen vroegen ze naar mijn slaappatroon. Daarover stond iets in het verslag van het revalidatieoord. Toen stuurden ze me hierheen.'

'Weet je wat je hier te wachten staat?' vraagt ze.

Hij haalt zijn schouders op. 'Ik weet dat dit een gesticht is, meer niet.'

'Het is een hospitaal,' zegt ze. 'We behandelen oorlogsletsels. Je bent medisch niet in orde, een verwonding aan de geest, en die kan behandeld worden.'

Hij kijkt haar aan, de eerste keer dat hij haar recht in de ogen kijkt. 'Jij bent geen Engelse,' zegt hij.

Ze beantwoordt zijn blik, een ogenblik monsteren ze elkaar. 'Je hebt gelijk,' zegt ze koel. 'Dat ben ik niet. Ik ben Nederlandse.'

Hij kijkt de andere kant uit, zij naar het klembord op haar schoot, overweegt een aantekening, maar weet niet precies wat ze moet schrijven. 'Je zult hier een tijdje moeten wachten,' zegt ze dan. 'De dokter komt over een uur of zo. Maar het is hier stil genoeg, misschien kun je wat rusten.' Ze staat op, kijkt neer op zijn gebogen hoofd. 'De hoofdzuster zal bij je komen zitten. Puur routine. Als je iets nodig hebt, kun je het haar vragen.'

Ze loopt met het klembord tegen haar borst de gang af. Er is niemand anders te zien; het hospitaal komt pas over een uur of zo tot leven. Wat is er zojuist toch gebeurd? Waarom raken die dingen haar zo persoonlijk? Alsof ze een groentje is, een kind, alsof mijn gemoed een bolletje kwikzilver op een theelepel is.

Ze blijft staan en leunt met haar rug tegen de gangmuur, haar kin op haar borst. Ze kan niet van de indruk af komen dat iets in deze situatie, hoe vreemd en nieuw het allemaal ook is, haar ongelooflijk bekend voorkomt. Er is een soort schemerbeeld dat voortdurend door alles heen wil dringen. Zelfs bij dit gesprek met de officier. Nee, ze weet niet precies wat het is, zijn weerloosheid misschien? Maar ook die neerbuigende manier waarop hij naar haar ware identiteit vroeg. Het was aanvallend, agressief, alsof hij zich moest verdedigen, alsof hij weer in de loopgraaf was en zij, degene die hem moest helpen, eigenlijk zijn belager was. Ja, er was iets gevaarlijks in de situatie, het was een oorlog in het klein daar in de ontvangstkamer. Of ziet zij het alleen zo? Hij is toch helemaal uitgeleverd, niet aan haar, maar aan dit ding – de oorlog – die zijn ziel uit hem heeft gerukt. En daarvoor is zij toch hier naartoe gekomen, zij is hier omwille van mensen zoals hij. Die hele gedachte eraan was voor haar van meet af aan... ja, wat betekende die voor haar? Opwinding? Een waagstuk? Het soort ding dat ze net zo hard nodig had als ademhalen?

Nu weet zij het weer. Nu weet zij het weer. Het was wat Jacques indertijd had aangevoeld, hij wist dat voor haar alles een waagstuk was. Het heeft iets met dat waagstuk te maken, dat weet zij nu zeker. Daarom waren die ritten achter op de motor van Jacques zo verrukkelijk, want ze moest eenvoudigweg iets wagen, en hij was beschikbaar. Zij moest het wagen om onbehoorlijk schaterend op de bagagedrager van zijn motor door de straten van Dordrecht te slingeren, aan zijn arm de deur van een café open te duwen. Ja, dat was wat hem zo bang maakte. Hij zag haar behoefte om gulzig te leven, haar onverschrokkenheid.

Ze beefde, duwde zich met haar achterhoofd weg van de muur en begon te lopen, blindelings, licht slingerend. Zij moest het zonodig wagen om zijn witte vingers te pakken en ze tegen het zacht gespannen materiaal van haar blouse te drukken. En Jacques schrok zich een ongeluk. Hij was doodsbang voor wie en wat zij was.

Hurst gunde haar iedere dag een uur om aan een groepje geselecteerde patiënten muziektherapie te geven. Hij had haar geholpen met de selectie; van de waarde ervan was hij wel overtuigd, hoewel ze het niet helemaal eens waren over de focus van haar doelstelling. Ze was enthousiast over de programma's van het hospitaal om de patiënten met alternatieve taken bezig te houden. 'Ja, het leidt hun aandacht weg van hun morbide zelfbeheptheid,' had ze gezegd.

Hurst had haar stroef aangekeken en toen gezegd: 'Niet iedereen is zo met zichzelf bezig.'

Toen hij dit zei, wist ze dat ze het verkeerde woord had gebruikt. 'Ik bedoel...' Maar het was al gauw tot haar doorgedrongen dat dit een ietwat wanhopige poging was, en toen had ze gewoon gezegd: 'Ik bedoel dat ze zo gefocust zijn op deze duisternis in henzelf dat we moeten proberen hun aandacht ervan weg te leiden.'

'Het zal de duisternis niet wegnemen,' had hij gezegd en ze verbeeldde zich dat er in zijn stem ook iets duisters zat.

Ze reageerde niet, wachtte tot hij het gesprek naar de logische conclusie voerde, want ze wist dat ze eigenlijk tegen beter weten in had gesproken, geheel tegengesteld aan wat ze zelf geloofde, namelijk dat het noodzakelijk was om de confrontatie met de duisternis in jezelf aan te gaan.

Zijn ene mondhoek trilde nauwelijks merkbaar, alsof hij heel even overwoog toegeeflijk te glimlachen. Hij begon berekenend te praten, omzichtig, zijn zinnen een golf die traag werd opgebouwd en dan schuimend brak en ver uitliep. 'Wat ik wel denk dat jij met de muziek kan bereiken, is om hun slechte ervaringen met nieuwe energie te laden, er een nieuw licht, een andere nuance aan te geven, er iets positiefs aan te koppelen. Wellicht komen ze op die manier weer in contact met bijvoorbeeld de kameraadschap die ze gekend hebben, het samenzijn. Misschien zien zij het niet zo, maar er is iets positiefs daarbuiten, zeker.' Hij streek met een wijsvinger over zijn ene wenkbrauw en de schaduw van zijn hand viel over de helft van zijn gezicht; ze had zwijgend naar hem geluisterd en nadenkend geknikt.

In de muziekkamer zijn de zware fluwelen gordijnen opengeschoven en de lamp op de slanke koperen staander is aan, maar nog altijd is het wat schemerig in het vertrek. Het lijkt wel alsof de groep mannen die rond de piano staat samengedromd het licht verdringt, alsof hun lichamen alle beschikbare kleuren absorberen. Met stip gerichte blik en wijd open mond zingen ze: '*It's the soldiers of the King, my lads, who've been, my lads, who've seen, my lads...*' De stemmen vullen de kamer, stijgen tot tegen het plafond, de pianist leunt tegen de rugleuning van zijn stoel, gooit zijn hoofd achterover alsof hij op een zeilboot staat te balanceren.

Susan staat bij de pianokruk, dirigeert met de ene hand, probeert met zoveel mogelijk mannen oogcontact te maken, zorgt dat het tempo behouden blijft, dat ze met overgave blijven zingen om zo de duisternis en het licht met elkaar in contact te brengen.

Uit haar ooghoeken ziet ze een beweging bij de deur. Hurst. Hij staat een tijdje in gedachten te luisteren, heft dan een lange bleke vinger naar zijn slaap. En dat moment van verslapping van de aandacht, van de volgehouden concentratie die ze van zichzelf vraagt, laat ze de oude, oude beelden toe. Ze knippert met haar ogen, lacht verrast – waar komen die nu vandaan? De burgers, versleten krijgers met holle wangen die in een

open treinwagon staan en met 'Prijs den Heer' de verdoemenis tegemoet gaan, en in een beenwitte kloktent
zingen vrouwen 'Naar de oorlog moest ik gaan; voor
de kogels moest ik staan', de doedelzakken, fluiten en
trommels met 'God save the King', en Tiisetso en Mamello die zingen en zingen en zingen over vogels die
laag over de aarde vliegen, over een kudde koeien die
een moeras in loopt. Ze keert haar hoofd naar Hurst,
ze weet dat zijn ogen in hun schaduwen blijven, ze ziet
dat hij naar haar kijkt waar ze tussen de mannen staat,
gevangen in de klank van hun stemmen, zwevend op
de luchtstroom van de melodie van de piano.

Hier moet ik nu blijven, denkt ze, ingeweven in
deze ervaring, in deze bel, dit is mijn roeping. Maar ze
glijdt weg, heeft moeite zich te concentreren, als dui-
ven die uit een eucalyptus opklapperen worden haar
gedachten van haar weggebroken en vliegen ze tegen
de zon van een ander continent in. Ze dwingt ze terug,
terug naar waar ze nu is, waar ze nu zou moeten zijn,
maar dan zit ze te wiegen op de bagagedrager van de
motor, Hurst zit in het zijspan, Jacobs aan het stuur. Ze
gaan naar Dartmoor, het is de dag van het hospitaal op
de schietbaan. Hier in het hospitaal zingen de patiënten terwijl zij dirigeert, maar haar gedachten zijn bij
de hobbelige rit door de nuances roestbruin en groen
van de heidevelden van Dartmoor, tussen de heuvels
en rotspieken die hier *tors* worden genoemd. Ze zijn op
weg naar de militaire schietbaan waar Hurst de patiënten de veldslagen in Vlaanderen laat herscheppen om
hen zo weer in contact te brengen met dat wat hen ooit
staande heeft gehouden.

Ze stond daar, de wind achter haar, die duwde in

haar rug; Jacobs leunde tegen het modderscherm van de motor en perste de woorden tussen zijn tanden door, liet ze vallen op het wollige heideveld, op de natte turf die aan hun schoenen zuigt. Sommige woorden bleven hangen in de stofloze lucht; ze stond te kijken met de wind mee en de stem van Jacobs duwde vanachter tegen haar aan, het wapperende verpleegstersuniform om haar benen. Schuin voor haar kwam een wat bedremmeld peloton aangemarcheerd naar Hurst, die bij een loopgraaf-en-bunker-constructie stond te wachten. De soldaten in looppas de prikkeldraadbollen en borstweringen tegemoet, liepen houten stutten omver, dubbele wachtposten werden uitgezet, ook een die voor een aanval met gas zou moeten waken, Lewisschutters die in het donker behoorden te hurken. Soldaten groeven aan de binnenkant van de bunker hun schietgaten uit om een breder schootsveld te krijgen, stromende grijze regen, het water in de afvoersloot van de loopgraaf dat bruiste als... als de Laaispruit bij vloed, dacht ze, het prikkeldraad langs het spoor door de Karoo, houten kruisen waar soldaten waren gesneuveld, een trein die verder en verder weg rammelde van de plek waar zij had gelegen. Ze balde haar vuisten langs haar lichaam, drukte haar lichaam stijf gespannen als een schild tegen Jacobs' stem die als de wind van achter haar kwam, waaide en waaide, meedogenloos. Toen het peloton patiënten aangemarcheerd kwam, begon Jacobs met zijn relaas – het verhaal van de soldaat helemaal links vooraan, die kleine, die ene die zijn knieën als een idioot bijna tot zijn oren optilde. 'Zie je hem,' zei Jacobs, en zijn stem vloog als granaatscherven: '...en de ontploffing gooide hem vijf, zes passen door de lucht en hij viel, hij kwam met zijn hoofd neer op een man die daar lag, recht op de gezwollen buik van een Duitser die al een paar dagen dood was...' Ze verzette haar voeten, en de turf waarin haar schoenzolen waren weggezakt maakte een smakgeluid. '...en toen hij de buik van het verrotte lijk raakte, barstte alles open. Ja, hij ging toen wel van zijn stokje, maar voordat het gebeurde, voordat hij omver geslagen werd, had hij nog – getver, jisses! – gevoeld dat zijn mond vol troep zat en hij heeft het ook geproefd en – shit, sorry dat ik het zo zeg, maar je zult het begrijpen, nogmaals sorry – hij wist dat het de rotte ingewanden van een vijand waren, dat wist hij. Toen hij bijkwam, heeft hij dagen achtereen gekotst en gekotst, maar hij kon het niet uit zijn lijf krijgen, die smaak en die stank, en daarom is hij naar ons gestuurd. Dat is zijn verhaal. Het spijt me, ik weet het, jij bent een vrouw en zo, maar ja, het is nu eenmaal zoals het was.'

Ze zag dat Hurst naar hen toe kwam en ze holde hem tegemoet, tilde haar rok op en struikelde bijna in haar haast. 'Is dit wel goed?' vroeg ze toen ze zijn ogen in de donkere kassen zag. 'Is dat wel goed? Dit teruggaan naar..' Ze kon het woord niet vinden. 'Is het echt een goede methode om... om terug te gaan naar dat waardoor je bijna bent vernietigd?'

Hurst zette snel een stap vooruit, zijn armen uitgestrekt om haar op te vangen wanneer ze zou vallen. Hij begon al lopend te praten, tegen de wind in, riep naar haar: 'Alleen als de patiënt zijn ervaringen met nieuwe energie kan aanvullen, er weer positieve energie uit kan putten,' zei hij en hij bleef staan. Ze had het gevoel dat hij een verrekijker op haar gericht hield en elke beweging observeerde en strategisch ontleedde. 'Er zijn er die weer een geweer oppakken en schieten,' zei hij en draaide zijn hoofd om, maakte een breed, half hulpeloos gebaar met zijn hand. 'Klaar voor het slagveld.'

Klaar voor het slagveld. Slagveld? Haar gedachten tastten het woord af. Het was zeker niet de eerste keer dat ze naar het verleden terugkeerde, ze was immers geschoold in de psychiatrie en een van de beginselen is dat je jezelf moet kennen, je potentieel én je gebreken, waar je vandaan komt en waar je naartoe op weg bent, maar daar op dat zompige moerassige veld met zijn wollige gewassen, zijn ondiepe kreken, zijn plukken wolken, daar probeerde ze voor het eerst het woord 'slagveld' tot het hare te maken. En toch, en toch... Was dit niet vanaf het begin haar woord? Letterlijk. De ooi die bij haar achterpoot de tent in werd getrokken: ik was er al zo dikwijls. Ik heb de woorden gevonden om erover te praten, maar is het wel goed, is het helend, om terug te gaan naar die tent? Ik weet het niet. Ik weet het niet.

Ze knippert met haar ogen, ziet weer de zingende, zwaaiende hoofden voor zich. 'It's the soldiers of the King, my lads, who've been, my lads, who've seen, my lads...' Rechts naast haar is de deur nu dicht. Hurst is weg. Ze heft haar beide handen. Ze staat vrouwalleen tegenover de aanslag van niets minder dan de geschiedenis zelf: een jonge vrouw met een kapje speelt op het harmonium dat pas het huis is uitgedragen, ze speelt in tegen de blafgeluiden van de eerste vlammen, 'Rots der eeuwen' speelt ze, haar kapje laag boven de toetsen, en om haar heen, uitgezaaid over het kale erf een stel andere vrouwen die gekscherend, hysterisch zingend rondstrompelen, dubbelgevouwen, de armen bengelend, en dan helemaal van hun verstand verstoken het grasveld in hollen. En hier in het hospitaal in Denver heft ze driftig haar armen – nee, meer verwoed – voor de glimmende, gladgeschoren gezichten en de opengesperde monden, houdt ze haar armen in de vaart van klanken, en ze ziet hen allemaal samen in dit halfverlichte vertrek met de piano en de staande lamp en de gordijnen, als deel van een continue stroom die vanaf het allereerste begin zich onstuitbaar door alles heen dringt, levenden en doden meesleurt, en in die enorme stroom van de tijd staat zij in een oeroude grot en heft ze haar handen, ze drukt ze tegen een rotswand die krioelt van de kleine mensjes, jagers die met bloedende neus en extatische erectie afdalen naar de duisternis waar het grote, grote licht verscholen ligt, af, af, af naar het donkere licht.

Uiteindelijk laat ze haar loodzware en pijnlijk kloppende handen vallen en zingt ze nog slechts, ze zingt gelaten en als was ze doorstraald van dat eerste licht, zingt mee met de liedjes die iets van waarde voor wie dan ook terug moeten brengen.

Hoofdstuk 16

Als Mamello praat, kun je maar beter luisteren. Wat moet je anders. Ze brengen eten, zij en Tiisetso. Soms staat er hier op mijn vuur een pan te pruttelen. Groen spul ook. *Marôgo*. Gaar gestoofd vlees. Pap. Veel melk. *Marôgo* en glibberig konijnenvlees bij elkaar in een schaaltje, en dan zet zij de pan pap ernaast, duwt de *lesokana* door de wolk damp om de pap nog eens door te roeren. In het begin voerde ze mij, maar nu eet ik zelf. Schep wat pap op met mijn hand en kneed er zo een balletje van. Doop het dan in de saus. Soms als de groene smaak van de wilde plantenblaadjes en de bruine smaak van het vlees samen met de warme, witte damp van het maïsmeel mijn mond vult, is het alsof ik echt altijd, mijn hele leven, hierop heb gewacht. De hele tijd in het kamp hebben we zo gewacht op voedsel, hebben erom gebeden, erom gevochten in de rij. Dat was hiervoor, voor wat ik nu heb. Soms deden we daar in het kamp dingen om het eten te vergeten, zoals in een van de tenten zitten zingen of buiten in het stof een balspelletje spelen met een stokje. Of we deden het om niet aan doodgaan te denken.

Het eten verjaagt ook dingen uit mijn hoofd. Terwijl ik kauw, als er iets in mijn mond zit, gaat het gevoel dat ik alleen maar dood wil een beetje weg. En als ik gegeten heb, is het ook gemakkelijker om de dingen te doen waarvan zij willen dat ik ze doe.

Ze is een beetje kleiner dan ik, Mamello. Dat kan ik zien als ze me overeind helpt. Ook dat de haartjes in haar nek al grijs zijn. Haar kraag zit wat los om haar dunne hals en er zit een zwartachtig smeersel aan de binnenkant. Maar degene die zo stinkt, ben ik, heb ik ontdekt. Viezigheid, vuile zondigheid.

Het is een moeizaam gedoe zo op de helling naar beneden en over de losse stenen voor de grot. Eerst moeten we ook over en door het dichte koeniebos, maar Mamello heeft me geholpen met bukken en kruipen. Zij heeft gezegd dat ik mee moet komen en niet om de gewone reden. We zijn nu ook al verder dan het eind dat ik elke dag moet lopen als ik mijn behoefte moet doen. Gewoonlijk loop ik links tussen een groep gwarriestruiken door. Beneden in de kleine ruigte, in het kloofje dat tussen de heuvels ligt, moet een riviertje lopen en ik denk dat ze me daar mee naartoe neemt. Ze zal me niet tot bij Laaispruit kunnen brengen, want toen ik daar af en toe met de jongeren in het kamp hout ging sprokkelen, zag ik dat de heuvels waar ik nu woon veel verder weg liggen. Als ik haar vraag of niet iemand ons kan zien zegt ze dat Tiisetso oplet, hij zit daarboven.

Het is eigenlijk niet meer dan een stenen bank tussen de struiken waar ze ons naartoe brengt. Met hier en daar gaten in de grond die vast zijn volgelopen toen het gisteren – nee, wanneer? – heeft geregend. Ze knielt nog heel gemakkelijk voor zo'n oud mens, die Mamello. Ik heb de indruk dat ze het gemakkelijker kan dan ik, zo haar benen onder haar jurk vouwen en gaan zitten.

Ja, laat ze nu die lappen maar van mijn hoofd halen, want die dingen die tussen mijn benen zaten, hebben we al een hele tijd geleden weggegooid. Het is een lang stuk doek dat ze afwikkelt, zie ik nu, en daarna stukken die op een mestvloer lijken. Bah!

Maar het doet geen pijn. Het doet helemaal geen pijn meer.

Ze haalt een stukje boerenzeep uit haar rokzak en legt het op de steen, pakt mijn jurk vast onder mijn oksels en – ja, laat ik maar opstaan zodat ze de jurk over mijn hoofd kan trekken. Maar zo zal ik niet voor haar gaan staan, niet zo helemaal naakt. Had de zon die steen hier maar niet zo warm gestoofd en hadden die steentjes niet zo erg in mijn billen geprikt. Maar het voelt lekker, de zon achter op mijn rug, het koele windje op mijn schouderbladen. Kijk, kippenvel op mijn bovenarmen. Hier op mijn ribben. En dan die blauwe plekken, je zou zweren dat ik een parelhoen was.

Mamello is op haar knieën bij het water gaan zitten en wast haar handen en haar onderarmen. Als haar armen nat zijn, glanzen ze als een kiezelsteen en haar handpalmen zijn eigenlijk zo wit als beenderen. De mijne slaan paars uit met haartjes die overeind gaan staan.

Ik weet niet of die jurk van mij ooit zo vuil is geweest. Maar het is het enige kledingstuk dat ik heb. Mamello heeft hem al een paar keer gewassen, dan zit ik een tijdje bloot onder de deken. Er zit een vlek op de jurk. Ze zal hem wel zien, die ouwe meid. Ze heeft hem zeker gezien. Tot dat in het kamp met mij gebeurd is, heb ik mijn kleren altijd zelf gewassen. En thuis de allereerste keer toen ik nog niets afwist van het bloed dat elke maand komt. In het kamp had mama weer van die doekjes laten maken door een vrouw die een naaimachine had in haar tent.

Gelukkig houdt Mamello mijn hand vast, want de stenen bodem van deze poel is behoorlijk glad. En het water is koud. Mijn tenen doen pijn van de kou. En moet ze nou echt het water zo tegen mijn benen opspatten, en nog wel zo hoog! Ik bibber over mijn hele lijf!

Ze begint me in te zepen, en haar hoofddoek zit al bij mijn knieën, de zeep glad over mijn huid. Met haar ene hand op mijn linkerknie trekt ze mijn benen een eind van elkaar.

Geef, zeg ik, ze moet de zeep aan mij geven, ik ben oud genoeg. Ik zal het zelf wel doen.

Ook al sta ik met mijn rug naar haar toe, toch kan ik voelen dat ze naar mij kijkt. Haar ogen en de zon op mijn rug. Van mijn bovenbenen lopen strepen vuil schuimend water af. Vuiligheid van hoeveel dagen? Nu zie ik nog meer kneusplekken. Ik kan niet al te hard wrijven. Alleen snel mijn bovenlijf en gezicht, dan ben ik klaar, al vind ik de wolken die het zeepwater in de poel maken nog zo mooi.

Ik weet nu al heel goed wat *tlo ke tla o thusa* betekent – kom, ik zal je helpen. Daarom leg ik het stukje zeep in Mamello's hand, en voor ik haar kan tegenhouden, bukt ze zich hier voor mij, haar ene hand hier achter tegen mijn kruis en met de andere begint ze tussen mijn benen te wassen, die hand als een diertje roetsrats tussen mijn liezen. Wacht! Ik grijp haar bij de pols, en ze kijkt naar me op. Niet doen, gottegot! Maar een snik pakt mijn woorden weg. Ik huil. Ik huil. Het is voor het eerst sinds ik in de grot ben, denk ik, de eerste keer dat ik huil.

Mamello kijkt naar me op, haar ogen zo melkachtig als het zeepwater. Een druppel valt van me af op haar gezicht en ze knippert met haar ogen. Mijn kind, zegt ze, mijn kind, en ik laat haar doen, zachtjes, zachtjes gaat ze door mij te wassen.

Soms als je zo in de zon zit, is het alsof je denken ook trager wordt tot het helemaal stilstaat. Mamello en ik moeten wachten tot mijn jurk droog is. Ze heeft me een tijdje mijn gang laten gaan zodat ik mezelf verder kan wassen, daar in die poel. Ik was en was, en Mamello wast ook mijn jurk. We hebben allebei geschrobd; ze heeft die vlek geschrobd en geschrobd tot hij eruit was, maar ik was nog niet klaar. Ik weet het niet, maar ik had het gevoel dat ik nooit meer schoon werd.

Mamello spreidt de jurk open op de steen en gaat dan in een modderpoeltje staan en begint te trappen in de modder. Ze trappelt en klapt in haar handen en zingt: *Pête, pête tlo nku ke, mme ha n rate, ke ratwak e lefatse lena...* En ze kijkt telkens naar mij, die lieve ouwe meid, en ze zegt dat ik het samen met haar zo moet doen. Lopen doet nog steeds pijn, wat te zeggen van dansen, maar ik heb het gedaan. Pête, pête, stampen we met onze voeten zodat de modder al hoger en hoger tegen onze benen opspat, en ik vergeet de stijve benen en ik dans hier gewoon zo naakt met haar, en ik klap en ik zing pête, pête, en onze stemmen gaan al hoger en hoger, modder, modder, kom mij halen, mijn moeder heeft mij niet meer lief, deze grond heeft mij lief, pête, pête... En vreemd dat ik, zo besmeurd door de modder, me eigenlijk schoner voel.

Nu zitten we hier op de steen en mijn hart klopt nog snel van het modderliedje. Mamello zit een eind van mij vandaan met de jurk tussen ons in op de steen. Ik zat eerst als een bundel met mijn knieën hoog opgetrokken tegen mijn lichaam, maar nu zit ik maar zoals zij, met mijn benen lang voor me uit. En mijn gedachten gaan traag en lui, en Mamello zingt nog zachtjes. Af en toe welt er nog een snik in mij op, zoals altijd wanneer je hebt gehuild. Ik probeer te bedenken waarom ik zo moest huilen, en ik weet dat het is omdat er iets heel slechts met mij gebeurd is. En ik weet ook wat er gebeurd is, maar ik heb het nu te druk met gezond worden en dat is het belangrijkste, dat ik weer helemaal gezond word. En ik weet waarom Mamello het lied heeft gezongen en gedanst en mij heeft meegenomen in haar lied. Ik weet waarom. Zij heeft aan mijn bloed gezien dat dat ding niet in mijn buik is gekomen. Met haar lied heeft ze met mij gepraat en ook met de Here van hemel en aarde die het zo beschikt heeft dat ik in de handen van deze mensen ben terechtgekomen en in die grot.

Als Mamello en ik boven bij de grot aankomen, wacht Tiisetso daar op ons. Ik frommel mijn jurk voor mijn middel op voor het geval er iets doorschijnt, maar hij kijkt niet eens. Hij heeft iets in zijn handen gevouwen, geeft het me aan, en ik moet het aanpakken, voorzichtig dat het niet valt.

Het is iets levends en ik schrik zo dat ik het diertje bijna laat vallen, maar gelukkig hield Tiisetso het nog zo half vast. Hij wist zeker dat ik zou schrikken.

Het is een stokstaartje. Het voelt warm en stekelig in mijn handen, zijn nageltjes zijn nogal scherp en doen pijn, maar ik voel zijn hartje klop-klop-klop, zijn natte snoetje tussen mijn vingers.

Nu moet ik eerst gaan liggen, want ik voel me slap. Onder de deken gaan liggen met het beestje bij me, ik zal hem zoetjes vasthouden. Zoetjes.

Laat Tiisetso en Mamello daar maar naar mij staan kijken alsof zij mijn ouders zijn. Ze zijn het toch niet. Ik zal beter worden en dan, als de oorlog voorbij is, zal ik iedereen gaan opzoeken die samen met mij in tent 19 was. Misschien kan ik, zoals Chrissie Barnard en Maggie Pelser willen doen, verpleegster worden. Ik denk dat het stokstaartje in ieder geval groot zal zijn tegen de tijd dat de burgers terugkomen, tegen de tijd dat ze de vlag van de republiek weer hijsen.

Zo heb ik lang gelegen terwijl ik het hartje van het stokstaartje voelde kloppen en hoe hij soms met zijn neusje draaide. En terwijl ik daar lag, moest ik er opeens aan denken: ik ben gewoon vergeten paden te zoeken die ik kan gebruiken om van deze grot weg te komen.

Hoofdstuk 17

Hurst duwt de map met de status van de patiënt over de tafel naar haar toe. Zijn nagels zijn kortgeknipt, ziet ze, te kort. 'Het ziet er goed uit, dat muziekprogramma van jou,' zegt hij.

'Gaat het hier om iemand van wie jij wilt dat ik hem erbij betrek?' vraagt ze zonder hem aan te kijken, ze ziet de naam op de map van opzij, en het is alsof ze instinctief haar ogen dichtknijpt, zoals op het moment waarop een vliegje in je gezicht terechtkomt, of vlak voordat... Ja, vlak voordat een whiskyfles je raakt. Ze doet haar ogen dicht, wendt haar hoofd af, probeert haar gedachten aan iets anders te hechten. Ze zijn te kort, denkt ze, zijn nagels zijn te kort geknipt, en ze doet haar ogen open en blijft verbeten naar Hursts gezicht kijken.

'Niet beslist noodzakelijk,' zegt hij, 'maar ik zou graag willen horen hoe jij erover denkt. Het is een ernstig geval, en ik heb tot nu toe nog niet veel bereikt. Hij houdt de deur voor mij gesloten.'

'Wat heb je geprobeerd? Hypnose?'

'Hypnose. Hypnotische medicatie. Wat gebruiken jullie in Nederland, ook Medinal? Toen hij opgenomen werd, leed hij aan ernstige slapeloosheid. In dat stadium sprak hij nog. Alleen gezegd dat hij niet kon slapen. Geen bijzonderheden verder. Behalve dit: ik kan niet slapen. Ik heb hem uitgelegd dat het kunnen ontsnappen aan zijn herinneringen niet de oplossing is, dat het waarschijnlijk niet zal helpen om te proberen te vergeten. Je kent het verhaal: dat we beter kunnen proberen manieren te vinden om de herinneringen draaglijker te maken.'

'Denk je...' Dan vergeet ze wat ze wil zeggen; ze haalt diep adem, blijft Hurst recht aankijken.

Hurst aarzelt slechts een ogenblik maar gaat dan verder: 'Kijk, ik heb al dikwijls meegemaakt dat patiënten niet onmiddellijk positief reageren, maar bij hem was het alsof alleen het noemen ervan – de mogelijkheid van herstel – hem van streek bracht. Ik zei bijvoorbeeld wat ik gewoonlijk zeg, namelijk dat we moeten proberen om van de dingen die hem zoveel last bezorgen aangename metgezellen te maken die de plaats innemen van de boze krachten die hem nu 's nachts overvallen. Hij begon onmiddellijk met zijn ogen te rollen en krampachtig te schokken. Weigerde te praten. Aspirine en bromide hebben hem even wat beter doen slapen, maar zelfs met massages is het net alsof zijn hele lichaam een ondoordringbare klont wordt, steeds harder en harder. Ik ben van plan het nog eens te proberen voordat ik... ja, zal moeten rapporteren dat hij niet verder nuttig voor het leger kan zijn.'

Zwijgend observeert ze Hurst terwijl hij zit te praten: zijn mooie, bijna doorschijnende gezicht, zijn dunne mond en verzonken ogen, vingertoppen soms aan de bureaurand gehaakt. 'Denk je dat hij zo reageert omdat jij het bent?' zegt ze dan – ze had een idee gekregen. 'Ik bedoel natuurlijk niet jou persoonlijk, natuur-

lijk niet. Het is alleen dat jij het toonbeeld bent van...'
Dan bedenkt ze opeens dat zijn té korte nagels wellicht in tegenspraak zijn met wat zij wil zeggen, maar ze gaat toch verder: '...een toonbeeld van evenwicht.' Misschien bijt hij nagels. Misschien is het pure nervositeit, en is hij niet zo evenwichtig en zelfgenoegzaam als hij lijkt.

Zijn blik blijft op haar gefixeerd, en dat onthutst haar nog meer. Ze voelt ergernis kriebelen; ze recht haar rug tegen de stoelleuning. Het is niet hij persoonlijk die mij irriteert, denkt ze, het is niet echt hij, het is meer... wat? Mijn eigen lichtgeraaktheid? Ze moet even nadenken om weer op het juiste spoor te komen, en wanneer ze begint te praten, is ze zich ervan bewust dat haar stem een toon te hoog is: 'Ik zit net te denken aan wat dokter Rivers heeft gezegd, en dat is dat een deel van zijn succes kan worden toegeschreven aan het feit dat hijzelf op een of andere manier verwond is. Zijn spraakgebrek misschien, ik weet het niet, misschien voelden zijn patiënten ook iets anders aan. Een minderwaardigheidsgevoel?'

Voordat ze het laatste woord heeft uitgesproken, begint ze al te twijfelen, en wordt haar stelling een vraag. Ze zoekt in Hursts ogen – niet naar begrip, maar naar een teken dat hij het haar kwalijk neemt. Begrip en sympathie is wel het minste wat ze nu zou kunnen verdragen, dan maar liever ergernis. 'Het spijt me, ik zit een beetje in het duister te tasten.'

Hij blijft haar aandachtig aankijken, en er verschijnt nu toch een lichte frons tussen zijn ogen. 'Ik betwijfel of Rivers dit zelf gezegd heeft,' zegt hij nadenkend. 'Misschien is het óver hem gezegd...'

'Maar het is toch zo, nietwaar? Is het onprofessioneel van mij om het zo te zeggen? Het spijt me als het zo is, ik heb het net...'

Hij wuift haar verontschuldigingen met een ongeduldig gebaar weg. 'Ik weet niet of het waar is,' zegt hij geprikkeld. 'Hij is een collega en ik wil niet...' Hij blijft midden in de zin steken, kijkt haar een ogenblik onderzoekend aan, de frons nu dieper. 'Denk je dat ik jou daarom heb gevraagd?'

'Wat bedoel je?'

'Denk je dat ik jou gevraagd heb omdat ik denk dat jij een of ander mankement hebt waarmee hij zich kan vereenzelvigen?'

Dít had ze niet zien aankomen. Is Hurst bezig haar te laten boeten voor haar oneerbiedigheid? Beschermen mannen elkaar op deze manier? 'Welk mankement zou dat moeten zijn?' Ze hoort de afstand in haar stem. 'Omdat ik een vrouw ben?'

Weer maakt hij dat afwerende gebaar. 'Dat is toch geen vorm van zwakte?' Hij geeft haar echter geen kans om te antwoorden. 'Vergeet het maar,' zegt hij, drukt met zijn beide handen op het bureaublad, leunt voorover tot zijn borst bijna de rand raakt, alsof hij dit gesprek fysiek in een andere richting wil sturen, erop wil springen als een tijger. 'Ik heb begrepen dat je eigenlijk uit Zuid-Afrika afkomstig bent,' zegt hij en hij duwt zich langzaam weer rechtop in zijn stoel.

Ze voelt de adrenaline in haar vingertoppen prikkelen, probeert te reageren, maar kan slechts een schor geluid uitbrengen. Hoe weet hij dat! Heeft hij dat van Anne gehoord?

'Iets van de oorlog daar meegemaakt zeker?' Op zijn

manier is hij voorzichtig, maar hij spreekt steeds meer als een katachtige.

Ze kucht, krijgt haar stem onder beheer. 'Denk je dat het een zwakheid is? Dat ik uit Zuid-Afrika kom?'

Hij geeft geen antwoord, en ze realiseert zich dat het ook niet nodig is. Ze is bezig het spoor helemaal bijster te raken, te overgevoelig. Eigenlijk toont ze hem nu een wond, hij is slim genoeg om dat op te merken. 'Rivers,' zegt ze dan – ze moet hier weg, 'hij had veel succes met de traditionele geneeswijzen van primitieve mensen.'

Hij knikt langzaam, in gedachten, lette kennelijk goed op haar snelheid van denken. 'Het is niet daarom dat ik erover begonnen ben, maar, ja, je hebt gelijk. Waar had jij aan gedacht?'

'Het is iets wat ik in Zuid-Afrika heb gevonden,' zegt ze, aarzelend, onvast, ze weet niet waar ze ermee naartoe moet, en misschien is ze gewoon bezig om blindelings weg te hollen. 'Ik denk dat ik daarom hierheen ben gekomen, het feit dat ik ook een zekere bewondering heb voor, je kunt het waarschijnlijk een bepaald geloof noemen, in zulke traditionele praktijken.' Ze valt stil; ontwijkt zijn speurende blik. Stokstaartogen, denkt ze opeens, en ze kijkt op, maar hij praat door voordat ze deze plotseling opkomende indruk in haar gedachten kan nalopen.

'Geloof,' zegt hij, 'ja, dat speelt zeker een rol. In dit geval is het echter geen kwestie van míjn geloof – ik geloof vast in mijn benadering – maar van die van de patiënt. Hij gelooft niet meer in de mogelijkheden. Ik denk dat hij er niet meer in wíl geloven.'

Die patiënt, daar kunnen ze later over praten, ze

moet eerst... ze moet eerst... 'Ja, ik heb met die oorlog te maken gehad,' zegt ze dan. Is dat wat hij weten wil? Stuurt hij daarop aan? Dan moet het maar gezegd worden, hoe eerder hoe beter.

Hij knikt, zijn ogen ergens in hun donkere spelonken, hij knikt. 'Kijk eens naar deze status,' zegt hij.

'Wil je dat ik hem bij mijn muziekprogramma betrek?' vraagt ze weer, en ze blijft hem aankijken.

'Ik wil alleen weten hoe jij in dit geval denkt,' zegt hij. 'Misschien weet jij een oplossing.'

'Maar je denkt wel dat het iets te maken heeft met het feit dat ik uit Zuid-Afrika kom?'

'Een vage theorie,' zegt hij. 'Misschien een strohalm.'

Ze slaat haar ogen nu neer, deze keer recht naar de map op haar schoot, leest de met inkt geschreven letters, aanvankelijk zonder iets in zich op te nemen, maar dan is het alsof er een vermoeden uit de nevels oprijst, een oud vermoeden, aanvankelijk vaag en dan onheilspellend en dichtbij, en opeens is het daar, als een bliksemstraal in het vertrek: de naam, die man die daar was, het ogenblik waarop Hurst de map naar haar toe schoof was die naam daar, en dat heeft haar zo verraderlijk meegesleurd in dit drijfzand van dingen die niet gezegd kunnen worden. Ze knippert met haar ogen, steeds weer, dan pas kan ze opkijken en min of meer beheerst zegt ze: 'En jij wil dat ik... hem... erbij betrek?'

Hij haalt zijn schouders op. Kijkt haar een tijdje stilzwijgend aan en staat dan haastig op. 'Ga mee,' zegt hij, 'het is misschien beter dat je het zelf ziet.'

Ze legt de map snel op de tafel en staat op, twee korte stappen en ze is bij Hurst, vlak achter hem, ze heeft het gevoel dat ze het niet kan wagen ver van hem vandaan te zijn, niet in dit donkere spookhuis. Ze is een kind, een kind. En ze loopt naast hem, bijna tegen hem aan, en ze kijkt haast geen enkele keer de gang af, maar blijft hem gadeslaan, zijn kalme, schone, bedaarde mannelijke hoofd.

En dan staan ze voor de deur. Voor een donker, onwrikbaar houten vlak met een gesloten spleet tussen deur en deurpost. Ze staat voor het weerspiegelende houten blad met de barstjes in de lak zoals in het netvlies in een oog, de geur van geboend hout in haar neus, haar adem tegen het ontoegeeflijke hout, en ze weet, ze weet dat er een naam staat op het witte etiket in het metalen raampje, en het is een naam die zij niet kan uitspreken.

Ze draait zich om naar Hurst, die achter haar blijft staan. Met gebogen hoofd staat ze daar zodat hij haar verwarring niet kan zien, haar vingertoppen achter zich tegen het hout. Hurst spreekt, maar ze hoort niet wat hij zegt. Met zijn ene hand duwt hij haar zachtjes opzij en met de andere maakt hij de deur open. Ze volgt hem de schemering in, de gladgestreken rug van zijn uniform tussen haar en het bed, tussen haar en de man in het bed. Voetje voor voetje schuifelt ze nader. Hij ligt met zijn rug naar hen toe, ziet ze, naar de grauwe gordijnen gekeerd die bewegingloos voor het raam hangen. Ze ziet het profiel alleen vanaf de achterkant: het oor een donkere flap aan de even donkere homp van zijn hoofd. Als er licht was, denkt ze, zou zijn oor rozig doorstraald en fijn dooraderd tegen het heldere schijnsel zichtbaar zijn, wellicht wat schilferend aan de rand van de vleugelachtige curve van de schelp. Dit is waarvoor ze is opgeleid, om licht en leven te zien. Dit is waarom ze hier is. Maar in de schemering is alles anders dan het zou kunnen zijn. Of wellicht juist zoals het moet zijn: het oor een handvat waaraan je het hoofd zou kunnen vastpakken en achterover trekken zodat de ogen op zouden kijken in de jouwe en jij neer zou kijken in het grauwe van de pupillen om te zoeken naar... godweet, om te zoeken naar herkenning, want dit oor is gemerkt, de oorlel is weg, en dat is háár merkteken.

Het is háár merkteken.

Haar tong kleeft aan haar verhemelte, komt met een smakgeluidje los. Er roert zich iets in haar als een warrelwind die stof en takjes van de kale eenzame vlakte opraapt en de warme blauwte in werpt. Ze kan het niet tegenhouden. Het is er: haar tanden die door kraakbeen bijten, totdat tand op tand knerst. Ze wil iets proeven; ze wil haar mond ermee vullen. Ze wil de warme metaalsmaak hebben, een knobbel vlees in haar mond voelen, ze wil hem voor de punt van haar tong door haar tanden heen naar buiten persen, hem uitspugen, uitkotsen. Ze drukt haar oren dicht met haar vingertoppen, laat haar kin op haar borst vallen, knijpt haar ogen dicht dicht dicht om het tegen te houden, het af te weren.

Hoe lang heeft ze zo gestaan? Ze weet het niet, is zich slechts bewust van een suizende stilte. Waar komt dit vandaan? Wat is er van mij geworden? Dit is niet waarom ik hierheen ben gekomen. Zo was het toch niet. Niet zó.

Langzaam laat ze haar handen zakken. Het dwarrelen is verstild. Nee, zo is het niet geweest, denkt ze nu. Die sensatie is mij nooit gegund. Die bevrediging heb ik nooit gesmaakt. Hij had wel geschreeuwd, dat herinner ik me. O ja, en hij heeft gejankt als een dolle hond. Hij heeft de fles gepakt die op de tafel naast het bed stond, en daarmee de versplinterende klap op mijn hoofd gegeven.

Dat is alles.

Ze kijkt de andere kant uit, naar de deur die achter hen dichtklikt. De deur met zijn naam erop. Iets – iemand? – draait haar om zodat ze met haar rug naar het bed staat. Ze ontdekt pas dat ze haar adem zo lang heeft ingehouden als hij er stotend uitkomt. Hoe ben ik hier terechtgekomen? denkt zij. Waarom ben ik in deze eenvoudige, stille, klinische, lichtloze kamer? Daar heb ik toch niet om gevraagd? Ik wilde... God, wat wilde ik dan? Gevechtsvliegtuigen door wolkenflarden horen spetteren, ik wilde kanonnen uit de modder zien opkomen, ik wilde een lucht vol vlammen en granaten zien, een uitspansel gevuld met gekerm. Ik zocht een oorlog, niet de stilte van deze schemerige kamer met lakens die als een *doilie** over een beker karnemelk zijn gelegd!

Maar het blijft doodstil in de kamer. Niets meer dan die stilte. Het lichaam van Hurst begint eindelijk in beweging te komen onder het duffelse materiaal van zijn uniform, en uiteindelijk komt zijn stem, ergens vandaan komt hij, van de plek waar zijn mond hoort te zitten daar bij dat bed – vandáár komt het, alsof het die man zelf is die praat. Die met háár praat. 'Kolonel Henry Hamilton-Peake,' zegt de stem.

De naam die zij niet kan uitspreken. En ze ziet hem

komen. Hij komt over het pad tussen de tenten aan-gemarcheerd, de zon schuin op zijn rug, stof om zijn kamasten. Haar vriendin Alice en zij komen van de overkant aan geslenterd, en Alice duwt haar een stukje van het pad af. 'Kijk,' zegt Alice, 'daar komt hij, Hamilton.' Haar wangen, alsof haar mond vol kruimelpap zit. 'Hamilton-Peake,' zegt Alice.

'Wat?' antwoordt zij met wijd open ogen, met opzet spottend. 'Een hamel?'

Schaterend slingeren ze zich verder tussen de tenten door, Alice tegen haar aan hangend, en hij kijkt verstoord over zijn schouder, zij trekt haar jurk terug over haar schouder; de door de zon glanzende lansen tussen de witte kloktenten, Alice's lach die overgaat in een hoestbui.

'Zuster Nell?'

Wat? Het is de stem van Hurst. Hier vlak bij haar. Ze ziet de voeten spits onder het laken. Knippert met haar ogen om te focussen. De voeten maken nerveuze krampachtige bewegingen.

Ze bevindt zich nu samen met dokter Arthur Hurst in het Seale Hayne Hospitaal in Devon. Niet in het concentratiekamp van Winburg. En toch is er niets veranderd. Niets is voorbij. Niets is ooit helemaal voorbij.

Hij duwt haar de deur uit, trekt die zacht achter hen dicht. Ze knippert met haar ogen om te wennen aan het scherpere licht. Ze merkt dat Hurst bezorgd naar haar kijkt, en hij begint onmiddellijk te lopen. 'Alles goed?' vraagt hij als ze weer schouder aan schouder voort-stappen. Ze knikt alleen. 'Ik leid hieruit af dat het nogal een schok voor je was,' zegt hij dan, heel voorzichtig, zonder een spoor zakelijkheid. 'Zijn je herinneringen aan de oorlog hierdoor weer gewekt?' Ze knikt. 'Het spijt me,' zegt hij, 'dat was niet de bedoeling.' Een tijdlang zijn naast hun voetstappen in de gang alleen andere hospitaalgeluiden hoorbaar, en vallen er lichtstroken uit openstaande deuren en ramen. Vlak voor hij de deur van zijn kamer opendoet, zegt hij: 'Jammer genoeg weet ik niet zoveel over die oorlog daar. Ik ben medicus, was nooit een professioneel militair. En zoals de meesten van ons heb ik trouwens geprobeerd alles wat ik ervan wist zo gauw mogelijk te vergeten.'

Ze loopt achter hem aan zijn werkkamer binnen, als een slaapwandelaar, licht zweverig. Ze gaat zitten kijken naar het grote raam schuin achter hem, naar het lichte bewegen van bladeren, een insect – een naaldenkoker? – die korte tijd het zonlicht weerkaatst, een vonkje wit licht tegen de heldere lucht. Vreemd hoe een mens soms helemaal afgesneden kan worden van het licht, denkt ze, alsof er buiten niets is, niets dan de duisternis in jezelf.

Ze wendt haar blik weer naar Hurst, die haar gadeslaat. Als hun ogen elkaar ontmoeten, glimlacht hij, even maar, maar hij heeft duidelijk gemerkt dat haar verwarring aan het wijken is.

Ze weerstaat zijn blik een tijdje, in gedachten, voor ze zegt: 'De muziek...' Ze buigt haar hoofd schuin naar voren, zodat haar linkerslaap op de gestrekte vingers van haar linkerhand rust. 'Daar hadden we het zojuist over, nietwaar? Je zult het misschien vreemd vinden, maar, ja, mijn muziekprogramma komt in zekere zin voort uit die oorlog, die in Zuid-Afrika bedoel ik. Ik bedoel dat het gebaseerd is op mijn herinneringen uit die tijd. Het is een lang verhaal; eigenlijk is het op zichzelf hét verhaal.' Ze realiseert zich dat haar opmerkingen onsamenhangend beginnen te klinken, dat ze over dingen begint waar ze eigenlijk niet over wil praten, en ze recht haar rug, vertelt met geplande vastberadenheid: 'Het is een verhaal – noem het maar een volkslegende – dat ik gehoord heb... en dat is het begin van mijn hele muziekaangelegenheid.' Ze valt al snel weer stil, alsof ze naar iets luistert, vervolgt dan weer: 'Het is een verhaal... dat iemand heeft verteld, aan míj heeft verteld.' Ze ziet hoe Hurst bijna voorzichtig een vinger naar zijn mond brengt, en haar onmiddellijke reactie is te proberen wat ze nu wil zeggen uit te leggen, zich te rechtvaardigen door zich weer op Rivers te beroepen, maar iets – ja, ze bespeurt een vorm van beduchtheid bij Hurst – doet haar aarzelen, dus laat ze de uitleg weg, vertelt enigszins in gedachten en wat toonloos: 'Het is het verhaal van twee broers. Het komt uit de traditie van de mensen uit Lesotho, en daarin, ik bedoel in deze verhalen, zijn allerlei dingen mogelijk, bijvoorbeeld dat mensen in dieren veranderen en dan weer mens worden, dat soort dingen. Nou, kijk, in dit verhaal vermoordt de oudere jongen de jongere broer om zijn erfenis. De vermoorde jongen wordt veranderd in een vogeltje dat de hele tijd om het hoofd van de moordenaar blijft zingen.'

'Een moordverhaal?' De mond van Hurst wordt een scheve plooi, een bruine sceptische streep.

Ze hoort het refrein van Tiisetso's vertelling: Tsoei-lie, tsoei-li, tsoei-lie... Masilo heeft Masilonyane doodgeslagen bij de bron. Hij wil de gespikkelde koe hebben die tussen de witte beesten loopt. Tsoei-lie, tsoei-lie, tsoei-lie... Waarom heeft ze dit verhaal nu uit haar geheugen opgediept? Ze ziet de zoekende ogen van Hurst, de ogen van een stokstaartje. Ze zal het moeten uitleggen, weet ze. Ook aan haarzelf. Ze zegt: 'Het is typisch voor Afrika. Traditionele geneeswijze. Primitieve mensen...'

'Is dit een verhaal dat jij van primitieve mensen hebt gehoord?' Zijn stem is zacht, gelijkmatig. Nee, ze had het mis. Hij was niet sceptisch. Maar wat kan dit verhaal voor hem betekenen? Het is onzinnig om er hiermee aan te komen, hier in dit hospitaal, in dit land. Het verhaal is totaal onbegrijpelijk, je kunt het hier niet vertellen. Het is een verhaal dat als de rook van een mestvuur moet blijven hangen boven rode aarde die door blote voeten gehard is.

Maar ze knikt slechts zwijgend. 'Ik weet zeker dat je begrijpt wat ik bedoel.' Ze kijkt hem een paar tellen vol verwachting aan, legt dan toch uit: 'Dat je door middel van verhalen, en met liedjes, bij de bron van je herstel kunt uitkomen. En dat genezing en vernietiging vaak niet van elkaar te onderscheiden zijn.'

Hij slaat zijn ogen neer en veegt iets van het tafelblad. 'Als jij een verhaal kunt vinden dat ertoe doet, een waarin jullie allebei geloven, dat voor jou betekenis heeft, ja. En ambivalentie, het type waarnaar jij nu verwijst, is ongetwijfeld een kenmerk van elk betekenisvol verhaal.'

'Ik weet het,' zegt ze zwakjes. Ze heeft echter nauwelijks naar hem geluisterd, want nog terwijl ze aan het praten was, begon ze zich al af te vragen waarom ze eigenlijk Tiisetso's verhaal had verteld. Waarom dit verhaal waarvan ze eigenlijk dacht dat ze het allang vergeten was, bovendien nog een over primitieve driften en eeuwigdurende schuld?

Ze probeert het uit te zoeken. Hier zitten ze, zij en Hurst. Voor haar op tafel ligt de map die hij haar gegeven heeft, de patiëntenstatus. Ergens in een kamer in dit hospitaal ligt deze patiënt. Aan de linkerkant van Hursts schouder zit het raam met de grijpende takken en de wolken met baardschaduw op de wangen. Ze staat haastig op. Nu begint er iets door te schemeren... ja, ze denkt dat ze het nu weet. Ze klemt de map van Hamilton-Peake tegen haar borst, maar plukt hem eigenlijk onmiddellijk weer weg van haar lichaam. Het weten in haar heft zijn kop als die van een slang: ze heeft de hele tijd tegen Hurst zitten liegen. Ook tegen haarzelf. Het is allerminst de genezende kracht van verhalen die zij in gedachten had. De conclusie van Hurst was een schot in de roos: ze denkt aan moord.

Hoofdstuk 18

Dit is eigenlijk wat ik meestal doe, zo in de zon zitten met de steen warm onder mijn benen. Dat en eten zoeken voor het stokstaartje. Sprinkhanen. Schorpioenen. Wormen. In het begin drukte ik de angel van de schorpioen met een stokje vast tegen de grond om hem zo af te snijden, maar ik heb al ontdekt dat het stokstaartje zelf maar al te goed weet hoe hij een schorpioen moet vangen. Of een hagedis. Slangen beslist ook als we er een vinden. Hij gaat met mij mee op jacht, keert stenen om, zoekt in het gras. Niet ver weg, niet verder dan hier rond de grot en dan weer terug, hij en ik.

Mijn benen zijn al bruin van zo te zitten bakken in de zon. Hoeveel dagen zit ik al zo? Al heel wat weken, minstens. De dagen komen en gaan, de ene zoals de andere. In het kamp had ik Alice laten zien hoe je het haar op je benen eraf kunt krijgen door met een opgerold strengetje haren van een paardenstaart op en neer te wrijven over je benen. Ons kindermeisje had me dat geleerd. Thuleka heette ze, maar wij noemden haar Sannie.

Ik vraag me af waar Thuleka nu is. Zij en Tsela. Dat sluwe stuk ongeluk. Hij is het gaan verklappen dat we een deel van onze huisraad hadden begraven. Hij heeft de Engelsen gehaald. Hij en iemand anders, ik kan me niet meer herinneren wie dat was, maar die twee hebben de Engelsen gehaald. Ik was nog aan het spitten omdat mama te moe was geworden, en toen ik opkeek, stonden ze daar. Twee Engelsen en een man, en die Tsela, die al zoveel jaar, nog voor wij er waren, bij oom Thys en zijn familie werkte. Mama en ik stonden daar en we waren niet in staat iets te zeggen. Ik denk dat ik te erg was geschrokken. Ze moeten tussen de eucalyptussen door zijn gekomen zodat we ze niet konden horen. Mama had die ochtend gezegd dat de grond bij de mierennesten aan de voet van de heuvelrij tot op een flinke diepte zacht genoeg was.

Ik moet er nu weer aan denken, aan al die dingen die zijn gebeurd. Als ik zo om me heen zit te kijken. Ze komen naar me terug als ik soms soldaten langs zie trekken. Van ver aan de horizon komen ze, eerst alleen het stof en dan de benen van de paarden die almaar langer worden totdat ze lijken op kamelen die het zoveel moeite kost om door de dunne lucht te komen. Soms ook rook. Zwarte rook die langzaam opstijgt. Maar alles blijft ver weg en wordt weer door de wind uiteen gewaaid.

Die andere man die daar was toen mama en ik aan het graven waren, die stond te lachen en zei dat het leek alsof we niet wilden luisteren. Hij sprak Afrikaans. Hij had zo'n manier om zijn broek op te trekken met allebei zijn handen aan weerskanten van de gesp van zijn riem. Maar ik kan me zijn gezicht niet herinneren, zijn naam ook niet, niets. Er zijn ook zo vreselijk veel dingen gebeurd. Mama keek om en toen naar de spullen die we wilden begraven. Het servies met de blauwe bloemslingertjes dat zij van oma had geërfd.

Een grote vleesschaal, de soepterrine en zes borden. De messen zaten al in een meelzakje opgeborgen, maar ze lagen er nog wel.

De ene Engelsman zei dat ze de volgende dag een wagen zouden sturen om ons op te halen, en toen gingen ze allemaal weer weg door het eucalyptusbosje. Deze keer kon ik zien hoe ze tussen de bomen door liepen, eigenlijk alleen hun schaduwen. Na een tijdje de benen van de paarden. Mama ging toen gewoon op de grond zitten. Ik denk dat ik toen wist dat het onze laatste dag op de plaas was. Ik heb geprobeerd naar alles zo te kijken dat ik niets zou vergeten, maar nu ben ik de helft al kwijt. Neels is alleen thuis, zei mama na een heel lange tijd, en ik heb haar overeind geholpen. Ze liep toen al moeizaam.

Soms als ik hier zo zit, komt het stokstaartje uit zijn nestje dat ik voor hem heb gemaakt in een petroleumblik. Tiisetso heeft het blik meegebracht. Hij brengt telkens spullen mee. Het stokstaartje komt met van die stijve pootjes en zijn neus tegen de grond naar me toe. Hij loopt niet weg, hij blijft bij mij. Hij is mijn stokstaartje.

Eigenlijk heb ik hier te veel tijd om na te denken, want de dingen die ik me herinner, maken dat ik me niet goed voel. En ik wil beter worden. Ik wil alle pijn en stijfheid uit mijn lichaam weg hebben. Daarom zit ik nu al te bidden, 's ochtends en 's avonds op mijn knieën. Laat Tiisetso en Mamello maar kijken. Ze móéten kijken. Had ik maar een bijbel, dan kon ik hun voorlezen. Soms zeg ik de verzen op zodat ik ze kan onthouden: en de gouden schaal zal in stukken worden geslagen, en de kruik zal aan de springader gebroken worden, en het rad aan de bornput in stukken worden gestoten.

Tiisetso verbrandt plukjes gras op een stuk ploegschaar of zo, het kan ook een bomscherf zijn, en dan legt hij het spul 's avonds bij mij neer. In het begin zei ik dat het stonk, maar hij zei het zijn *meriane* – medicijnen. Hij zei dat ik achter de koeien van de *badimo* aan moet kunnen lopen – dat zijn de oude mensen die al dood zijn. Ik denk dat ik weet wat hij bedoelt. Langzaam begin ik hem te begrijpen. Hij heeft me ook een spiegel gegeven. De spiegel en het mes en de vork heeft hij opgeraapt op de plek waar de Engelsen het huis van oom Jan Gildenhuis platgebrand hebben. Ik heb hem gevraagd wat hij daar te zoeken had. Ik heb hem gevraagd of hij soms geholpen heeft het huis plat te branden. Ik heb geschreeuwd en met zand gegooid, maar Tiisetso bleef gewoon staan. Zijn hoofd weggedraaid.

Ik heb er spijt van dat ik zo tegen Tiisetso tekeer ben gegaan, maar ik zie nog geen kans om in de spiegel te kijken. Hij ligt daar achter in de grot. Door een spiegel in een duistere rede. De Here moet mij eerst vergeven, de zonde van me wegnemen. Ik heb verschrikkelijk gezondigd, dat weet ik, en als ik nu in die spiegel kijk, zal mij dat alleen nog zieker maken. En ik kan niet nog zieker worden, want dan ga ik dood. Hier in deze grot, bij deze mensen, is de enige plek waar ik kan genezen.

Hoofdstuk 19

Colonel H.A. Hamilton-Peake. Haar ogen glijden van letter naar letter, het is alsof ze de lichte groefjes kan zien waar de pen de letters met inkt in het papier heeft gekerfd. Ze slaat de map open. Zou er nog iemand met deze naam kunnen bestaan? *Statement of the services of no. 148079.* En dan die naam in lopend schrift. Dikke inktstrepen. Daaronder de informatie over zijn dienstjaren in kolommen onder verschillende kopjes. De handschriften die de verschillende bijzonderheden hebben genoteerd zijn bijna onleesbaar. De vellen papier zijn beduimeld. Ze slaat om, meer zulke notities in kolommen. Dan een beschrijving van hem uit de tijd dat hij in dienst is gekomen. Hij was achttien jaar en drie maanden oud toen hij zich bij het leger aansloot, was 1,74 m lang, woog honderd veertig pond. Er staat dat zijn gelaatskleur normaal is, zijn ogen donkergrijs, haren donkerblond. Hij is het.

Ze bladert terug en zoekt naar herkenbare woorden, naar zinnen die haar bij voorbaat met een verlammende vrees vervullen. En dan glipt het woord, waarvoor in haar hele wezen een ijzeren val gespannen staat, bijna ongemerkt haar bewustzijn binnen, want als ze het registreert, is ze eigenlijk al een tijdlang met het woord aan het worstelen: Zuid-Afrika. Hij is daar geweest. Hij is het. Ze zit een tijdje niets ziend te staren voor zij angstig doorzoekt. Waarnaar weet ze niet. Hij heeft de Queen's South Africa Medal gekregen, ziet ze. Ook de King's. Dan moet hij tot het eind van de oorlog in Zuid-Afrika zijn geweest. Hij komt uit Littabourne, Pilton, Barnstaple, Devon. Ze kent de omgeving nu al goed genoeg om te weten dat het niet ver is van Abbot.

Ze bladert snel door tot bij de laatste documenten in de map. Het laatste verslag is van de zenuwinstorting en hysterische aanval tijdens een offensief in Vlaanderen, waar hij voorraadofficier bij de artillerie was. In het verslag van zijn behandeling staat dat hij aan slapeloosheid lijdt, hysterische toevallen krijgt en voortdurend dreigt met zelfmoord. Tussen haakjes staat er sceptisch aan toegevoegd: *if he can't have his own way.* Elke maandag, woensdag en vrijdag wordt hij onder hoge druk afgespoten en daarna ligt hij een uur in een warm bad om zijn spieren voldoende te laten ontspannen voor de oefeningen in de ontspanningsruimte voor officieren. Met weinig succes, is eraan toegevoegd. Hij is dan al vier maanden in het hospitaal.

Hurst moet dus weten dat ze allebei uit Zuid-Afrika komen. Wat heeft hij precies in gedachten? Weet hij meer; heeft Hamilton-Peake iets laten merken? Ze klapt de map dicht en staat op.

Susan klopt zacht aan de deur van Hurst, en na zijn antwoord, steekt ze alleen haar hoofd om de deur. 'Ik wil alleen maar zeggen dat ik vanmiddag naar huis loop,' zegt ze.

'Alleen?'

Ze haalt haar schouders op.

'Laat Jacobs meelopen,' zegt hij. 'Er zwerft de laatste

tijd nogal wat gespuis rond – alle goede mannen zijn aan het front.' Hij leunt achterover. 'Heb je in de map gekeken?'

'Daarom wil ik gaan lopen. Om een beetje na te denken.'

Hij knikt en ze trekt de deur dicht. Schrikt op voor het klikgeluid van het slot. Haar benen zijn als verlamd, haar maag is hol. Ze is zich intens bewust van haar voetstappen op de planken vloer, probeert zich erop te concentreren, bevestiging te vinden in het feit dat het klikklak van haar zolen haar zegt dat zíj het is die hier loopt, dat zij op deze aarde is en niet ankerloos ergens in het uitspansel rondzweeft.

De koele lucht strijkt nu over haar gezicht; boven de golvende lijn van de heuvels trekt de grijze lucht helemaal dicht. Het pad zwenkt tussen ruige struiken door – bramen, denkt ze, maar ze weet het niet zeker, natuurlijk geen gwarrie, hoe komt ze erbij, denkt ze, het is hier toch Engeland, het is... Ze probeert haar gedachten te focussen, maar die fladderen rond, angstige vogels die in een tent zijn vast gevlogen, klapperend tegen het vuilwitte zeil, hun schaduw grotesk boven het lamplicht.

Weer hoort ze zichzelf lopen, gedempt nu. De grond vochtig, haar voetstappen dieper, intenser. Heeft iets haar hierheen gestuurd? Is het zo voorbestemd dat ze hem hier weer tegen zou komen? Het is zestien jaar geleden. Warm. De nachtelijke hemel aan flarden geschoten. Ze stapt tussen de tenttouwen door. Achter haar het hijgen van Alice, in haar hoofd het natgezwete gezicht, het bloed in haar mondhoeken. Ze struikelt over iets, en toen die stem en de greep om haar armen, de adem tegen haar wang. De doffe glans op een gezicht, het bewegen van een mond onder een snor. Ze probeert zich los te rukken, maar haar arm is een dunne tak in de knoest van zijn vuist.

Ze gaat sneller lopen. Haar ademt begint te jagen. Ze kijkt om, alleen het donkere, lege pad, de struiken, de bomen, de bedompte geur van graan. Ze begint te hollen, haar jurk knellend om haar benen, haar schurende schoenen. Telkens dreigt ze te struikelen. Haar blik vastgenageld op het pad voor haar, uit haar ooghoeken de voorbijschuivende struiken, de eerste huizen die vanuit de hoogte op haar neerkijken. Ze pakt haar rok bij elkaar en holt, struikelt, slingert kriskras over het pad, vindt haar evenwicht terug en stormt met waaierende armen op het huis af dat veraf in de straat staat te wachten.

En dan staat ze stil.

Wat bezielt haar? Ze kijkt naar de lege straat achter haar. Niets. Wat is er in 's hemelsnaam met haar aan de hand? Ze blijft een tijdje staan om haar hijgende adem te laten bedaren, probeert iets coherents uit haar fladderende gedachten terug te krijgen, maar vindt alleen dat, niets anders, alleen dat fladderen.

Het laatste stuk tot bij het huis loopt ze doelgericht en afgemeten. Als ze aan de deur klopt, is ze er tamelijk zeker van dat de laatste droesem van haar ontsteltenis verdwenen is. De namiddagkoelte moet haar gezicht zijn normale kleur hebben teruggegeven, het zweet heeft ze afgeveegd, haar adem is bedaard, haar blik standvastig.

Ze blijft in de schemerige voorkamer staan tot Mrs. Simms de deur achter hen heeft gesloten. Normaal gesproken blijft ze slechts uit beleefdheid talmen, maar vandaag is ze bang voor het alleen zijn in haar kamer, en daardoor blijft ze in de voorkamer drentelen, licht geërgerd over haar eigen behoefte.

'Mijn hemel, Susan,' zegt Mrs. Simms terwijl ze met zwiepende rok rondscharrelt, 'het lijkt wel of je een Duitser bent tegengekomen.'

Ze voelt de ergernis nu onbeheerst in zich opborrelen. Keert haar gezicht doelbewust weg van die vreemde oude vrouw. Tast naar haar wang alsof ze probeert te onderzoeken wat zo open en bloot op haar gezicht staat geschreven.

'Kom,' zegt de oude dame kloekend achter haar, 'laat ik eens een kopje thee voor ons halen. Ik weet zeker dat de dingen die jij daar in het hospitaal meemaakt... een duivelse plek, zeg ik je.'

Ze loopt achter de vrouw aan die mompelend voor haar uit waggelt. Haar blik blijft hangen aan de lage knoet die op de kraag op en neer hobbelt en aan de plooien van de bloes. Daaronder beschermende, beschuttende lagen katoen. Katoen die schuift en plooit over het zachte vlees dat als rijzend brooddeeg opbolt boven de afsluitende veters van het korset... En dan komt er een beeld in haar op: haar moeder die met een bijna onstuitbare woede het deeg kneedt, met de vuisten slaat en slaat, en Mrs. Simms die onder de bleke vuisten wriemelend overeind probeert te komen, hulpeloos en krampachtig haar hoofd naar achter probeert te wringen om voor het laatst, voor het allerlaatst de aanval in de ogen te kijken.

Dan loopt Susan tegen Mrs. Simms op, en ze spartelt absoluut overdreven om de botsing ongedaan te maken, van de aanraking terug te deinzen. En wat Susan vooral ontstelt, is dat Mrs. Simms net zo omkijkt naar haar als hoe zij het haar zojuist zag doen onder de aanval van haar moeders vuisten. Ze gaat aan tafel zitten, hoort de vrouw druk bezig, durft niet naar die bol moederlijkheid in kant en katoen kijken. Er is niets wat deze gedachtestroom tegenhoudt; kennelijk staat ze willoos tegenover deze aanval die diep uit haarzelf komt.

'We hebben allemaal wel eens van dit soort dagen,' zegt de vrouw.

Konden we er maar tegen vechten, denkt Susan. Konden we maar iets anders dan passief staan toekijken. Ze legt een hand tegen haar keel, voelt haar hartslag, haar ademhaling onder haar onderarm. Ze haalt haar hand snel weg, zet haar beide ellebogen op tafel. Hadden we maar iets anders gekund dan staan kijken hoe alles wat we hadden werd verbrand, ons huisraad, onze voorraden, ons beddengoed, hoe onze ladekast naar buiten werd gegooid, anders dan staan toekijken hoe veren en as over het erf dwarrelden, het erf dat wij platgetrapt en uitgeveegd hadden zodat het als een open handpalm om het huis lag. En dan hoort ze zichzelf praten, haar stem in een bol warme adem in de holte die door haar gebogen hoofd en haar armen op het tafelblad wordt toegesloten. 'We zullen ook naar het front moeten, dat is onze enige optie,' zegt ze en ze kijkt weer op van het tafelblad.

'Wij?' De vrouw draait zich om, kijkt haar met grote ogen aan alsof ze uiteindelijk toch heeft gezien waarvoor ze elke dag de lucht bespiedt.

'Wij vrouwen,' zegt Susan. 'Gaan vechten met geweren en bajonetten en... en wat er ook op Gods aarde is waarmee mannen... alles voor mekaar krijgen in plaats van dit gespook en gespartel om te proberen deze plek voor de mannen in stand te houden.'

Ze merkt hoe ze het beheer over haar stem helemaal kwijt is geraakt. De nog steeds grote ogen van Mrs. Simms zijn op haar gericht, haar mond nu ook een beetje open, een rozige vlek met de tandjes erachter. Ze lacht, Mrs. Simms, wat geamuseerd. Ze laat haar tanden zien als een klein roofdier. Twee roofdieren aan tafel, denkt Susan en ze voelt de opluchting over zich heen komen, onverklaarbaar en net zo onverwacht als die eerdere gewaarwording van het zachte, uitpuilende, schurende vel van een lieve, moederlijke, koesterende vrouw.

Hoofdstuk 20

Tiisetso loopt voorop en ik kom glijdend achter hem aan. In zijn ene hand heeft hij een lange tak, dun en trillend als de voelspriet van een krekel, en hij draagt een blauwe bonte deken om zijn schouders. Ik moet de hele tijd mijn nieuwe zwarte jurk optillen zodat hij niet over de grond sleept, maar het gaat gemakkelijker nu ik schoenen aanheb, al zijn ze een beetje te groot voor me. Het is nog pikdonker, het moet nog heel vroeg zijn, ik denk dat ik maar een uur geslapen heb.

Gisteravond kwam Tiisetso in andere kleren bij het vuur zitten, als je het tenminste kleren kunt noemen. Hij had zo'n kleed aan van vachten van klipdassen en lynxen – eigenlijk meer van staarten die eraan bungelden. Hij droeg al zijn armbanden, hij had zijn knopkierie en zijn lesiba bij zich, en hij droeg een snoer kralen om zijn hoofd met zo'n bundel veren die over zijn ene oor hingen. Ik schrok nogal toen ik hem zag.

Mamello ging gewoon door met in het vuur poken, en toen stond ze op en ik hoorde haar weglopen naar waar ze wonen. Hun echte huis heb ik nog nooit gezien. Tiisetso speelde op de lesiba, en na een tijdje kwam Mamello weer terug, ook met andere kleren aan. Maar haar kleed was van stof, en bovenaan had ze ook zo'n snoer kralen dat van haar schouders afhing over haar bovenlichaam. Verder niets. Ze had twee slopen bij zich, in iedere hand een. Er zat iets levends in de ene sloop, ik zag het bewegen en het maakte ook geluiden.

Mamello zette de slopen op de grond, die met het levende ding erin was dichtgeknoopt. Ze begon te zingen en Tiisetso speelde en Mamello begon te dansen en schudde zo met haar schouders naar voren, draaide haar hoofd heen en weer en klapte in haar handen. Ze zongen en zongen en zongen, en toen stond ik op, want eigenlijk heb ik dit al dikwijls gedaan. Ik kende het al zo goed dat ik kon meezingen en ook met mijn schouders schudden zoals Mamello – ik kan het nu doen zonder ook maar de minste pijn. Toen ik ermee begon deed het nog zeer, en ik moest heel erg lachen, zo erg dat Mamello ook begon te lachen.

We zongen over paarden die klipsj-klipsj door het water liepen en over koeien die vet werden van het hoge gras en over kinderen die om hun moeder riepen en we zongen en zongen tot de sterren zakten en bij ons in de grot kwamen en wij deel werden van de nacht. Ze dansten dicht bij mij, bijna tegen mij aan. We dansten achter elkaar om en om het vuur, onze voeten schoven over de rotssteen, sj-sj-sj, en er kwam heel wat in mijn hoofd op en vloog er ook weer uit. Mama en Neels waren er ook weer, en daar was ik wel wat verbaasd over, alsof het mensen waren die ik voor het eerst zag. We waren in de tent, ik samen met mama, en de tent was afgesloten en warm gestoofd door de zon en Neels lag op het bed onder al onze dekens en alleen zijn hoofdje stak eruit en zijn grote heldere ogen bleven stil naar mama en mij kijken. Ik zag een rafeltje dat van mama's mouw hing, bij de naad waar de mouw aan de schouder vastzat, en toen mama ook dood was, drie maanden later, heb ik het rafeltje gezocht en gezocht, ik wilde het alleen maar afbreken voor haar of zoiets, maar ik kon het niet vinden en mama lag zo stil.

Sj-sj-sj, dansen we, djerre-djerre-djerre, en Tiisetso gaat op zijn knieën op de grond zitten, en Mamello ook en ik kniel naast haar. Wij tweeën zitten voor Tiisetso die maar doorgaat met blazen op zijn lesiba en met zijn bovenlichaam heen en weer zwaait, heen en weer, en de nacht met al die sterren wentelt om ons heen, wentelt om ons heen.

Mamello pakt de sloop en maakt de knoop los. Het is een parelhoen, hij schopt wild en krijst nu; zijn oogjes blinken in het licht van het vuur, zijn helm blauw, zijn soldatenhelm intens blauw, de vlammen maken bewegingen in de grot zodat het lijkt alsof er veel mensen bij ons zijn die allemaal om en om ons heen dansen. En ik voel hoe ik nader en nader kom bij iets, iets in het donker wat ik nog niet kan zien, en Mamello drukt het parelhoen vast op de rotsstenen vloer en haalt een mes uit haar zak, zij duwt het onder de halsveren van het parelhoen en trekt het lemmet en het parelhoen krijst en het bloed spuit en ik proef het bloed in mijn mond, het zit in mijn ogen en ik word aan mijn been tussen de tenten door gesleept en de lichte tent van de kampopzichter in gestompt, en bij de tafel zitten twee Kakies, ik ken ze, ik zie hen elke dag, en Krisjan Schutte de overloper schreeuwt zij is hier, de kamphoer, hier is ze, en hij gooit me op de grond, en een van de Kakies grijpt me bij mijn haren en trekt me overeind, en ik grijp zijn jasje vast en een knoop, een gouden knoop, breekt af en rolt op het vloerzeil en Schutte valt op zijn knieën om hem op te rapen, en alle drie, Schutte en de twee Kakies, duwen mij op het bed en houden me vast en ze trekken mijn jurk open en over mijn hoofd en ik zie niets en nu weet ik wat ze gaan doen, ik weet wat ze gaan doen en ik voel het al voor het echt gebeurt en ik trek en trek mijn hoofd onder mijn jurk uit en wat ze doen, daar heb ik nog geen woorden voor geleerd, ik kan het niet zeggen, het bloed op mijn gezicht en in mijn mond en de nacht en de sterren om ons heen en Mamello plukt het parelhoen en we braden het op het vuur, het open vuur, de vlammen, we breken er stukken af en duwen het in onze mond en we proeven het vlees, het plakkerige, sappige vlees, onze monden kauwen eensgezind, we halen adem, we leven, en het is alsof de hele nacht klopt met mijn hart, doef-doef, klopt met mijn hart.

Ik had niet eens gemerkt dat Tiisetso was opgehouden met spelen, maar toen ik weer opkeek, sprak Mamello met mij. Ntauleng, mijn kind, zei ze, *ngwana ya besu* – je bent ons kind. We hebben voor jou geslacht, want jij bent degene die de wolken anders maakt, jij bent degene die samen met de vogeltjes laag over de grond vliegt, jouw hart loopt ver, ver, ver, jouw hart loopt ver. Ze hield haar ogen gesloten terwijl ze sprak, ze klapte met haar ene hand in de palm van de andere. Ze zei dat de tijd was gekomen waarop ze mij op het pad moesten zetten. Er was een pad dat ik moest gaan, zei ze, want ik was degene die ver kon kijken omdat ik uit de duisternis kwam. Ik zat stil naar haar te luisteren, dit zingen was niet voor niets geweest. Toen zei ze dat ik naar Bloemfontein moest gaan, dat daar morgen een koets naartoe reed en Tiisetso had met de koetsier gesproken, en ik kon met hem mee.

Ik luisterde naar Mamello, maar keek naar het blik waarin het stokstaartje lag te slapen. Ik trok mijn benen op en voelde mijn hart tegen mijn dijen kloppen. Ik keek naar het blik en wilde niet opkijken. Ik ging weg.

Mamello haalde kleren uit de sloop, de zwarte jurk met de lange mouwen en de strookjes om de kraag, een zwart kapje en de schoenen. Ze liet me zien dat er nog meer kleren in de sloop zaten en ook een brood dat in een doek was gewikkeld. Ik moest niet bang zijn, zei ze tegen me, *e tla e o supisa* – het pad zal je gewezen worden.

Ik keek naar Tiisetso. Is dat zo? vroeg ik hem. Hij boog zijn hoofd diep voorover zoals hij altijd doet. Ja, zei hij. Hij kent een man die daar in Balla Bosiu werkt, een van de Scouts. Hij is de man die de koets naar Bloemfontein brengt. Hij stak zijn hand uit naar Mamello en zij legde er een tabakszakje in. Toen stond hij op en hield mij het dichtgebonden zakje voor, zijn linkerhand onder zijn rechteronderarm, zoals hun gewoonte is. *Tjhelete*, zei hij.

Ik nam het geld aan en stopte het in de zak van mijn jurk. En het stokstaartje? vroeg ik, al wist ik toen al dat er niets anders op zat. Ik kon niet mijn hele leven in deze grot blijven, en ik was nu gezond genoeg. Maar ik was bang. Ik begon te beven. En ik moest een pas hebben. Stel dat ze mijn pas vragen? En hoe zit het met het stokstaartje? vroeg ik weer.

Wij zullen voor hem zorgen, zei Mamello. Wij zullen voor hem zorgen en we zullen door hem weten of het goed met je gaat.

Waar ga ik naartoe? Terug naar het kamp?

Mamello sloeg de deken om me heen en liet me liggen. Ze zei dat ik naar Mangaung zou gaan. Bloemfontein. Ze zei dat ik moest zeggen dat ik *Monyesemane* was, Engelse. Ze zei dat ze me vroeg wakker zouden maken om te gaan. Ze hadden met de koetsier gesproken, hij zou mij een pas geven.

Ik zag dat zij en Tiisetso bij het vuur bleven zitten, zo kaarsrecht en een eindje uit elkaar. Zo doodstil zaten ze. En ik lag naar hen te kijken en bedacht wat ik moest zeggen als de Kakies mijn pas zouden vragen, en ik zag dat de nacht en al zijn sterren nu weg waren uit de grot, maar ik was blij en verdrietig tegelijk. Ik keek naar Tiisetso en Mamello en ik was niet meer bang. Ik was blij en ik was verdrietig.

Nu loop ik achter Tiisetso aan. Ik weet eigenlijk wel waar het pad naar het dorp loopt, helemaal langs de beek en dan komt er een paadje dat niet meer is dan een vaalbruine uitgetrapte streep, dan langs de *lokasie*,* en als je bij de eerste huizen bent, is het niet moeilijk om het hotel te vinden. Daar zal de koets wachten. Ik loop achter de donkere vlek aan die Tiisetso wel moet zijn, achter het geluid aan van zijn schoenen op de stenen, het gras en de struikjes tegen zijn broek. Ik weet dat we zo meteen het hoesten en huilen van het kamp zullen horen en ik houd mijn ogen op de grond gericht, kijk goed waar ik moet lopen, want wat ik nog altijd beter dan wat ook kan zien, zelfs met mijn ogen stijf dicht, zijn de rijen tenten die wit afsteken tegen de zwarte vertrapte grond.

Bij de lokasie blaffen er honden. In het dorp is het stil. We lopen over het plein, maar ik kijk niet naar de dodentent. De koets staat te wachten voor het hotel, met acht ingespannen paarden. Hun tuigen kraken. Er staat een man met een brede hoed naast de koets. Hij heeft een geweer over zijn schouder, en ik weet dat hij de Scout is.

Als Tiisetso blijft staan, sta ik ook stil. De man bij de koets zegt iets. Tiisetso keert zich schuin naar mij, en mijn benen lopen hem zomaar als vanzelf voorbij. De man doet het portier open.

Maak het goed, Ntauleng, zegt Tiisetso. Hij geeft mij de sloop met kleren en brood die hij gedragen heeft. Ik ga zitten en de deur gaat dicht. Ik zit in de donkere koets en houd mijn adem in om niet te gaan huilen. Als ik weer gewoon adem en een tijdje stilzit, ontdek ik dat er nog meer mensen in de koets zitten. Ik haal mijn adem weer zacht in en houd hem zo lang vast dat ik het gevoel heb een bom te zijn die gaat barsten.

Hoofdstuk 21

Ze ligt met open ogen op haar rug, zich slechts half bewust van de kleine kamer waarin de contouren van de
ladekast en de muurspiegel, de lamp op de staander
van donker, spiraalvormig gedraaid hout, en de saaie
gordijnen beginnen te vervloeien in het toenemende
schemerdonker. Ze luistert geconcentreerd naar het
lichte kraken van het bed wanneer ze ademhaalt, kijkt
dan weer met evenveel aandacht naar het licht dat nog
achter de vitrages glinstert. Ze ligt stokstijf. In afwachting. Er kan elk moment iets gebeuren. Aanvankelijk
was de uitbarsting van die middag tegen Mrs. Simms
gericht, die geheel en al redeloos was, door haar hoofd
blijven malen, maar langzaamaan ontdekte ze dat haar
gespannenheid met iets specifieks te maken had. En
dat kwam beslist van buitenaf, het had ook niets te
maken met het hospitaal of Mrs. Simms of... Ze ligt te
luisteren, ja. En eigenlijk direct nadat ze zich hiervan
bewust was geworden wist ze dat ze op het naderende
gezoem van een vliegtuig had gewacht! Hoe lang nu
al? Hoe lang weet ze al dat dit zal komen? Dat het met
een plotselinge werveling door de wolken zal breken
en dat de piloot zich naar buiten zal buigen en dat ze
zijn gezicht zal herkennen even voordat hij recht boven het huis...

Er gaat een schok van schrik door haar heen als iemand op de deur klopt. 'Susan...'

Het is Mrs. Simms.

Ze blijft doodstil liggen. De beklemming ligt als een steen op haar borst. Dan hoort ze de vrouw bij de deur mompelen en even daarna de wegstervende voetstappen.

Ze zwaait haar benen van het bed, gaat voorzichtig rechtop zitten. Blijft zo zitten, bijna verbaasd. Het gebeurt regelmatig, dit bang zijn voor een mogelijke luchtaanval. Het is een angst die zij kent sinds... ja, sinds zo lang zij het zich kan herinneren. De klop op de deur heeft haar nu wel uit de greep van deze gespannen toestand gerukt, maar er is nog altijd iets, iets wat net buiten de grenzen van de zekerheid staat te aarzelen. Een klop op een deur. Een donkere kamer. Fietsen die over kinderkopjes hobbelen. Een vrouw die roept. In het Nederlands.

Dan weet ze het weer. Het is haar appartement in Dordrecht. De avonden waarop zij zittend op haar bed, in een stoel of bij de dichtgeschoven gordijnen stond te wachten tot het kloppen van Jacques op haar deur ophield.

Het is Jacques.

Voor de oorlog was zijn gezicht open en helder, zijn ogen groot, zijn kin glanzend en met een gleufje, precies in het midden als bij een boerenpompoen. Voordat Frankrijk hem nodig kreeg. Voordat hij verlegen lachend en bijna opgewonden afscheid kwam nemen.

En toen hij op een keer terugkwam van het front was hij gekleed in een uniform dat eruitzag alsof het geweven was van hondenharen en hij had een snor in de vorm van buffelhoorns die zijn mond helemaal bedekte.

Op een dag was hij er weer, op de trap, zoals vroeger. Zoals in die tijd dat hij op doordeweekse ochtenden op zijn fiets naar het Johann de Witt-gymnasium reed, langzaam en met een kaarsrechte rug en gespreide knieën, zoals het een leraar betaamt, met een Latijns grammaticaboek in het leren tasje op zijn bagagedrager. Maar nu stond hij daar weggedoken achter die snor en ze moest wel twee keer kijken. Het leek alsof hij wist hoe hij er volgens mij uit moest zien, dacht ze. En ze herinnerde zich met een schok, nee, meer met een soort beschamende opwinding, die keer dat ze hem had verteld dat tante Marie haar eens aan een man had voorgesteld. Hij had met zijn vingers van allebei zijn handen om een glaasje jenever zitten luisteren, hoofd gebogen als een kalf dat in een hoek van het kalverenhok stond vastgebonden, hij zwaaide ongemakkelijk zijn hoofd heen en weer alsof zijn boord hem wurgde, en zij had verteld over die besnorde man die met zijn visitekaartje was opgedaagd, en zij het gevoel had gekregen alsof zoiets als inkt uit haar mondhoeken droop, in haar hals, in haar kraag, tussen haar borsten, en hoe ze toen proefde hoe macht smaakte, hoe zij dat bedremmelde hoopje angst dat ze toen was toen die man daar aanklopte, met één ademtocht had weggeblazen, en ze had Jacques in het gezicht gegooid: kijk, daar stond ik, en zijn snor trilde van begeerte, hij wilde mij hebben. En ze had gezien hoe Jacques ineenschrompelde in de hitte van haar verhaal, voor haar vermogen haar eigen wereld te scheppen, de alleenheerser ervan te zijn.

En hier was hij nu weer, een besnorde soldaat op een trap. 'Ben je terug?' had ze gezegd.

Hij had slechts zijn schouders opgehaald en was met zijn rug tegen de muur gaan staan, zodat ze hem voorbij kon lopen. Nadat ze haar kamerdeur had geopend, ontdekte ze dat hij achter haar stond. Ze had zich omgedraaid en het was toen, daar bij haar deur en alleen zij tweeën in de gang die zich vol flauw licht aan weerskanten van hen uitstrekte, dat zij die vreselijke behoefte in zijn ogen had gezien. Ze had haar linkerhand uitgestrekt naar de deur achter haar, haar tas tot voor haar borst getild. Ze had gekeken naar het smeken in zijn ogen – de snelle beweging van zijn oogballen, de vernauwing, de caleidoscoop van bruinen in zijn irissen.

Ze deed de deur achter zich open, liep achteruit naar binnen, en ze kon haar ogen niet losmaken van de zijne. Het was alsof dat wat ze daar gezien had als een navelstreng tussen hen werd losgetornd. Hij was achter haar binnengekomen, en ze had hem een teken gegeven bij het tafeltje te gaan zitten. Ze had in haar keukenkast een fles jenever staan, en toen ze haar hand ernaar uitstak, trilde die onbeheerst. Ze probeerde de fles vast te pakken terwijl ze dacht: hier zit een stervende man. Ze had zich omgedraaid met de fles in beide handen. Hij had haar niet aangekeken; zijn handen lagen als dode vogels op de tafel. En zij had daar gestaan in die verschrikkelijke, wonderbaarlijke aanwezigheid van een man wiens geest al als een bloederige slijmbolletje wegdrupte in een loopgraaf die walmde van mannelijke angst.

Pas later, toen hij al weer weg was naar het front,

had zij zich afgevraagd hoe zij dit alles kon weten. Hoe ze dit van hém kon weten. Hij had niets gezegd; hij kon zich niet uiten. Hij had met kleine slokjes van zijn jenever gedronken en stotterend, onzeker, zoekend naar woorden verteld over... ja, over wat? Het ging over iets wat hij zich uit zijn vroegste kinderjaren herinnerde, wist ze nu weer, hoe hij op een dag aan de hand van zijn moeder van een park naar huis was gelopen. Of iets dergelijks.

Ze had stil naar hem zitten luisteren, zag hoe hij zijn handen tot vuisten balde die ieder moment konden ontploffen en hen allebei aan flarden konden schieten, en ze wilde haar hand uitsteken om zijn oor te verfrommelen, de warme veerkracht van het kraakbeen tussen haar vingers te voelen, maar ze wist dat deze sensatie het zweet over zijn hele lichaam zou doen uitslaan, vooral op de zachte witte huid onder zijn oksels tot bij de lichte helling van zijn heupbeen, verder omlaag tot in de omgespitte zwarte grond tussen zijn liezen.

Maar ze deed het niet. Ze hield haar hand krampachtig om het glas geklemd, haar ogen op de glinsterende beweging van de vloeistof onderin, ze had het om en om geschud en hulpeloos ervaren hoe Jacques en zij en hun hele wereld geplet waren tot het onzichtbaar dun gespannen vlak van kleurloosheid, vormloosheid, en het geheel en al onbegrijpelijke van water in een glas.

Weer lag ze als een strak gespannen snaar op haar bed, ontdekte ze, haar gedachten vastgeketend in haar herinneringen aan Jacques en aan haarzelf in die kouder wordende kamer. Lang lag ze zo, reddeloos. Totdat er iets in haar vorm begon aan te nemen. Alsof ze weer de deur openmaakte van haar appartement in Dordrecht, de deur aarzelend openduwde en het schemerlicht inkeek. Deze keer ziet ze zich met de soldaat die daar zit. Ze keek naar zichzelf. En pas nu, op deze afstand, kan ze zien dat ze daar bij de tafel zit te wachten, met het glas in haar hand zit te wachten, verstard van angst zit te wachten, zit te wachten tot híj door haar heen kijkt, tot hij tot in haar verachtelijke hoerenhart kijkt, dat hij kijkt en wéét.

Uiteindelijk valt ze boven op haar bed met al haar kleren aan in slaap. Rusteloos; ze wordt telkens wakker uit een droom. Op een bepaald moment hoort ze een kerkklok die aarzelend begint te luiden. In haar droom is ze veel jonger en staat ze op blote voeten in een vieze katoenen jurk in een kloktent. Haar moeder is ook in de droom, en hun schaduwen staan groot en vervormd tegen de wanden van het tentdoek afgetekend. Haar moeder gooit een van haar vaders oude werkbroeken op het bed, die broek met die hoge lussen op de achterkant waar de bretels aan vastgemaakt worden. Haar moeder zegt dat zij die broek aan moet trekken, en ze springt geschrokken naar buiten, in de tentopening ziet ze haar moeders bleke, stervende gezicht.

Ze schrikt wakker. Het is nacht. Ze zit rechtop op bed. Ze kan eenvoudigweg niet nu proberen hier te slapen. Ze moet iets doen; ze moet opstaan. En bovenal moet ze zien weg te komen van zichzelf, van het gevangen zitten in haar eigen gedachten.

Ze doet een jas aan, loopt op haar kousen de gang door, trekt bij de voordeur haar schoenen aan. Pakt een van de sleutels van de haak en gaat naar buiten.

Hoofdstuk 22

De koets schommelt licht; komt zeker omdat de koetsier erop klimt. Ik kan heel weinig zien, en soms denk ik dat ik het mij maar verbeeld dat ik zoiets zie als een hand die opgetild wordt, of dat ik een ademhaling hoor, en ik schrik me dan ook bijna dood als ik opeens een mannenstem hoor, niet ver van mij op dezelfde bank.

'Perry?'

'Ja, dokter Molesworth.' Nog een man, aan de overkant. Ze spreken Engels.

Ik weet nu wie er naast me zit. Een van de Engelse dokters van het kamp, dokter Molesworth. Hij zegt: 'Ik dacht even dat je uitgestapt was, maar als ik het goed heb, worden we nu vereerd met het gezelschap van een dame.'

Mijn hart klopt onstuimig, mijn ademhaling gaat te snel. Ik denk aan Tiisetso die terugloopt over het donkere veld, met zijn lange kierie die telkens aan de hemel krabt die misschien nu al wat blauw begint te worden. Hij gaat terug naar de grot, of naar waar Mamello in hun woonplek wacht. Ik ga naar een plek die ik niet ken, maar waar er misschien, als ik geluk heb, een kans voor mij zal zijn om opnieuw te beginnen.

De man tegenover me praat, de man die Perry werd

genoemd, hij spreekt met een jongere stem: 'Inderdaad, dokter. De koetsier vertelde me dat we met drie passagiers zouden zijn, onder andere een jonge dame. Weliswaar zonder chaperonne.' En dan klinkt het alsof hij met mij praat: 'Neem me niet kwalijk, juffrouw, maar de koetsier heeft me duidelijk gemaakt dat het om buitengewone omstandigheden gaat. Niet dat de oorlog niet al ongewoon genoeg is. Maar hier in het donker is het niet gemakkelijk om mij – ons – behoorlijk voor te stellen.'

Ik hoop maar dat hij aan de beweging van mijn kapje tegen het licht van het gordijn ziet dat ik knik. Gelukkig schudt de koets zo van het wegrijden, en scheldt de koetsier zo erg tegen de paarden, dat het niet echt nodig is om te praten. We kunnen tenminste een tijdje gewoon zitten luisteren naar het kloppen en kraken van het rijtuig en het hobbelen van de wielen.

Als de stem van de dokter weer begint te praten, is het gelukkig niet met mij. Hij vraagt aan Perry of hij heeft kunnen zien wat hij wilde zien, en aanvankelijk denk ik dat hij bedoelt of hij míj kan zien, of hij probeert te ontdekken wie ik ben, maar als Perry antwoordt, merk ik al gauw dat het over foto's gaat die hij heeft genomen in het kamp in Winburg. Daar in dat kamp heb ik voor het eerst een foto gezien, en heb ik ook gezien hoe mensen foto's nemen. Ik zag hoe de Van Tonders voor hun tent gingen staan, ik herinner me dat ze ergens bij een andere tent een bed hadden geleend, en ze gingen in hun beste kleren klaarstaan voor de man die de foto's maakte. Ze stonden kaarsrecht en hij keek naar hen door zijn camera. Het kleine Van Tondertje was zeker nog maar een jaar of drie. Een paar weken later was hij dood. Na een tijdje kwam de man terug met de foto. Het was de eerste foto die ik heb gezien. Daarop leefde het kleine Van Tondertje nog.

Dokter Molesworth en Perry praten met elkaar en ik zit te luisteren. Ik denk dat Perry een van de mensen is die foto's neemt van de oorlog. De dokter vertelt Perry waarom hij op weg is naar Bloemfontein. Het heeft iets te maken met het Show Groundskamp en de vrouwen die ze daar opsluiten. Het wordt het ooienhok genoemd. Die vrouw die ze daar naartoe hebben gebracht, stond heel lang daarna nog met haar handen tegen de zinken platen te slaan. Ze hadden haar gevangen toen ze tussen de tenten door liep, almaar heen en weer, alsof ze iets zocht dat op de grond lag, iets wat ze had laten vallen. De hele dag liep ze zo. Ik herinner het me goed. Hoe zwijgzaam ze was geworden, niets meer had gezegd en geleidelijk aan was gestorven.

Langzaamaan wordt het licht in de koets. Ik kan de dokter niet zien, mijn kapje zit in de weg, maar soms kijk ik snel even naar de man aan de overkant. Naar Perry. Zijn schoenen glanzen en hebben scherpe punten, bijna als de mijne, een en al glans. Zwarte broek, zwart ondervest met een horlogeketting. Wit hemd, en zo'n donkere baard die in een punt op zijn hemd hangt. Hij zit me gade te slaan, dat merk ik. Als het licht genoeg is, zal hij met me beginnen te praten. Dat weet ik, en wat moet ik dan zeggen? In het Engels?

Ik weet niet hoe het gebeurde, of waar het vandaan kwam, maar ik moest almaar naar zijn gezicht kijken, naar die ronde bril met dat dunne montuur. Zijn ogen staan niet onvriendelijk, helemaal niet, en ik denk dat zijn mond onder de snor misschien wel lacht, ik weet het niet, maar hij knikt en zegt goedemorgen. Hij zegt dat hij Jack Perry is. En dan ontsnapt het me als vanzelf: Susan, zeg ik, Susan Draper. En mijn stem is zo hees dat ik ervan schrik en ik grijp naar mijn keel en doe alsof ik keelpijn heb, en hij kijkt naar de man links van mij, de oudere, de dokter, en die kijkt me aan met zijn vermoeide, waterige blauwe ogen en hij knikt alleen maar en zegt aangenaam.

Dat is alles. Daarna zitten we gewoon. Na een tijdje schuift Jack Perry de gordijnen aan zijn kant open en zie ik het kale veld glanzen in de ochtendzon, en ik moet denken aan wat ik hun heb gezegd, dat ik de achternaam van Alice heb gepakt, en dat Alice nu zeker dood is.

Hester Cloete, Joey Luwes en ik waakten die avond bij het bed van Alice Draper. De andere drie die samen met ons in de tenten woonden, waren bij het Engelse feest, ze vierden Nieuwjaar. Eigenlijk moest iedereen daar zijn, maar wij bleven bij Alice. In tent nummer 19. De tent van de jonge vrouwen. Alice begon te kreunen, een grote trom boemboemde bij het nieuwjaarsfeest en daarna kwam het gejank van een doedelzak tegelijk met het rattatatta van een kleine trom. Niet ver van ons vandaan begon een baby te huilen en we konden het sjjj-sjjjj van de moeder goed horen.

En nu zit ik hier daaraan te denken in deze koets terwijl het al lichter en lichter wordt. Dan zie ik door het raampje eerst twee paarden, dan een tent en dan een paar Kakies voor de tent. Twee van hen staan, de andere zitten naar ons te kijken. De Scout boven op de bok schreeuwt hô!... hô! En de koets gaat langzamer rijden tot hij stilstaat.

Zelfs al zou ik willen uitstappen, ik zou het niet kunnen, mijn benen zijn als verlamd. Perry doet de deur open, laat de dokter voorgaan. Dan stapt hij zelf uit en reikt me zijn hand. Ik kan niet anders, en zijn hand voelt warm onder de mijne. Als ik de grond raak, til ik mijn rok op en loop haastig, later hol ik zelfs. Er staan een paar *soetdorings** en wat riet, ook hoog gras. Bij het riet is een kuil, en om die kuil zie ik een grote hoeveelheid paardensporen in de modder. Daarom hebben de Engelsen hier een kamp ingericht, denk ik, omdat hier water is. Ik kijk achterom, maar de bomen staan tussen mij, de koets en de tent en alles wat ze daar doen.

Ik weet niet hoe lang ik tussen de soetdorings heb gestaan. De zon is al bijna helemaal op, en als ik terugloop, valt mijn schaduw als een dunne spriet voor mij uit. Perry en dokter Molesworth zitten al in de koets. Perry geeft mij een beker koffie. Ik vergeet gelukkig niet om dankjewel te zeggen en te doen alsof mijn stem hees is. Dan steekt de dokter zijn hand in zijn binnenzak en haalt er een plat blikje uit. Hij doet het open en houdt het me voor. Hij zegt dat het pastilles zijn, goed voor mijn keel, ik moest er twee nemen.

Voordat de dokter het blikje dichtdoet, haalt hij een stukje ijzer tussen de pilletjes uit en houdt het tussen duim en wijsvinger omhoog zodat Perry en ik het kunnen zien. Het is een nogal lang, krom stukje koper, bijna zoals het vingertje van een jongetje, en eigenlijk weet ik al wat het is. De dokter zegt dat het een mauserkogel is die hij uit de maag van een soldaat heeft gehaald. Ik zie aan een kant een groef, en de dokter zegt dat de kogel daar een rib heeft geraakt voordat hij in het zachte vlees bleef steken, vlak onder de huid van de buik.

Buiten is niets te zien. Alleen een grote rode zon en een kaal veld. Naast mij zit de dokter te praten. Behalve zijn stem, de paardenhoeven en het lawaai van de koets is er niets te horen. De dokter spreekt en Perry zegt af en toe iets, of stelt een vraag. De stem van de dokter klinkt alsof hij aan een riem achter de koets aan gesleept wordt, met het stof van de wielen mee. Hij vertelt Perry over soldaten die gewond worden. Wat er gebeurt als je geraakt wordt door een kogel. Hij zegt een mauserkogel. Soms kijk ik zo van opzij naar de dokter, naar zijn kaak die op en neer wipt, maar zijn ogen blijven stil en vermoeid en soms knippert hij ermee, zo langzaam dat ik denk dat ze dichtvallen.

De dokter steekt zijn vinger voor zich uit in de lucht, alsof hij op een schoolbord tekent. Het randje van het gat waar de kogel in is gegaan, is donkerder, zegt hij, alsof het door het metaal besmeurd is. Het ziet er ongeveer uit als wat een kogel achterlaat als je hem door een bundel papier schiet, door een boek bijvoorbeeld. Maar het is een heel smal randje, en als de kogel door kleren is gegaan, zul je het gat niet zo gauw zien; de hele rand van het gat wordt in ieder geval heel gauw grijsblauw als gevolg van de kneuzing. Maar, zegt de dokter, het maakt niets uit hoe je gekneusd wordt, of het een dik of een dun randje wordt. Al die kogelgaten krijgen later iets wat lijkt op een stralenkrans. Je vraagt je af hoe lang daarna? Het is de dokter zelf die dit vraagt, en na een tijdje geeft hij ook zelf antwoord. Tja, dat wisselt, zegt hij, maar het gebeurt, dat is zeker.

Na een tijdje zit er zo'n paar centimeter of meer rond het gat. Zo'n stralenkrans.

Ik zit naar Perry's borst te kijken terwijl de dokter vertelt. Een stralenkrans, zo noemt die dokter het dus. En ik ontdek pas na een hele tijd dat ik zo naar hem zit te staren. Naar de naad van zijn ondervest, naar hoe zijn vingers de knopen door de knoopsgaten moeten hebben geduwd, en ik zie hoe het materiaal van zijn vest langzaam op en neer deint op zijn ademhaling. Op dat moment krijg ik het opeens vreselijk benauwd. En mijn ogen gaan op en neer, en misschien trilt de baard van Perry, dat denk ik, maar zijn mond staat zo'n beetje open boven zijn baard en hij kijkt mij recht aan, zijn ogen heel scherp op mijn gezicht gericht, en zijn ogen zien hoe ik mijn jurk hier vóór vastpak, en ik weet niet waarom, maar ik heb echt het gevoel dat het gat dat die kogel maakt, die stralenkrans waarover de dokter het heeft, iets is wat je nooit, nooit kunt verbergen. En Perry weet dat ook, denk ik. Hij weet dat je hem niet kunt verbergen.

Hoofdstuk 23

De nacht is koel, vochtig. Straatlantaarns. Ergens het gerammel van wielen. Stemmen. Vrouwalleen, dat weet ze, maar ze gáát. Niemand kan haar nu nog tegenhouden.

Het is niet ver, The Sphinx. Sinds Jacobs er haar de eerste dag op attent heeft gemaakt, heeft ze er elke dag naar gekeken als ze naar het hospitaal rijdt. Daar komt het personeel bij elkaar. Sommige vrouwen ook. 'Ga je mee?' had een van hen haar al in de theepauze gevraagd, en haar uitdagend aangekeken, alsof het een soort test is. Misschien was het tien jaar geleden een uitdaging geweest waar ze over na moest denken. Ze was al een paar keer samen met Jacques in een café geweest – zo wordt het in Nederland genoemd. Hier, zeggen de meisjes in het hospitaal, moet je er wel voor zorgen dat er meer dan één vrouw in het gezelschap is, dan is het acceptabel – zéér acceptabel, had een van hen gekwetterd en iedereen was in lachen uitgebarsten.

Dingen zijn veranderd sinds de oorlog. Het is een mooie oorlog, prachtig, die van de Britten; je kunt je geen mooiere oorlog voorstellen. De punten van haar schoenen flitsen op in het licht van de straatlantaarn; haar schaduw groeit voor haar uit. Links van haar is een lange witte muur, vooraan een uithangbord, dan de deur met de zware deurpost van donker hout.

Ze hoort de stemmen achter de deur, drukt hem met haar schouder open, en als ze de schemerige, rumoerige ruimte binnengaat, weet ze precies waarvoor ze gekomen is: de geur, het gevoel van mannenlichamen, het zware, het solide ervan dat zo anders is dan haar eigen zwevende gewichtloosheid. Heel even staat ze half verblind, verward, alsof een bom voor haar voeten is ontploft. Als bommen ontploffen word je een beetje licht in het hoofd, had een van de mannen in een hospitaalbed, een kapitein, haar verteld, maar daar ben je voor opgeleid. Je bent niet bang, je voelt je opgewonden. Op een bepaalde manier is het als bij volbloed racepaarden in de Grand National: ze rennen hun rondjes, springen over elke hindernis, sommige vallen en staan niet meer op, en sommige gaan door tot het bittere einde. Tot het bittere einde.

Dan ziet ze de tafel die het dichtst bij de deur staat, drie of vier vrouwen, ze zitten over hun glazen naar haar te kijken, een van hen is Anne Maxwell. Ze wendt haar hoofd snel af van Anne en haar clubje, zoekt in het vertrek vol mannen, het licht dat van de gloeilampen door slierten rook neerstuift op hoofden en brede ruggen. Ze had gedacht, misschien meer gehoopt dat ze Anne hier zou zien, dat was eigenlijk de enige voorwaarde waarop ze deze mannenwereld kon betreden. In haar eentje kon ze dat niet. Vrouwalleen. Hoer!

Ze maakt haar blik los van de mannen, zoekt Annes ogen. Annes hoofd kantelt, kin ingetrokken, de mond gemaakt verbaasd pruilend. Kom, wijst ze, kom hier zitten. En dat doet ze en de andere vrouwen schuiven achteruit op hun stoel voor de kennismaking. Lachend. Susan leunt op haar onderarmen naar voren. Wat is de grap? Ze kijkt onderzoekend naar de gezichten. 'Ze denken dat ik gek ben,' zegt Anne.

'Dat ben je ook, stapelgek,' zegt een van de anderen en weer barsten ze in lachen uit.

'Ik vertel hen alleen een beetje over mijn werk,' zegt Anne, zo onaangedaan als altijd, al heeft Susan de indruk dat er een lichte blos op haar wangen is gekomen en haar ademhaling sneller gaat. 'Over de mensen met wie we werken,' zegt Anne. 'Jij weet waar ik het over heb, toch? Ik heb hun nu alles laten zien. Convulsies? Spastisch lopen? Visflappen?' Ze maakt langzame flapbewegingen met haar hand.

Ze doet de patiënten na! Ze spot met ze. Susan slaagt erin te glimlachen, maar het gaat niet van harte. Hoe moet ze in 's hemelsnaam nu reageren? Het is het eerste dat ze van Reymaker heeft geleerd, je mag er niet mee spotten. De psychiatrie is een ernstige zaak. Maar opeens... proest ze het uit. En het lijkt alsof juist de gedachten aan Reymaker de katalysator is. Die serieuze, hoogst gerespecteerde gezagsdrager, elke dag slechts de hoogste motieven! Ze kijkt op van haar handen. Ziet hoe Anne haar onderzoekend aankijkt, maar nog altijd zonder een spoor ergernis. Roekeloos.

'Misschien helpt het als ik iets te drinken bestel,' zegt Susan. Wat drink je hier? Bier? In Dordrecht vroeg ze soms om sherry, samen met Jacques. Is dat hier geoorloofd? Ze kijkt naar de glazen van de andere vrouwen. Dat kon zelfs wel water zijn.

'Vraag het aan Jacobs,' zegt Anne. 'Die is hier ook, daar ergens bij de bar. We moeten zijn aandacht zien te trekken.'

'Wacht maar, ik ga hem zoeken,' zegt Susan en ze staat onmiddellijk op, toch opgelucht even weg te kunnen gaan.

Jacobs, in uniform, zit aan de bar te luisteren naar een wat oudere man die naast hem staat. Ze schuifelt achter hem langs, zorgt ervoor dat ze hem net niet aanraakt. Aan de beweging van zijn hoofd, aan de manier waarop hij wil omkijken, kan ze raden dat hij haar heeft opgemerkt. Het is nogal opwindend, dat berekenende van haar.

Hij kijkt eerst vluchtig opzij, ziet wie zij is, en reageert absoluut overdreven, alsof iets hem heeft doen schrikken. 'Zuster Nell!' roept hij, 'ik dacht heel even dat je de heks van Sheepstor was.' Hij lacht hard en met open mond, legt zijn hand vertrouwelijk op haar schouder om eventuele aanstoot die hij gegeven heeft te bezweren. Dan keert hij zich naar zijn eerdere gespreksgenoot, duidelijk om haar voor te stellen, maar die heeft zich al omgedraaid en is zichtbaar op zoek naar ander gezelschap, en hij buigt zich naar haar toe om zich verstaanbaar te maken: 'Een van de spoken van Crazywell Pool.' Hij legt zijn heksverwijzing aan haar uit, begrijpt ze. 'Kun je je dat herinneren? We zijn er in Dartmoor langs gereden.'

Ze herinnert zich de grote kuil midden in de leegte met water zo zwart als leisteen. De gemeenteleden van Sheepstor moeten lang geleden de touwen van de kerkklokken ernaartoe hebben gebracht om te proberen de diepte te peilen. Alle touwen werden aan elkaar vastgemaakt om de klok te laten zakken, maar de bodem konden ze niet bereiken.

'En dat zit jij dus hier te doen,' vraagt ze, 'spookverhalen te vertellen?'

Hij haalt zijn schouders op. 'Wat wil je drinken,' vraagt hij. 'Wat zij daar drinken?' Hij wijst met zijn hoofd naar Anne en haar vriendinnen bij de deur.

'Geef mij er maar een van wat jij drinkt,' zegt ze. Ze gaat ervan uit dat het bier is, die gouden vloeistof in een nogal groot glas.

Hij glimlacht nu normaal, kijkt of hij de aandacht van de barkeeper kan trekken en keert zich dan weer naar haar. 'En, houd je het nog vol?' vraagt hij. 'Of heb je het gevoel dat je ook een shellshock-slachtoffer bent?"

Ze voelt weer die irritatie kriebelen die nu al zo lang onder haar huid ligt, en terwijl hij met de barkeeper praat, kijkt ze even om naar de vrouwen die alweer in een schaterend lachen uitbarsten. Als hij zich met haar glas naar haar toekeert, vraagt ze: 'Hoe heb je het voor elkaar gekregen om hier in dienst te zijn en niet aan het front?'

'Nou ja,' zei hij, zichtbaar betrapt. 'Nou ja.' Hij geeft haar het glas aan en pakt het zijne op terwijl hij een langzame voorzichtige slok neemt. 'Denk je dat ik niet intensief genoeg in de dingen verwikkeld ben?' vraagt hij.

Ze haalt haar schouders op, blijft hem aankijken. Ze ziet hem nu zoals hij eruitzag op de schietbaan van Dartmoor: toen ze zich afkeerde van Hurst stond hij nog steeds tegen de motor geleund naar haar te staren, zijn hoofd achterover, zijn mond open, ontblote tanden. Achter haar, ergens, waren Hurst en dat zielige stel soldaten die hun eigen ondergang probeerden na te bootsen, en zij stond tussen hen in, in een tussenwereld, een niemandsland, en Jacobs stond daar maar met zijn gapende mond, zijn ogen tot spleten, nieuwsgierig, verbaasd – nee, opgehitst stond hij daar – en probeerde een blik te werpen op haar wereld, zoals een rekruut die probeert te loeren in een tent vol vrouwen.

Hij staat haar een tijdje met bestudeerde ernst aan te staren, zijn lippen deze keer over zijn tanden samengeknepen. 'Maar om je antwoord te geven op je vraag, astma,' zegt hij dan. 'Zo eenvoudig is het. Ongeschikt voor loopgraven, maar op mijn manier nog altijd goed genoeg voor mijn koning.'

Ze kijkt in haar glas, brengt het naar haar lippen en proeft van het warme, bittere bier. Hij is nog jong, denkt ze, eigenlijk niet van mijn leeftijd, een kind nog.

'En jij?' Er ligt eigenlijk niets uitdagends in zijn blik. 'Waarom ben jij hier?'

Even overweegt ze het standaardantwoord, maar dan weet ze dat deze gelegenheid, deze plek niet om dit soort antwoorden vraagt. Het gaat er niet om waarom ze hierheen gekomen is. Ze herinnert zich de tinteling die ze eerder voelde toen ze naast hem inschoof, het gevoel dat deze nabijheid, het onverwachte ervan, iets wat totaal onvoorzien was kon laten gebeuren. En wat dat ook zou zijn wilde ze onbevreesd aan kunnen kijken, ze wilde de confrontatie aangaan, ze wilde ondergedompeld worden in die werveling. Heel even denkt ze aan die kerkklok die bengelend wegzakt in de ijzige diepte van Crazywell, en dan volgt het antwoord totaal onnadenkend: 'Omdat ik niet diep genoeg in de dingen verwikkeld was,' zegt ze.

Het is alsof ze schrikt van haar eigen antwoord; ze kijkt Jacobs snel aan. Hij maakt een nadenkende indruk, knikt langzaam. 'Je bedoelt in Nederland?'

Ze schudt haar hoofd. 'Ik ben geen Nederlander,'

zegt ze. 'Ik werk er alleen maar.' Nu moet ze afmaken waaraan ze begonnen is. 'Ik kom uit Zuid-Afrika.'

'Dat weet ik,' zegt hij, en hij moet zeker haar verbazing opmerken, want hij legt uit: 'Zuster Maxwell heeft het me verteld.'

'Die!' Ze kijkt om naar de vrouwentafel, maar een van de anderen is nu aan het woord en iedereen zit aandachtig te luisteren. 'Ik had niet gedacht...' Maar waarom zou ze het niet doorverteld hebben?

'Het is toch zeker geen geheim, of wel?'

'Nee, dat is het niet. Maar het is nog niet ter sprake gekomen.'

'Ik was verbaasd over jouw reactie destijds, toen ik je voor het eerst kwam afhalen, over het huis van Rundle.'

'O ja, dat weet ik. Het was gewoon flauw van me.'

'Er ging me wel een licht op toen ik hoorde dat je uit Zuid-Afrika kwam.'

'Je kunt wel als ordonnans in een militair hospitaal werken, maar daarom ben je nog geen psycholoog.'

'Maar het maakt me ook niet tot een onnozele hals.'

'Het feit dat je een paar pompoenpitten in je hoofd hebt, geeft je nog niet het recht om in het leven van anderen rond te snuffelen.'

'Natuurlijk niet,' zegt hij, hij trekt zijn mondhoek scheef in een manhaftige grimas en draait zich om zodat hij de aandacht kan trekken van de barkeeper.

Ze blijft wat geïsoleerd staan, een enkeling in een ruimte vol mensen. Het gesprek heeft iets opgeleverd wat ze niet had voorzien. Of misschien was het toch voorspelbaar, ze is er niet echt zeker van, en ze krijgt haar gedachten niet helemaal op een rijtje. Ze kan ook het gevoel niet van zich afschudden dat ze deze situatie al eens eerder heeft meegemaakt, en nu haar aandacht niet meer zo verdeeld is, wordt ze erdoor geraakt: het is inderdaad een jeugdherinnering. Eigenlijk is het iets wat regelmatig in haar gedachten opduikt en ze heeft al weet ik hoeveel keren geprobeerd haar associaties te ontleden. Het is een kamptafereel. Winburg. Ze deed de tentflap open om uit te gaan en trof Jannie de Villiers, de tienersoldaat die terug is gestuurd van een kommando, daar aan. Hij is betrapt, dat is zo duidelijk als wat. Hij probeerde naar binnen te loeren. Hij deinsde achteruit. 'Wat doen jullie daarbinnen?' vroeg hij uitdagend, beschuldigend, maar de nieuwsgierigheid stond op zijn gezicht te lezen. 'Jullie zijn... jullie zijn naakt daarbinnen.' Zijn stem brak, hij probeerde zijn walging te uiten door overdreven te lachen, maar het werd een zenuwachtig gegiechel. Er zat witte maïspap tussen zijn tanden, melksporen bij zijn oren en op zijn bovenlip en kin, en zijn handen gingen open en dicht. Ze zag de diepe vouwen in zijn magere, eeltige vingers, de zwarte sporen erin. Hij had het beheer over zijn gezicht weer teruggekregen en keek haar afwachtend aan, bijna angstig, zijn borst deinde op en neer onder zijn versleten jasje. Nog maar één keer tevoren had ze hem zo overstuur gezien, en dat was toen Alice en zij hem naar de lansiers hadden gevraagd. 'Heb je hen gezien, Jannie, echt?' En het leek alsof hij een spook had gezien en hij vertelde over de enorme paarden met hun afgeknotte staart, paarden die zo hard konden lopen als katten, meer springen dan rennen, en de lansiers die met hun lange blinkende spiesen tegen hun heupbeen in het zadel zaten, rechtop in galop, en hoe die lange blinkende lemmeten langzaam zakten.

Ze voelt de tik op haar schouder en draait zich om. Jacobs heft zijn glas om haar toe te drinken, en zij herinnert zich het bier in haar handen. Ze neemt weer een slokje. Jacobs houdt zijn hoofd een beetje achterover, kijkt haar aan langs zijn neus, grinnikend, zijn bovenlip weggetrokken van zijn tanden als bij een bronstige ram. Susan kijkt neer op het lichte schuim op haar bier, heft dan het glas in een groet, draait zich om en loopt terug naar de tafel waar de vier vrouwen zitten als de vingers van een gevallen soldaat die oprijzen uit het zand. Ze kijken haar aan alsof ze iets heel eigenaardigs naar hen toe brengt, een nieuwe soort vlinder, een *pixie** die ze heeft meegebracht uit Dartmoor, het hoofd van Johannes de Doper op een dienblad. Ze gaat zitten onder hun vragende blikken, duwt het glas bier met haar vingers tot bijna midden op tafel, slaat haar ogen op naar Annes roerloze en absoluut brutale ogen, haar lieve, lieve ogen, en zegt: 'Doe het nog eens.'

'Wat?' vraagt Anne, maar zonder het geringste signaal dat ze verrast is door het verzoek.

'Convulsies, flappende vissen...' Er breekt een lach tussen Annes tanden door. '...die spastische manier van lopen, de tollende ogen...' Ze kijkt van het ene gezicht naar het andere, verschroeit hen met het vuur dat in haar brandt. 'Geef me de hele voorstelling,' zegt ze tussen twee lachbuien door die haar heerlijk, wriemelend lekker doen dubbelvouwen en weer terugduwen tegen de rugleuning. 'Geef me de hele voorstelling!'

Hoofdstuk 24

Het is aardedonker in de trein, net zo donker als wanneer ik mijn ogen stijf dichtknijp. Soms denk ik dat ik tegenover me het wit van een van de verpleegsters zie; de andere zit naast me, in de verste hoek. Zitten ze nog rechtop? Ik moet een tijdje geslapen hebben, en nu heb ik het gevoel alsof de trein in mijn eigen hoofd rijdt, alsof iedereen die hier is in mijn hoofd zit. Soms zie ik donkere schaduwen bij het raam, iets als een lege baalzak die de nacht in waait. Soms een vuurtje dat als een vonk verschiet. Ik heb al een keer iemand buiten bij het spoor horen roepen en het geluid was als een blad dat door de wind van een perzikboom wordt geplukt, want het ene moment was het er nog en toen bijna onmiddellijk weer ver en klein en weg.

Waar zouden we zijn? Ik weet dat we in Bloemfontein zijn vertrokken en dat we naar de Kaap gaan, maar hier is nu alleen het grote duistere niets wat de ramen binnenkomt en het hierbinnen zo donker maakt dat ik helemaal niets meer kan zien. Meer is er niet. Wat er was, probeer ik me te herinneren. Jack Perry kwam bij de deur zeggen dat hij vlak naast ons zat. De verpleegsters praatten in hun eigen taal met elkaar. Een van hen vroeg hoe ik heette, en toen ik het zei, zei zij in het Engels: goed, goed, en ze knikte en zei dat zij Bettie heette en de andere Klara. Gelukkig zeiden ze verder niets, en ik keek de andere kant uit en daarom weet ik niet wat ze denken.

Het briefje dat dokter Molesworth mij heeft gegeven, heb ik nog niet eens opgeborgen. Ik hoef er ook niet naar te kijken, want alle woorden zitten in mijn hoofd. Mijn naam staat erop. Miss S. Draper. Dat ben ik nu. Gisteren, wanneer, drie maanden geleden, was ik nog iemand anders. Toen is er iets gebeurd en nu ben ik Susan Draper. Niet meer Nell. Susan Nell is in het kamp doodgegaan. Samen met Alice. Ik weet zeker dat Alice ook dood is. Maar als ik daarover nadenk, is het eigenlijk Alice die hier in deze trein zit, en ik weet zo weinig over waar ik nu ben en waar ik naartoe ga dat het net zo goed zij zou kunnen zijn die hier in deze duisternis zit.

Het enige wat ik zeker weet, is dat ik in het kamp bij Winburg was en toen in de grot bij Tiisetso en Mamello. Er is iets gebeurd, en nu zit ik hier in deze trein. Ik weet wel wat er gebeurd is, maar ik kan er nu niet over nadenken, het moet eerst licht worden.

Op het briefje staat: *Upon presentation the following to be supplied to the bearer:* Dan mijn naam. Mijn nieuwe naam. *Miss S. Draper.* Dan de medicijnen: *Two fluid oz. Quinine and 48 Cough Lozenges.* Dan de naam van de dokter eronder: *Theodore Molesworth.* Met MD achter zijn naam.

Die naam heb ik ook tegen deze verpleegster genoemd, Susan Draper. Hoe heet je? vroeg ze me. Gewoon zo, half ongeïnteresseerd, maar dat is omdat ze niet goed Engels spreekt. Met elkaar spreken ze meestal in hun eigen taal. Dat heb ik ook tegen de dokter gezegd. Toen de koets waarmee we eerder van Winburg waren gekomen – was het gisteren nog? – de eerste keer in Bloemfontein stopte, voor een groot stenen gebouw met een laag muurtje eromheen en van die torentjes op de hoeken, stak de dokter zijn hand naar me uit en zei, het was vlak voordat hij uitstapte dat hij zei: 'Juffrouw, kun je me nog eens vertellen hoe je heet?' Ik schrok, maar hij hield zijn hand zo zacht op mijn arm, en ik keek naar zijn vingers met de haartjes erop, terwijl ik wachtte tot die hand als een ijzeren val zou dichtklappen, maar de dokter praatte gewoon door. 'Ook je achternaam,' zei hij. 'Dan geef ik je een recept waarmee je naar de apotheek kunt gaan om medicijnen voor die keel van je te halen. Is dat goed?'

Dus toen gaf ik hem mijn naam. Niet erg duidelijk, ik had bijna Nell gezegd, en de dokter keek mij aan met zijn oneindig vermoeide ogen. Hij haalde een boekje en een onuitwisbaar potlood uit de binnenzak van zijn jasje en schreef het briefje.

Daarna zaten alleen Perry en ik nog in de koets. Hij heet Jack. De koets begon weer te rijden en hij vroeg mij waar ik naartoe ging. In mijn hoofd was alles als verstard, want ik kon niet Bloemfontein zeggen, we wáren immers al in Bloemfontein, maar waarheen, waar naartoe? Waar gaat een mens naartoe in die stad met zijn gebouwen die op kastelen lijken en zijn straten vol huifkarren en vrouwen die met stralende jurken onder paraplus lopen en al die soldaten en paarden? Het is niet zoals in Winburg. Ook niet zoals in Heilbron. Zelfs niet zoals in Ermelo, waar ik me wel iets van kan herinneren, maar in Bloemfontein is het alsof alle geluiden, ook het gerammel van de koets en de hoefslagen en alles waar je het over hebt in een koets, gewoon zo in de straat vastgehouden worden, alsof de gebouwen alles tegenhouden en niets weg kan gaan, en het voor altijd en altijd zo zal blijven.

Ik wist dat Perry naar me zat te kijken en wachtte tot ik antwoord gaf, maar ik bleef uit het raam staren. Toen de koets stilstond, zei hij: 'Neem me niet kwalijk, ik moet vlug iets gaan halen. Ik zal niet lang weg zijn.' Pas daarna keek ik weer naar hem, maar zijn rug was naar me toe gekeerd terwijl hij de deur opendeed. Vlak voordat die weer in het slot viel, zag ik zijn gezicht in het heldere licht, en toen was ik alleen, met de huifkarren die voorbijreden en de stemmen en de koets die zo af en toe wat wiebelde als een van de paarden zich bewoog. Ik kon Perry horen praten met de koetsier, en ik zat te wachten zoals ik in de grot deed, maar nu samen met de angst die tegelijk met mij voor het hotel in Winburg was ingestapt, die angst als een stekelvarken vóór in mijn jurk. Maar ik zat gewoon, ik kon niets anders doen. Hij bleef niet lang weg, en toen hij weer instapte, drukte hij iets in mijn hand dat in een papieren zak zat verpakt. 'Met dat kapje kun je niet naar de Kaap,' zei hij. 'Dan kun je net zo goed met de Vierkleur lopen zwaaien.' Ik nam het pakje aan en terwijl ik het openmaakte, wist ik het. Ik denk dat ik hem vanaf dat moment begon te vertrouwen.

Het was het hoedje – eigenlijk een soort muts – dat ik nu op mijn hoofd heb, dat in het pakje zat. Het was heel mooi gehaakt met van die blauwgrijze wol met een bloem erop die ook gehaakt was en die je recht boven je oor draagt en dan kun je hem laag over je hoofd trekken. Ik had er al Engelse vrouwen mee gezien in Winburg.

De koets begon weer te rijden, maar niet lang daarna stopte hij weer. 'We zijn bij het station,' zei Perry en
hij deed het portier open. Hij liet de bultige tas die bij
zijn voeten stond door de open deur op de grond zakken en stapte dan zelf uit. Hij draaide zich naar me om
en zijn brillenglazen blonken in de zon. Hij stak zijn
hand uit alsof hij me wilde helpen, maar ik klemde
mijn sloop tegen mijn borst en stapte op de grond.

De Scout haalde twee koffers en ook nog een lange
dunne leren tas van het dak van de koets en gaf ze hem
aan. Het was voor het eerst dat ik het gezicht van de
Scout zag. Hém kon ik gemakkelijk aankijken, en hij
richtte van bovenaf zijn blik op mij; en ik keek op, zijn
hoofd met de grote hoed als een zwarte zon in de blauwe lucht, en ik weet niet hoe het kwam dat ik het toen
zag, maar daar voor mij, vlak voor me, zo dichtbij dat ik
de paarden kon horen steunen, zag ik een stel Scouts
van Bergh met geweren op paarden. De paarden stonden zo dicht tegen elkaar aan dat ze eigenlijk op een
homp klei leken met de geweren als pennen van ste-
kelvarkens erin gestoken, en ze kwamen dichterbij en
het was alsof al die Scouts met één grote, verschrikkelijke mond lachten.

Ik zie het nu weer voor me, hier in de nacht, dat stel
Scouts. Het moet vast iets geweest zijn wat door mijn
hoofd flitste, want Perry was aan het praten en ik wilde
niet kijken naar die barbaar die de bagage aflaadde. 'Je
kunt beter bij mij blijven,' zei hij, en toen: 'We moeten ervoor zorgen dat we samen met andere vrouwen
in de trein stappen, want ik kan niet alleen met een
vrouw reizen.'

Dus liep ik achter hem aan, zijn koffers op zo'n karretje dat door een jongen wordt geduwd, want hij zei het niet op een lelijke manier tegen me. En ik vond het eigenlijk wel mooi, die Scouts op de paarden en hoe ze dicht bij elkaar, dicht bij elkaar, op volle snelheid over de vlakte joegen, door de tenten, door Winburg, en hoe de hoeven van de paarden alles, alles, alles vertrapten zodat er niets achterbleef, niets, niks, niets, helemaal niets.

In het stationsgebouw was het vreselijk druk, allemaal mensen die door elkaar heen liepen en elkaar wegduwden zoals de rijen in het kamp wanneer we te eten kregen, maar er liepen ook Kakies rond – in het kamp was ik aan hen gewend geraakt – en nu ook aan veel mensen in mooie kleren en zwarten die koffers droegen of karretjes duwden, maar toen zag ik het voor het eerst. Toen was het er opeens, het lawaai deed me naar mijn oren grijpen, ijzer en stoom en het licht dat flitste op zo'n koperen bal en een man met een dikke buik die in de deur stond met een jasje aan dat openwaaide als een tentflap en toen wagons vol burgers die dicht tegen elkaar aan stonden en met hun vuile, magere gezichten 'Prijs den Heer' zongen, hun mond wijd open.

Perry moet gezien hebben hoe ik schrok, want hij kwam naast me staan. 'Krijgsgevangenen,' zei hij. En toen bleven we de trein nakijken, de ene wagon na de andere vol vernielde burgers die de Here prezen. Om welke reden? Waarom zingen met blijde galmen? Is het niet beter om dood te zijn dan om daar op het beton te staan met zijn friemelende rode mieren en steentjes die kraken onder mijn warme schoenen, of daar in die stinkende wagons te zitten die hen, die hen... Waar naartoe brengen? Waar naartoe?

Perry liet me achter bij het karretje met de bagage, en ik zag hoe hij zich tussen de mensen door wrong. Mijn schoenen waren te groot. De mouwen van mijn jurk te lang. Het gezang van de mannen was nog van verre hoorbaar. Zo zongen we ook in het kamp en het klonk in mijn oren alsof door de psalm de tent werd opgeblazen als een vetgemeste kip, zo stonden de burgers te zingen op dat volle station met zijn lawaai en zijn geur als een roodverhit hoefijzer. Zo zongen de mensen op het perron als door een grote hand weggedrukt om hen pas weer los te laten nadat de trein in de warmte van de dag was verdwenen en de stemmen niet meer te horen waren, toen pas kwamen de mensen weer naar voren.

Opeens was Perry er weer, ik had hem niet horen aankomen. Hij hield kaartjes in zijn hand en zei: 'Wel, juffrouw Draper, van nu af aan ben je werknemer van Jack Perry's Photografic Services in Kaapstad.' Op die manier spreekt Jack Perry. 'Hier is je kaartje; ik zal het bewaren tot we instappen.'

Wat kon ik zeggen? Mijn Engels was absoluut niet goed genoeg. Ik stond daar maar met mijn mond vol tanden en met mijn hoofd half verborgen onder de nieuwe hoed. Misschien heb ik iets gezegd, ik weet het niet meer, maar Perry bleef praten en zei dat hij iemand als ik nodig had die hem hielp met de camera's en die hem kon bijstaan wanneer hij portretfoto's moest gaan maken bij mensen thuis of op een andere plek.

Iemand zoals ik? Wat bedoelde hij met iemand zoals ik? Hier zit ik nu in een donkere trein in de nacht en ik heb niets en niemand. Iedereen is dood, en ik weet niet zeker of ik zelf nog wel leef. Papa is dood. Mama. Neelsie. Alice. Misschien ga ik nu naar daar waar al die doden zijn. Naar de hemel. Maar daarvoor is het te donker, denk ik.

Daar op het station wilde Perry een foto maken van een stel soldaten die in een groep bij elkaar stonden. De meeste van hen waren ergens verbonden, of leunden op krukken. Gewonden. Hij vroeg hun te poseren, en ze lachten en praatten, en Perry haalde een camera uit die knobbelzak en gaf hem aan mij. Terwijl hij zich voorbereidde op die foto kwam er nog een trein, de wielen schreeuwend op de rails, met wagons volgepakt met hout en zinken platen, bovenop zwarten in dekens die ook naar al die mensen keken. En ik keek weer naar de soldaten die klaarstonden voor de foto, en een van hen, met de riem van zijn helm die zo in zijn wangen sneed, keek naar mij en zijn lippen krulden om als bij een bronstige ram. En ik keek terug en ik voelde iets in mij langzaam, langzaam vollopen zoals wanneer je water in een waskom giet, en ik wist dat het er weer uitgegoten zou worden samen met al het vuile water, dat ik slecht en zondig ben en dat ik niet eens in een trein behoor te zitten, nergens heen behoor te gaan.

Ik weet niet wat er toen gebeurde, maar Perry keek naar me om en hij kwam zo half bezorgd naar me toe en toen nam hij de camera van me over en hurkte om de dingen weer in de tas te stoppen.

Ik weet nu wat ik gezien heb. De gouden knopen van die gewonde soldaat die zo naar me keek. De knopen van zijn uniform. De ribbels van een of ander patroon erop. De blinkende gouden knopen. Het was in een tent. De knoop spatte los en tolde rond op het grondzeil en bleef toen liggen. En een andere man raapte hem op.

Het was oom Krisjan Schutte die de knoop opraapte. Nu weet ik het weer. Op het erf was hij het ook. Hij was degene die zijn broek zo met twee handen in zijn middel ophees alsof hij een baalzak optilde. Toen mama en ik. Toen mama nog leefde. Hij was het.

Het is als rijden in je eigen hoofd, zo'n trein in de nacht. Een oorlogstrein die geen licht mag maken, want dan zien de Boeren hem en schieten ze. Ik mag niet denken. Als het licht wordt, ja. Dan.

Hoofdstuk 25

Het is al helemaal licht in de kamer! Ze gaat geschrokken rechtop zitten en gooit de dekens van zich af. Ze heeft zich flink verslapen; waarom is Mrs. Simms haar niet wakker komen maken, het vervoer naar het hospitaal is natuurlijk al lang weg. Ze grijpt een paar kledingstukken, rukt de deur open en scharrelt naar de badkamer. Mrs. Simms is ergens iets aan het doen, ze hoort haar zacht neuriën en een kastdeur klappen. Ze duwt de badkamerdeur voorzichtig dicht en gaat er met haar rug tegenaan staan, haalt diep adem, probeert op verhaal te komen. The Sphinx. Zij, vier of vijf vrouwen, die arm in arm terug naar huis slingeren; op de hoek van de straat heeft ze afscheid van hen genomen zodat ze het huis ongemerkt binnen kon gaan. Dat is het enige dat haar hoofd haar toestaat, de herinnering aan de terugtocht die nacht. Ze voelt Annes vingers nog, de hand die warm en wat vochtig uit de hare glijdt.

Ze duwt zich van de deur af, schenkt water in de waskom en laat haar nachthemd van haar schouders glijden. Ze zeept de waslap in en begint haar hals en schouders te wassen, haar gezicht vol schaduwen in de spiegel voor haar, de ronding van haar schouder, het kuiltje boven haar sleutelbeen. Ze probeert zich iets te herinneren van de droom van de afgelopen nacht, maar dat wat ze probeert terug te halen, ontglipt haar, slechts een vage onrust blijft achter, een schim die even buiten haar blikveld blijft aarzelen. Ze wast met de grote koude lap over haar borsten, de gevoelige tepels, houdt haar handen als schelpen onder het zachte gewicht van haar borsten, de waslap nog in haar ene hand, en dan stelt ze zich de handen van iemand anders voor, en ze sluit haar ogen voor haar spiegelbeeld zodat ze hiervan niets hoeft te zien.

Mrs. Simms staat voor de deur te roepen. De man met de motorfiets, zegt ze. Susan kleedt zich haastig aan. Zou het echt Jacobs kunnen zijn? Ze groet Mrs. Simms met een verontschuldigend lachje, en gelukkig is de meewarigheid van de oude dame deze keer helemaal terecht en op een bepaalde manier geruststellend.

Jacobs zit wijdbeens op de motor, en hij groet haar met een mond die als bij een vis smal naar boven afbuigt, geeft dan, nog steeds met zijn neus in de lucht, haar de stofbril aan die op de zitplaats van het zijspan ligt en schuift zijn eigen bril van boven de zonwerende klep van zijn pet tot over zijn ogen. 'Je mag zuster Maxwell wel bedanken,' bromt hij zonder haar aan te kijken.

Als ze eenmaal zit, drukt Jacobs de versnellingspook op de tank tussen zijn benen naar beneden en laat de motor met een ruk op gang komen. Ze ronken de straat uit, stoppen nauwelijks bij de hoek, en ze moet zich vastklampen als het wiel van het zijspan van de grond loskomt. Het geschetter blijft in de lege straat tussen de huizen hangen en ze worden vanuit het dorp op wat zij vindt dat een zandweg is gekwakt, tussen bomenrijen, weidevelden en landerijen, de lage stenen muren druipend van het mos. De wind drukt haar uniform tegen haar lichaam, trekt aan haar haren. Ze ziet hoe de punten van Jacobs jasje op zijn dijen flapperen, op de dikke homp van zijn bovenbeen. Ze ziet de vastberadenheid en de strakke concentratie waarmee hij de motor de vlakste delen van de weg laat opzoeken. Het ontroert haar op een vreemde manier, en ze wordt er uiteindelijk door meegevoerd. Hij is een man, een soldaat. Ze wordt meegesleurd door de snelheid, het voorbijflitsende landschap, de bijna roekeloze vitaliteit, de levensdrang, het onverschrokken voortdenderen tussen bomen die verschrikt opzijgaan. Ja, dat denkt ze, ja!

En opeens is het voorbij. Ze stapt uit, zet de bril af. Strijkt over haar hoofd. Schudt haar haren los. Haar hele lichaam tintelt, het sidderen van de machine nog in haar, de vreugde van licht, wind en flitsende bladeren nog in haar ademhaling. Ze loopt over het grind de poort door, over de binnenplaats, in het milde zonlicht en de echo van haar voetstappen. Het leven kan zegevieren, weet ze nu, en ze weet ook wat haar te doen staat.

Ze gaat de status van Hamilton-Peake halen die in haar la op de administratie is opgeborgen en klopt bij Hurst aan. Weer slaat hij haar bijna behoedzaam gade terwijl ze naar zijn bureau loopt en gaat zitten. Ze kruist haar benen, ziet hoe zijn ogen voor een onderdeel van een seconde naar haar knieën dwalen, en dan weer terug. Hij leunt achterover in zijn stoel. Ze zet haar voeten weer naast elkaar, legt de map plat op haar schoot, haalt diep adem en begint te praten. Hij houdt zijn hoofd schuin in afwachting.

Ze schraapt haar keel. 'Ik heb nagedacht,' zegt ze, 'we moeten de patiënt van kamer 114 meenemen voor een rit op de motor.' Ze realiseert zich dat ze zijn naam nog steeds niet kan uitspreken, en hierdoor verliest ze haar fut.

'Dat meen je niet,' zegt Hurst, maar er verschijnt toch een geamuseerde trek om zijn mond, zijn ogen blinken als water in donkere kuilen. Ze reageert er niet op, houdt haar adem in, weet dat haar ogen, haar gezicht, de trotse houding van haar schouders, hem zullen moeten overtuigen. En dan zegt hij: 'Denk je dat Jacobs dit aankan?'

'Nee, hij niet,' zegt ze en ze ademt zacht en geruisloos uit.

'Wie dan? Een van de andere ordonnansen?'

'Nee,' zegt ze, aanvankelijk met neergeslagen ogen, dan kijkt ze hem recht aan, 'nee, ik wil zelf rijden.'

'Jij?'

'Ik rijd gewoon een eind de weg af en weer terug. Ik Nederland had ik een vriend met een motor en hij liet mij soms rijden.'

Hurst kijkt haar een poosje nadenkend aan. Waarom? hoort hij eigenlijk te vragen, maar dat doet hij niet, hij doet het niet. Met haar ogen vast in de zijne probeert ze het brute stotteren van de machine in haar binnenste levend te houden; ze laat haar gezicht, haar lichaam zeggen: dit is het léven! Dan gooit hij zijn handen in de lucht. Het zal wel tot hem doordringen dat er nu geen weg terug meer mogelijk is. Hij had onmiddellijk nee moeten zeggen, nu is het te laat.

Jacobs heeft zijn motor voor de poort gezet. Susan zit met haar handen op het stuur te wachten. Helm op, bril op haar neus. Het drietal komt de poort uit. Tussen Hurst en Jacobs de patiënt van kamer 114. Kolonel Hamilton-Peake. Hij hangt eigenlijk tussen hen in, zijn hoofd schuin achterover, zijn benen bengelend onder een kamerjas uit die op zijn kuiten hangt.

Susan probeert de motorfiets te starten. Haar schoen glijdt weg, ze krijgt het niet voor elkaar. Ze lacht zenuwachtig, en Jacobs komt haar helpen. Ze stapt af en laat hem starten. Ze slaat hem nauwlettend gade, ziet hoe Hurst de patiënt in het zijspan helpt.

Jacobs wil hem een helm opzetten, maar Susan houdt hem tegen. 'Ik wil dat hij de wind voelt,' zegt ze, 'de vrijheid, de openheid.' Ze spreidt haar armen wijd uit en lacht, maar ze weet dat haar gezicht eigenlijk pijnlijk vertrekt, alsof ze wil huilen, en dat komt gewoon omdat ze bijna overweldigd wordt door het besef dat ze op de drempel staat tussen duister en licht, dat ze op het punt staat met een motor door het dunne membraan te breken dat leven en dood van elkaar scheidt.

Jacobs kijkt naar Hurst. Die knikt in gedachten.

Susan geeft gas, de motor begint te stotteren. 'Daar gaan we!' schreeuwt ze, zet de versnelling voor haar naar rechts en ontkoppelt. De motor schiet vooruit.

'Niet te snel!' roept Jacobs haar na, en ze kijkt over haar schouder. Ze ziet de twee mannen met hangende armen naar haar staan staren, ook hier en daar mensen die uit het raam hangen. Wielen die over het grind knarsen, tjoektjoekgeluiden, grond die onder hen wegschiet. Hamilton-Peake klampt zich vast, zijn gezicht vertrokken van angst, van afgrijzen. Het struikgewas wijkt voor hen, de bomen buigen, de geur van graan, zonlicht en benzinedampen. Mijn hemel, wat ben ik aan het doen? vraagt ze zich paniekerig af. Wat bezielt me? Dan trekt ze aan de koppeling, zet de motor in een hogere versnelling en geeft meer gas. Ze voelt de kracht van de machine, de vibratie tegen de binnenkant van haar benen, de wind die aan kleren rukt. Ja, dit is het helemaal, dit is het enige wat ertoe doet, dit gevoel dat we leven. Ze denkt aan toen, aan haar handen onder het jasje van Jacques, alleen het dunne katoen van zijn shirt tussen haar vingers en de huid over zijn ribben. Ze lacht, schaterend komt het uit haar mond, eerst een laag keelgeluid dat samen met het gebrom van de motor stijgt en stijgt tot het gieren van een of andere roofvogel, denkt ze. Het is alsof ze zichzelf van een afstand hoort, alsof ze buiten zichzelf is, een eindje boven de motorfiets, alsof ze samen zweven, door de warme ochtend die naar diepe aarde ruikt, naar zaad, naar paardenzweet en naar lucht die er vochtig uitgeperst wordt terwijl huid tegen huid klapt en twee lichamen tot de dood toe zijn overgegeven aan niets, niets, niets.

Ze jaagt een heuveltje op en dan ligt het landschap voor hen open. Half verbaasd laat ze het gas los, begint te remmen, ontkoppelt de motor en laat de machine voortprutelen tot het lichte geknars van de wielen op de grond hoorbaar wordt en ze tot stilstand komen.

Haar adem gaat jagend, alsof ze een heel eind heeft gerend. Ze zitten, omgeven door het zwakke gepruttel van de motor, de plakkerige lucht, de dag die onbedwingbaar tussen de scheuren in de gouden graanlanden uitpuilt.

Een hele tijd zitten ze zo. Ze kijkt niet naar hem. Hoort hem niet, ziet hem niet, weet alleen dat hij daar is. Zelfs als ze begint te praten, kijkt ze hem niet aan. 'Misschien kun je het je herinneren,' zegt ze. Maar ze krijgt het niet voor elkaar te zeggen wat ze van plan was te zeggen.

Ze laat het gaspedaal voorzichtig los, verzekert zich ervan dat de motor niet afslaat. Dan haalt ze haar beide handen van het stuur, zet de bril en de helm af en schudt haar haren los. Ze stapt van de motor en loopt naar het zijspan.

De rechterhand van Hamilton-Peake ligt krachteloos op de rand van zijn zitplaats. Hij houdt zijn hoofd nog steeds krampachtig afgewend, de ogen als zoeklichten dwalend over de wolkeloze hemel. Ze buigt zich over hem heen, pakt zijn ijskoude hand en brengt hem naar haar gezicht, duwt zijn vingertoppen tegen haar voorhoofd, schuift ze omhoog op haar huid tot onder haar haren, drukt ze op het litteken en laat zijn vingers zachtjes over de ribbel glijden – over het rugstrengetje dat daar vriendelijk gebogen ligt, van wervel naar wervel, van zenuw naar zenuw.

Gebeurde er iets? Kwam er beweging in zijn vingers, in zijn ogen, in de buiging van zijn hoofd, de spanning van zijn nekspieren... was er een of ander teken dat hij iets voelde?

Ze rijdt langzaam terug, bijna kruipend in de eerste versnelling, en even langzaam maken haar gedachten zich van hem los en wentelen ze weer naar haarzelf. Wat betekende dit voor haar? Wat had zíj gevoeld? Maar haar gedachten stollen, worden een dikke en onhanteerbare brij, en het enige wat ze werkelijk kan registreren, is de vibratie in haar handen, aan de onderkant van haar bovenarmen, in haar rug en billen, naar beneden tot in haar tenen. Haar tanden klapperen zachtjes. Ze schudt haar hoofd, alsof ze lastiggevallen wordt door een bij, alsof ze iets van zich af wil schudden, maar ze kan het gevoel niet van zich afzetten dat het niet alleen de trillingen van de motorfiets zijn die haar zo vreselijk laten beven. Ze heeft het verkeerd gedaan, ze heeft een verschrikkelijke fout gemaakt. Ze heeft zich laten misleiden. Het is dit leven niet, nee, nee, nee, het is de dood. Dit stuiptrekkende skelet hier bij haar, hij is haar te na gekomen in de gedaante van de zon en de wind, de vruchtbare aarde, en zij was niet in staat te zien dat het slechts een masker was, want dit monster kan ieder moment dat masker afgooien en mijn benen met zijn knieën splijten en zijn lange ding in mij duwen.

Met haar ellebogen tegen haar lichaam aangedrukt rijdt ze het hospitaalterrein op. Hurst en Jacobs staan nog steeds voor het gebouw, lopen rondjes, de nek gestrekt om te zien van waar en wanneer ze terugkomen. Ze rijdt recht op hen af. Recht op hen af. Haar armen sidderen. Ze voelt de lange stappen van een paard onder zich, het bewegen van de sterke spieren tussen haar benen, het blazen van de enorme longen. Ze voelt het gewicht van de lange lans in haar hand, ze jut het paard op; ze ziet de ene man tegen een mierenheuvel ineenkrimpen, totaal verstard van angst, ze laat de lans zakken, het paard maakt een lange katachtige sprong voorwaarts, en in de volle vaart van ruiter en paard laat zij de lans vanuit haar heupen door katoen-huid-bloed flitsen, door de organen, door de berg mieren, en als zij de motor voor Hurst en Jacobs tot stilstand brengt, is haar hele bewustzijn nog vol van het extatische gekrioel van een bundel witte termieten op de besmeurde punt van een lans.

Ze rukt bril en helm met trillende handen van haar hoofd, en als haar voeten de grond raken, wendt ze zich af van de twee angstig starende mannen, buigt zich voorover en strijkt met vlakke hand over haar schoot, bang dat de sporen van wat pas is gebeurd op haar gezicht en haar kleren zichtbaar zijn.

Hoofdstuk 26

Het wordt licht. De trein ratelt maar door. Prikkeldraad. Kleine forten. Zuster Bettie heeft haar voeten
opgetrokken en ligt met haar hoofd op zo'n rond blauw
kussen, van hetzelfde gladde leer als van de zitplaatsen
in de trein. Alles hout vanbinnen, alles van hout, zelfs
het plafond. Dat is witgeverfd. Tussen de twee rijen
banken zit een deur met een glanzende metalen knip;
zo kom je in een gangetje, en Perry heeft me gewezen
waar ik naar de wc kan.

De verpleegster is nu wakker en borstelt haar lange blonde haren. Ze lacht naar mij en groet me en ze
ziet dat ik naar de borstel kijk die zo lang en glad over
haar haren knispert, en hoe zij haar gezicht zo half
wegdraait vanonder de beweging van de borstel, haar
mond scheef door het trekken van haar arm, maar het
is een vriendelijke glimlach die mij doet voelen dat ik
gerust mag kijken.

De verpleegster wijst met haar kin naar het raam,
en ik zie een klein fort voorbijflitsen met een Kakie ervoor die eruitziet alsof hij pas naar buiten is gekomen.
'Soldaten,' zegt de verpleegster, 'vind je ze aardig?'

Ik blijf uit het raam kijken, niet naar het kleine fort,
gewoon, naar het lege veld. Ze lacht. Ik hoor het knis-
peren van haar borstel. De andere verpleegster is ook

wakker geworden, want ze komt bij het venster staan en schuift het raam op, buigt haar bovenlichaam naar buiten en zwaait. Er wordt met iets tegen de wand van de coupé gestompt, achter de zitplaatsen, ik kan het tegen mijn rug voelen bewegen. Ik hoor nu ook stemmen. Soldatenstemmen.

Ik kijk Bettie aan. 'Nee,' zeg ik, 'nee, ik vind ze helemaal niet aardig.'

'Ik begrijp het,' zegt ze, 'het is jouw soort niet.'

Ik kijk op het briefje van dokter Molesworth in mijn hand.

'Jij bent een Boer,' zegt Bettie.

Klara trekt zich terug uit het raam, draait zich om. Bettie maakt haar haren weer vast met een speld. 'Het is niets,' zegt Klara. 'Je hoeft niet bang te zijn.' Ze komt weer op de bank naast me zitten. 'Wij hebben niets tegen de Boeren.'

'Ken je De Wet?' vraagt Bettie. 'Heb je hem al eens gezien?' Ze kijkt naar Klara en ze beginnen hard te lachen.

Als ze uitgelachen zijn, zegt Bettie tegen mij: 'We hebben hem gezien, in Thaba Nchu. Hij loopt zó,' en ze maakt snelle kronkelachtige bewegingen met haar hand, schaterlacht weer.

'Hij loopt heel vlug,' zegt Klara tussen haar geproest door. 'Hij kan niet stilstaan, nooit.'

Waarom vertellen ze dit aan mij? Ik weet dat ze iets anders zeggen dan ze bedoelen, en ik denk dat ik precies weet wat ze proberen te zeggen. Ik vind het niet prettig als mensen doen alsof ik niets weet. Alice deed dat soms ook, zoals die keer toen Jannie de Villiers ons vertelde over de Engelsen die bij Ladysmith de loop van de Long Tom vol buskruit hadden gestopt. Toen brachten de burgers het kapotte kanon naar Pretoria en daar zaagden ze een klein stukje van de loop af waarna ze weer konden schieten. En de burgers noemden het kanon van toen af aan niet meer de Long Tom, maar de Jood. Alice lachte en lachte, en Jannie ook, en ze keken naar mij en gebaarden zo met hun handen om te zeggen dat ik onnozel was.

Alice heeft mij heel wat keren gevraagd of ik Jannie de Villiers aardig vond, en als ik dan nee zei, zei ze dat hij mij wel heel graag mocht. Soms liepen zij en ik achter hem aan, dan hingen we zo aan elkaar en schreeuwden we naar hem: 'Jan!' en dan riep ik 'Makapan!' Als hij kwaad werd, zeiden we tegen hem: 'Ach, Jannie, we willen alleen maar dat je ons over de oorlog vertelt.'

Dan zei hij: 'Wat weten jullie meiden daar nu van.'

Jannie was van huis weggelopen naar een kommando, maar hij werd teruggestuurd omdat hij te jong was. Op een dag kwam hij gewoon bij het kamp aanrijden op zo'n veulentje – zijn voeten hingen bijna op de grond. Het paardje liep langzaam tussen de tenten door en Jannie hield zich alleen aan zijn manen vast. Toen zag zijn moeder hem en hielp hem van het paardje de tent in. Een van de *bontpootjies** kwam zijn geweer halen om het aan de kampwachten te geven.

'Hoeveel Kakies heb je doodgeschoten?' riep ik.

'Schiet ze maar voor hun raap, hoor, Jannie! Hier!' riep Alice en ze maakte zo'n gek bokkensprongetje en duwde met haar vinger tegen haar billen. We moesten lachen, Alice en ik, we lachten ons dood.

Jannie had het zakhorloge van zijn vader met riempjes aan zijn pols vastgemaakt. Hij zei dat je tijdens een gevecht niet moet sukkelen met een horlogeket-ting die overal aan blijft hangen, of een horloge dat het opgeeft als de lyddietbommen ontploffen en je je ach-ter de rotsen moet laten vallen.

'Maar het is het horloge van je vader, Jannie, het is niet van jou!' zeiden wij.

Dan zei Jannie niets. Wij weten niet wat er van zijn vader is geworden, ook niet van zijn broer. Jannie heeft wel eens gezegd: 'Als mijn broer terugkomt, zal hij jullie wel eens te pakken nemen.'

Er klopt iemand aan de deur, en als Klara vraagt wie er is, geeft Perry antwoord. Als de deur opengaat, kijkt hij onmiddellijk naar mij, daarna naar de twee ver-pleegsters. Hij lacht zo'n beetje en vraagt of alles goed gaat. Ik knik. 'In Beaufort-Wes kunnen we ontbijten,' zegt hij. Dan zeg ik dat ik even weg wil en hij doet de deur verder open.

Er is verder niemand in de gang en ik wilde niet echt naar de wc. Ik wilde ook niet naar buiten kijken; ik wist dat er zon was, en veld en prikkeldraad en hou-ten hutten met soldaten die de trein nakijken. Ik dacht aan Krisjan Schutte die Jannies geweer was komen ha-len en dat hij zijn broek optrok voordat hij zich bukte om de tent in te gaan. En ik dacht aan die nacht toen hij zich zo bukte en op het vloerzeil kletterde om de rol-lende gouden knoop te zoeken.

Perry schuift de deur dicht en komt naast me staan met zijn rug tegen de buitenwand van de trein. 'Waar kom je vandaan?' vraagt hij.

Ik kijk hem niet aan. 'Dat weet je toch,' zeg ik. 'Uit Winburg.'

'Uit het kamp?'

Pas dan kijk ik naar hem. Recht in zijn ogen, maar ik zeg niets.

'Hier is Beaufort-Wes,' zegt hij. 'Het duurt niet lang meer voor we in de Kaap zijn.'

Hoofdstuk 27

Mrs. Simms zegt dat er post is gekomen voor haar, en ze loopt snel naar haar kamer. Op het voeteneind van haar bed, op de teruggeslagen deken, ligt de brief met de rode postzegel van één cent van de Unie van Zuid-Afrika met het beeld van de zwaarbesnorde koning George in een ovalen omlijsting. Hij lijkt een beetje op Jack, denkt ze, en ze streelt met haar vingertoppen over de zegel en dan omlaag naar het adres in het compacte maar vloeiende handschrift van haar enige overgebleven contact met het vaderland. Deze ironie is haar nooit eerder opgevallen, die overeenkomst tussen Jack Perry en de Britse koning. De brief is doorgestuurd door het postkantoor in Dordrecht, ziet ze en ze scheurt de envelop haastig open.

Jack schrijft dat hij weer aan haar moest denken toen hij een vrouw met de achternaam Draper tegenkwam. Ze kwam zijn winkel binnenlopen om een afspraak te maken voor een fotosessie. Een deftige mevrouw uit Simonstad. Jack schrijft dat hij haar had gevraagd of ze een Alice Draper kende die in het concentratiekamp in Winburg had gezeten, maar de vrouw had nee geschud en was toen tamelijk kortaf geworden. Hij betwijfelt nu of ze wel zal opdagen voor de sessie. Dat was het enige wat hij erover schreef. Verder vertelde hij dat het land zich in de vernietigende greep bevindt van een wereldwijde griepepidemie en dat op een plaas tussen Kaapstad en Stellenbosch op één dag achttien kinderen werden begraven.

Ze verfrommelt het papier tussen haar vingers. Ze probeert zich iets voor te stellen van wat Jack schrijft. Ze was nooit in Stellenbosch geweest, nu kwam ze te weten dat daar een universiteit was. Ze probeerde Kaapstad terug te roepen in haar herinnering, het stationsgebouw, de Strandstraat, de zee, maar het enige waar ze in slaagt is zichzelf voor de camera van Jack Perry te zien staan, voor het koele blinkende oog van de lens.

Diep in gedachten blijft ze met de brief van Jack Perry in haar handen zitten. Van de plek waar ze geboren is, daar waar ze vandaan komt, is dit het beeld dat haar het helderst voor de geest staat, dat alle andere naar de achtergrond verdringt: zij die daar voor het onderzoekende oog staat, het oog dat het weidse land niet meer kan zien, de vlakten en het stof niet, noch de hoge ijlblauwe lucht en de rode zon. Het oog dat alleen tot in haar hart kan kijken en de schuld kan zien, de medeplichtigheid. Zij kent het, ze weet ook wat het is, want ze kan zichzelf ook objectief bekijken en er analytisch mee omgaan. Toen ze nog maar pas in Nederland was, in de kliniek van Reymaker, maar ook al tijdens haar opleiding in het Meerenberggesticht, had ze andere vrouwen gezien die totaal waren vermorzeld, geheel en al vertrapt, en toch niet los konden komen van de gedachte dat zíj de slang waren, dat ze dit verdiend hadden, dat het gif nog altijd in hen zat.

Zelfs haar opleving na zo'n vertrapping, in die triomfantelijke tijd toen ze haar geboorteland achter zich kon laten, was al snel geen zuivere extase meer. Ze kan zich herinneren dat ze zich destijds had omgekeerd, weg van de glinsterende zee en de berg die nog net even boven de horizon zichtbaar was, en dat haar blik gefixeerd raakte op de schoorsteen van het schip die zwarte rook de heldere lucht in spuugde en op het onverbiddelijke takelwerk van krakende stalen kabels. En nog iets, wat later, maar ook op het schip. In een kajuit, niet de hare, maar zij stond en achter haar zat een vrouw, op een bed, en die vrouw had naar haar gekeken, en die vrouw had haar gehaat, verafschuwd, want die vrouw kon zien wie en wat zij in werkelijkheid was en wat ze aan het doen was. Hoe dikwijls wordt ze niet belaagd door dat spook, dat toneel met die onbeschrijflijke spanning die ze op een of andere manier volkomen begrijpelijk vindt, zelfs verklaarbaar, maar tegelijkertijd absoluut duister en onpeilbaar.

Ze was een van de zevenenveertig eersteklaspassagiers op de Glenart Castle. Omdat zij alleen reisde, vrouw alleen, kon ze een eenpersoonshut krijgen. Klein, donker, schommelend... benauwd! Nadat de kapitein, of was het een van zijn bemanningsleden, de deur de eerste keer achter zich had dichtgetrokken, was ze begonnen haar kleren uit te pakken, maar al heel gauw had ze haar koffer dichtgeklapt en was ze snel naar buiten gelopen. Overdag was ze meestal in de eetzaal of op een van de dekken, 's avonds probeerde ze zo snel mogelijk in te slapen.

De meeste passagiers spraken Engels, maar er was ook een Nederlands echtpaar, al oud. Meneer en mevrouw De Goede. Ze waren lang genoeg in het land geweest om vlot Afrikaans met haar te spreken, hoewel ze het pas had gedurfd nadat de mevrouw haar een lepeltje gemalen gember had gegeven tegen zeeziekte. 'Richt je ogen maar zo ver mogelijk daar op de horizon, mijn kind,' had meneer De Goede steunend gezegd, zijn stem een suizende ademhaling, alsof die met een blaasbalg door zijn mond en neus werd geperst.

Ze had ontdekt dat hij dikwijls naar haar zat te kijken, die meneer De Goede. Vanonder zijn ruige wenkbrauwen bewogen zijn ogen zich als die van een leguaan, zijn brede bovenlip in een punt als van een schildpad. Na een dag of drie op zee begon ze vreselijke jeuk te krijgen, en dat had hij natuurlijk opgemerkt. 'Gewoon luizen, mijn kind,' had hij zich aan de overkant van de tafel laten horen. 'Dit schip wordt immers voor soldaten gebruikt.' Hij duwde zich omhoog in zijn stoel, zijn ogen flitsten in de richting van zijn vrouw, en toen zei hij: 'Kom. Ga mee naar onze hut. Ik heb iets wat je zal helpen.'

Susan heeft het gevoel alsof die scène zich weer binnen in haar afspeelt, alsof heel haar binnenste uitgewrongen wordt als een laken waar het zeepsop uit geperst wordt. Dat ogenblik waarop ze destijds geschrokken bleef zitten en wat angstig naar mevrouw De Goede had gekeken, beleeft zij nu zo echt alsof ze terug is in de salon van het schip.

Mevrouw De Goede pakte doodgemoedereerd haar tas op en begon aanstalten te maken mee te gaan. In de hut gaat ze op een van de eenpersoonsbedden zitten, haar tas op haar schoot, kaarsrecht als een hondje dat om een stukje vlees bedelt. Meneer De Goede trekt een tas onder zijn bed uit, zo een die lijkt op de dokterstas van dokter Molesworth van toen. Hij knipt hem open en begint spullen op het tafeltje naast het bed uit te stallen: een stamper, vijzel, lepeltje en twee blikjes. Hij doet een van de blikjes open en schept met een lepel er wat uit in de vijzel. 'Doodgewone theeblaadjes,' zegt hij. 'Heel goed fijngestampt.' Pas dan slaat hij zijn ogen op naar waar zij niet op haar gemak midden in de hut is blijven staan. 'Kom zitten, mijn kind,' zegt hij en hij wijst met zijn hand naar het bed waarop zijn vrouw zit, en met de andere krabt hij in een van de grijze stroken baard op zijn wangen die van zijn glimmende kale hoofd voor zijn oren langs lopen tot even onder zijn kaak.

Ze gaat zitten toekijken hoe hij zich over de vijzel buigt, zijn linkerhand als een schelp over zijn mond terwijl hij hoorbaar in de vijzel spuugt. Met zijn rechterhand haalt hij een zakdoek uit zijn broekzak en vlak voordat hij er zijn mond mee afveegt, ziet zij een glimmende draad speeksel tussen de tuit van zijn mond en de vijzel. Ze rilt, zich intens bewust van de stugge, zwijgende vrouw naast haar.

'Neem me niet kwalijk,' blaast meneer De Goede, 'het is jammer genoeg de enige manier; water zal geen effect hebben.' Hij doet het andere blikje open en krabt er heel voorzichtig met het lepeltje in. 'Kwikzilver,' zegt hij met zijn mond zo dicht bij het blikje dat zijn stem er hol in weergalmt. Met trillende hand brengt hij het lepeltje met een sidderend blinkend balletje naar de vijzel en laat het erin vallen. Meneer De Goede begint nu met de stamper te werken; zijn twee wenkbrauwen springen als vechtende stinkdieren naar elkaar toe, zo heftig concentreert hij zich. De stamper gaat tekeer in de vijzel als tanden die op elkaar knarsen.

Susan kijkt weer naar mevrouw De Goede, merkt dat ze haar hoofd licht schuin houdt, de lippen in gedachten van elkaar los, als een moeder die haar kind in de gaten houdt dat voor het eerst een schoen probeert vast te maken. Ze ziet dat de oudere vrouw zwaar slikt.

De oude grijsaard haalt een nogal dik stuk touw uit zijn tas; hij laat de punt ervan eerst in de vijzel zakken en gebruikt dan de stamper om het spul in het touw te werken. Zijn ogen flitsen telkens op naar Susan, en als hij tevreden is met wat er dan ook in het koperen kommetje aan het gebeuren is, heft hij zijn zware linkerhand en steekt hem uit naar Susan. 'Kom eens hier, mijn kind,' zegt hij en hij blaast zijn adem vanonder zijn bovenlip over zijn borst en de welving van zijn buik.

Voorzichtig staat ze op, zet een stap in zijn richting, nog een aarzelende stap tot bij hem. Ze ziet het touw als een bruin slangetje opgerold in de vijzel liggen.

Meneer De Goede pakt de twee punten van het touw met de vingers van één hand vast en trekt het eruit, laat het touw dan los uiteenvallen in een lus. Hij wenkt haar met de linkerhand dichterbij. 'Kom, mijn kind, als je je nu een beetje vooroverbuigt dan...' Zijn vingers lokken haar nader, lokken haar nader.

Ze kijkt snel om naar de vrouw achter haar. Ziet hoe haar handen zich om de bovenrand van de tas klemmen, haar gezicht bezorgd. En dan voelt ze de vingers van meneer De Goede in haar nek, en ze deinst achteruit.

Hij blijft met zijn handen voor hem uit in de lucht

zitten, in de ene de lus, als een man die een wild paard wil vangen. Hij knijpt zijn ogen geruststellend dicht en schudt licht zijn hoofd. 'Je hoeft alleen maar je kraag zo'n beetje weg te schuiven, dan maak ik het touw om je hals vast,' zegt hij. 'Je draagt hem daar waar niemand het kan zien, en dan is het afgelopen met de luizen. Dat zul je zien.'

Langzaam buigt ze zich voorover en hij maakt het touw als een halssnoer achter in haar nek vast. Hij duwt zijn handen onder haar haren, zijn hoofd zo dichtbij dat ze zijn lichaamshitte kan voelen, de poriën en de schamele grijze haren op zijn hoofdhuid kan zien. Dan glijden zijn handen van haar schouders, hij schuift de kraag van haar bloes recht, zijn ogen tasten bezorgd haar gezicht af. Ze knijpt haar ogen dicht en voelt hoe hij het haar uit haar gezicht strijkt en hoe zijn vingertoppen warm en droog tegen haar voorhoofd omhoog kruipen naar waar ze weet dat hij nu het litteken kan zien. En achter haar branden de ogen van mevrouw De Goede in haar rug, ze wil zich losrukken en wegrennen, maar ze is totaal verlamd, gevangen tussen de tastende vingers van de man en de schroeiende blik van de vrouw. Ze weten het, denkt ze, ze weten het.

Ze staat haastig op van haar bed, ze kan de herinnering niet langer verdragen; de brief van Perry nog steeds verfrommeld in haar handen. Ze probeert zich los te maken van de blik van de vrouw, als zoveel keer tevoren – die veroordelende, verdoemende vrouw die naar haar en haar man zat te kijken. Ze voelt zich weer verschrompelen onder die ogen, zakt dan toch weer op het bed, strijkt het papier van de brief glad en begint ijverig te lezen, maakt niet uit waar, alleen om iets te hebben dat de herinnering zal wegvagen uit deze kamer met zijn fantasieloze muren, de zwijgende gordijnen, de onsympathieke meubels.

Geleidelijk aan krijgt ze weer grip op wat Jack heeft geschreven, langzaam doemen er nieuwe beelden voor haar op. Wie zou die vrouw met de naam Draper zijn die in de winkel van Jack is geweest? Het is alsof er schaduwen achter een gordijn bewegen. Alice had familie in Simonstad, ze had soms over hen gesproken, maar haar vader was afkomstig uit Ladybrand. Van rulle grond, groene ruigtes en gladde, ronde rotsen en populieren die sidderden in de wind. Ze probeert zich het land waarover Jack schrijft – haar land – weer voor de geest te halen, maar haar gedachten raken weer verstrikt, deze keer in iets wat ze absoluut niet kan plaatsen. Een bizar beeld. Het enige wat ze weet, is dat het te maken heeft met iets wat eerder deze dag in het hospitaal is gebeurd, maar het is ook alsof het beeld altijd in haar heeft gewoond, van het begin af aan, zonder dat ze zich ervan bewust was. Het is alsof alles wat nu in haar gedachten aanspoelt er altijd al was. Het is de dansscène. Alice en zij en Hamilton-Peake dansen tussen de tenten van het kamp in Winburg, in een fijn, gouden waas van stof dansen ze, de hand van de ene om de onderarm van de ander, in een gesloten kring, wild tollend als een wervelwind al rond en rond, zijn hand droog en warm om haar arm, de stof van zijn uniformjasje zachter dan zij gedacht had – oh, maar jij bent monate, zegt hij, jij bent een lekker ding, en zij wil haar jurk die wat van haar schouder is afgezakt, optrekken, maar ze kan de kring van handen niet verbreken, en Alice kijkt ook naar haar, lacht met haar mond wijd open en haar hoofd achterover, en ze voelt hoe de handen van Hamilton-Peake en van Alice koud worden op haar huid, ze ziet hun ogen verstarren, hoe zij in haar armen sterven, en zij blijft staan, als enige – de enige die durft te leven in dat vervloekte land, de enige die nog altijd leeft.

Ze moest weg uit dit land, daarvoor heeft het leven zelf gezorgd, maar om wat in leven te houden? Het was mijn begin en mijn einde, denkt ze. Mijn begin en mijn einde.

Ze zal Perry vanavond terugschrijven. Ze zal over het hospitaal en haar werk schrijven, over dit land en zijn mensen. Over Jacobs, Anne en Hurst. Ja, ook over Hurst, maar wat? Ze mag hem graag, hij is eerlijk en zó bekwaam, maar om de een of andere reden veroorzaakt de interactie tussen hen altijd iets anders dan de bedoeling was. En dat was al lang voordat ze wist van Hamilton-Peake. Ach, ze weet het ook niet, ze haat het om zo overgeleverd te zijn aan dingen in haar waarop ze niet echt behoorlijk greep kan krijgen.

Er zit een knipsel uit *The Times* bij de brief ingesloten. De naam van een schip leidde haar oog naar het bericht. De Glenart Castle. Het is het schip waarmee ze destijds uit de Kaap is vertrokken, nu heeft het zijn zeemansgraf gevonden. Getorpedeerd op 26 februari. De hoofdverpleegkundige van het schip, Katy Beaufoy, is een van de slachtoffers. Susan herinnert zich hoe haar hart tekeerging toen ze las dat Katy ook in de Boerenoorlog was geweest. Ze was het hoofd van het militaire hospitaal in Exeter toen de oorlog uitbrak. Ze had zich vrijwillig bij het leger aangesloten en bleef gedurende de hele oorlog in Zuid-Afrika. Haar eerste reis op de Glenart Castle was ook haar laatste.

Soms, denkt Susan nu, en het is de allereerste keer sinds die donkere reis van het concentratiekamp af dat zij zo denkt, soms is het beter dat een reis vroeg eindigt.

Hoofdstuk 28

De trein begint te schokken en gaat dan langzamer rijden. Zijn we er al? Is dit het einde van de reis? Maar misschien is het gewoon weer een station, weer een dorp. Bomen schuiven voorbij, bruinachtige bomen die zich staan te warmen in de zon. Dan een groot wit gebouw als een kasteel. Misschien zijn we toch in Kaapstad.

Bettie en Klara zoeken hun spullen bij elkaar, en ze hebben beslist gezien dat ik een beetje in de war ben, want Bettie zegt dat dit Matjiesfontein is. Daar moeten zij uitstappen. Zij gaan naar het oorlogshospitaal hier.

Kaapstad, daar moet ik naartoe. Om wat te doen? Wat gaat er van mij worden? Het zal mij getoond worden, heeft Mamello gezegd. Ik weet niet of zij in de Here geloven, dat weet ik niet, maar ik denk het eigenlijk wel.

Ik geef de verpleegsters een hand. Ze lachen en daar word ik boos om. Door het raam is te zien dat hier heel veel mensen uitstappen. Buiten wemelt het van de Tommies. Al de gewonden die in Bloemfontein zijn ingestapt, stappen hier uit, lijkt me, maar ik zie ook een heel stel nieuwe, schone uniformen. Ook een groep vrouwen met lange geplooide jurken en grappige platte hoedjes en een paar met paraplu's tegen de zon.

Sommige vrouwen lopen vlak langs de trein en ik kan hun stemmen horen. Ze spreken Engels. Bettie en Klara lopen daar ook, en er zijn nog meer verpleegsters.

Soldaten en verpleegsters. Daar bestaat de wereld uit. Zij die gebroken zijn en zij die wat gebroken is heel moeten maken. Ik weet niet hoe een man als Jack Perry daartussen past. Hij kijkt alleen. Hij staat achter zijn camera en kijkt wat ervóór gebeurt. Hij staat ver genoeg weg om geen deel uit te maken van de oorlog.

Zo zal de Here het ook wel doen. Hij kijkt toe, van veraf. En Hij wendt zijn aangezicht af van degenen die Hem niet behagen. Dan kijkt Hij maar liever naar het veld vol stenen. Aan wiens kant zou Hij staan, aan de kant van hen die doodgaan of aan de kant van hen die doodmaken? Er zijn toch ook Boeren die doodmaken. En doodgaan. Degenen die sterven, zij die hier in dit grind, tussen de struiken begraven worden, die gaan recht naar Hem toe. De anderen, de schuldigen, die vanbinnen verrot en besmet zijn, die... Ja, wat gebeurt er eigenlijk met hen?

En alsof de Here in eigen persoon mij hoort, zie ik hen aankomen. Ik zie ze voor het eerst als ze zo drie wagons van ons vandaan uitstappen, de twee soldaten, de ene met het geweer over zijn schouder en de ander die iets in de voorste zak van zijn uniform stopt. Tommies. Ze lopen langs de trein,en ik weet niet hoe, maar opeens weet ik wat ze doen – ze komen de passen van de mensen controleren! En het enige wat ik kan doen, is zitten toekijken. Ik wil opspringen, maar ik kan het niet, mijn benen zijn als verlamd, mijn hele lichaam is als een kom slappe pap die uitgegoten is hier op de bank. Nu weet ik wat er van mij gaat worden, dit is het antwoord van de Here. Ik zie hen in de trein stappen, ik zie het, maar als ze binnen zijn, krijg ik kracht.

Gelukkig heb ik geen moeite met de deur, en buiten de coupé, in het gangetje, staat Jack Perry. Als hij de deur hoort opengaan, kijkt hij langzaam om en ziet mij. En ik sta daar maar, en kijk hem aan, ik kan niets zeggen. Ik kan er geen woord uitbrengen. Naast hem, door het raam, zie ik het veld. Het droge, harde open veld dat vol stenen ligt en oploopt naar een lage heuvel, alles vaal en kaal en leeg met de zon die ergens is, ik weet niet waar, maar de zon is boven en in en deel van alles – hij schijnt uiteindelijk vanuit het grind op naar boven.

'Blijf maar gerust zitten,' zegt Jack. 'En probeer niet bang te zijn. Ik zal met hen praten.'

Ik weet niet hoe hij ze heeft ontdekt. Hij heeft vast alleen mijn gezicht gezien en het gelezen. Zij zullen het ook aan mijn gezicht kunnen zien. Ze zullen het meteen weten.

Ik kan nu alleen nog wachten. Alleen nog voor me uitkijken en wachten. Mijn ogen stijf dichtdoen en wachten. Wat zullen ze met me doen? Ik probeer na te denken, maar dat lukt niet, ik kan mijn gedachten niet sturen. Ik zie alleen het lege veld, de warme stenen, en ik voel de hitte door het raam komen, de stenen die het uit schreeuwen, de bazuinen die weergalmen, en de voetstappen in de gang. Ze willen de passen zien, zeggen de stemmen. Ik had gelijk, ze zoeken mij, dit is het einde. Het einde is zoals dit veld waar je niets kunt zien maar ook weer alles. Alles is dáár, al kun je het niet zien, ook al kun je het niet zien, het is er wel. Zoals de zon.

Ik weet niet hoe lang ik zo gezeten heb, maar op-eens gaat er een schok door de trein. En nog een. Waar is Jack Perry? Daar begint de trein te bewegen. De ge-bouwen schuiven voorbij. De mensen. De soldaten. De soldaten.

Wat is het plan van de Here? Dat zal mij getoond worden, had Mamello gezegd. Het zal mij getoond worden.

Hoofdstuk 29

Als zij die ochtend op haar werk komt, staat Hurst in de gang te wachten, in het glinsterende ochtendlicht dat door een raam valt, zijn bleke gezicht half in de schaduw gehuld. Hij groet stroef.

'Is er iets?' vraagt ze.

'Kom maar mee,' zegt hij, diep in gedachten, draait zich om en begint de gang door te lopen.

Nog lang voordat ze er zijn, weet ze waar ze naartoe gaan. Kamer 114.

Hurst staat met zijn hand op de deurklink te wachten tot ze bij hem is voordat hij opendoet. Met gebogen hoofd staat ze achter hem, ziet waar de naad van zijn broek een lichte kronkel maakt voordat hij onder de rand van zijn laars verdwijnt. De deur klikt open, en als er een scharnier piept, wil ze de deur grijpen, de verstoring voorkomen.

Ze loopt achter de gladgestreken rug van Hursts uniform het schemerige vertrek binnen.

Kolonel Hamilton-Peake ligt onder een laken. Onder het tentje over zijn neus zakt het witte materiaal weg alsof het met een laatste snik naar binnen werd gezogen door de stervende mond.

Voordat ze zichzelf kan tegenhouden, draait Susan zich heftig om, raakt bijna de borst van Hurst. Hij zet een stap achteruit. Zijn ogen even op haar gericht en dan over haar schouder, onderzoekend, nee, nieuwsgierig, alsof hij ongemerkt wil uitzoeken wat haar zo van streek heeft gebracht.

Wat wil hij precies weten? Waarom heeft hij haar hier naartoe gebracht? 'Waarom heb je dit gedaan?' vraagt ze en ze schrikt van haar schorre stem.

In een flits kijkt hij haar weer aan; een bezorgde frons op zijn voorhoofd, vingertoppen tegen zijn borst, zijn ogen nu heen en weer tussen haar en het bed.

'Waarom heb je me hier naartoe gebracht?'

Hij zet een stap opzij, gaat dwars staan, duidelijk om het stille bed buiten zijn blikveld te brengen zodat hij zijn volle aandacht aan haar kan geven. Hij had het haar ook gewoon kunnen vertellen. Tenslotte was het in eerste instantie zíjn patiënt. Hij wilde hem genezen zodat hij zijn plaats in de loopgraven weer kon innemen. Vechten voor zijn verdomde koning. Ze is bijna verblind door woede. 'Je neemt het me kwalijk, is het niet?' Ze is nog net in staat haar stem te beheersen. 'Daarom heb je me hier naartoe gebracht. Je denkt dat ik hem heb gedood.'

Hij kijkt haar nog steeds aan met die bekommerde, bijna bezorgde blik. 'Het was leven of dood,' zegt hij. 'Het kon beide kanten uit. Dat wist je toch?'

Ze kijkt de andere kant uit. Stel dat hij nu rechtop in bed had gezeten? denkt ze. Als hij springlevend was geweest. Als ik zijn leven had gered?

Hurst praat tegen de zijkant van haar gezicht: 'Omdat jij er zo bij betrokken was, juist omdat je er zo intens bij betrokken was geraakt, dacht ik dat je het zou willen weten – zou willen zíén.' Hij slaat zijn armen over elkaar, en zijn professionele zelfbeheersing maakt nu plaats voor iets nukkigs dat ze nooit eerder bij hem heeft gezien. 'Op de manier waarop wij dokters de dingen doen,' zegt hij vanonder zijn wenkbrauwen.

'Wij dokters!' Ze spuugt de woorden uit. 'Opeens ben ik een van de onzen. Natuurlijk, nu snap ik het – nu er een lijk in dat bed ligt, hoor ik bij de mannen. Nu maak ik deel uit van heel dit ziekelijke spel...' Ze zoekt naar woorden, ontdekt dat ze hem niet goed kan zien en slaat met haar handen tegen haar heupen. Hurst deinst letterlijk terug als voor een aanval, zet nog een stap opzij. Ze beginnen als boksers om elkaar heen te cirkelen. Haar ogen graven zich in zijn gezicht, haken aan de onkreukbare façade, het vlekkeloze gelaat. Dokters! Zoals die vent die zonder met zijn ogen te knipperen daar in die vervloekte tent zat en terwijl het hele Winburg zijn snot, darmen, pijn en ellende uithoestte en kotste, schreef hij met die glanzende, vonkende, vuurspugende pen van hem, godweethet, schreef hij dat de oorzaak van mijn dood, dat de oorzaak van mijn dood...

Ze verstart. Kijkt angstig naar links, rechts, alleen niet naar het bed. De deur staat nog half open, daarachter de dofwitte vlek van de gangmuur. Ze staat te hijgen, klauwt met haar hand vlak onder haar keel. Ergens klinken de vertrouwde hospitaalgeluiden. Iemand roept, iets valt. Voetstappen. 'Zoals dokters de dingen doen,' hoort ze zichzelf zeggen. Ze kijkt hem weer aan. Stil. En helemaal tegen haar wil in daalt haar blik af; tegen alle redelijkheid in geeft ze toe aan de hunkering van haar ogen om die klankdichte plooi van zijn mond binnen te glippen om daarbinnen iets zachts en liefs en toch ook echt, hélemaal echt iets weerbarstigs te vinden. 'Het spijt me,' zegt ze zacht, 'ik had het moeten weten.'

Hoofdstuk 30

Het station van Kaapstad was nog heel wat groter dan dat van Bloemfontein. En heel wat drukker, met nog meer lawaai. De mensen hadden mooiere kleren aan. Zelfs de zwarten waren beter gekleed, maar Perry zegt dat het niet het soort mensen is waar ik aan gewend ben. Ik zie het nu ook, ze zijn niet zo zwart en ze hebben glad, glanzend haar en ze zijn veel brutaler en zeggen gewoon rare dingen en dan lachen ze hard en onfatsoenlijk. En Perry en ik staan daar tussen al die mensen, ik voel me niet helemaal op mijn gemak, Jack ook niet, zie ik. Hij kijkt over de mensen heen alsof hij iets zoekt.

De meeste Engelse soldaten zijn in Matjiesfontein uitgestapt, bij het hospitaal, maar er zijn ook een paar gezonde ingestapt om hier vanuit de Kaap met een schip naar Engeland te reizen. Toen de trein dicht bij het station van Kaapstad was, zag ik een stukje van de zee, en leek het wel alsof mijn maag zich omdraaide. Ik wist gewoon niet wat ik zag en ik kon alleen maar kijken en kijken naar dat platte, glinsterende ding dat daar lag. Ik kon me niet voorstellen dat het allemaal water was.

Ik weet niet wat we nu gaan doen. Het huis van Jack staat hier ergens in de stad en daar woont hij met zijn

vrouw. Ze hebben geen kinderen en hij heeft me gezegd dat er plaats was voor mij om daar een tijdje te
logeren tot er zich iets anders voordeed. Dat heeft hij
tegen me gezegd toen hij vanaf Matjiesfontein bij mij
in de coupé kwam zitten. Toen kon ik al gemakkelijk
met hem praten, want er viel niets meer te verbergen.
Hij weet wie ik ben en waar ik vandaan kom, en hij
hoort niet bij de vijand al spreekt hij Engels en werkt
hij voor de Britten. Hij kan mij goed verstaan en kan
een paar woorden Afrikaans spreken. We kunnen vlot
met elkaar praten.

Jack zegt dat hij een fotozaak heeft hier in de stad,
maar voor de oorlog moest hij ook meubels verkopen
om genoeg geld te verdienen. Nu werkt hij meestal
voor de Engelse regering, die goed betaalt voor oor-
logsfoto's. Daarom was hij in Winburg. Hij is ook verschillende keren lange tijd met Britse colonnes in het
veld geweest, niet bij de grote veldslagen, maar hij
heeft wel een paar kleinere gevechten meegemaakt.
Dat heeft Jack mij verteld terwijl ik almaar meer bergen langs de trein zag en geen kleine forten of prikkeldraad meer.

Jack zat een hele tijd samen met mij naar het veld
te kijken dat er totaal anders uitzag dan dat van de
Vrystaat, en na een tijdje vroeg hij me opeens, zomaar
spontaan, of ik soms Daughtie Lourens had gekend.
Ik had nog nooit van haar gehoord, zij was niet in het
kamp. Toen heeft Jack me de foto laten zien. Hij vertelde dat hij eerder dit jaar, ik denk in januari of februari,
het moet in de tijd zijn geweest dat ik in de grot was,
dat hij samen met een groep Kakies op kommando
was ergens in Onder-Vrystaat. Op een middag zo te-

gen zonsondergang kwam een kapitein met een paar ruiters terug van een patrouille, en hij liep zijn tent uit toen hij de hoefslag van de paarden hoorde. Hij zag dat er een huifkar bij hen was met een heel magere merrie en op de kar zaten twee oude, erg oude Boeren en een jong meisje, zo'n jaar of vijftien. Dat was nou de Daughtie waarover hij het had gehad, dat meisje. En ze was daar samen met de twee oude soldaten die met hangende schouders zaten te schommelen op de huifkar. Dat meisje, ontdekte Jack toen, zat zo voorover gezakt omdat haar handen aan het modderscherm waren vastgemaakt.

Toen liet Jack mij de foto zien, hij haalde hem uit een trommel die in de tas met de camera's zat. Het was geen grote foto, maar hij was erg duidelijk. Ze stond bij de huifkar recht in de lens te kijken. Ze maakte de indruk boos te zijn, maar er was ook iets anders. De kapitein had tegen haar gezegd dat hij haar naar het kamp in Springfontein zou brengen, daar hadden de Kakies haar gevangen, de paardenkar had gewoon zomaar op de open vlakte gereden, met bijna geen eten en alleen de kleren aan hun lijf. En de kapitein had tegen het meisje gezegd – het was een kwaad klein ding, zei Jack Perry, zo'n kleine wilde kat – dat hij haar terug zou brengen naar het kamp. Toen zei ze tegen hem dat ze dat weigerde, ze zou niet teruggaan, ze was juist uit dat kamp weggelopen. Gewoon zo tegen hem. Toen hebben de Kakies haar met haar handen aan het modderscherm vastgemaakt.

Dat verhaal heeft Jack mij verteld. Hij was naar haar toe gegaan om haar naam te vragen en of hij een foto van haar mocht maken. Dat was de foto die hij mij liet zien. Ik heb er niet zo lang naar gekeken, dat wilde ik niet. Haar haren hingen los en zaten aan elkaar ge-koekt en het leek alsof ze alleen haar onderjurk aan-had. Ik weet niet waarom ik dat dacht, maar ik dacht dat het goed was dat ze haar hadden gevangen, dat ze het verdiend had, dat ze zondig en vuil was. Daarom wilde ik niet naar de foto kijken.

Ik heb niets gezegd, alleen de andere kant uitge-keken, en Jack heeft de foto weer weggestopt. Toen hebben we een hele tijd niets meer gezegd. Hij had de foto bij de fotowinkel van Caney in Kimberley laten ontwikkelen, zei hij alleen nog. Dat was alles. Ik wilde tegen hem zeggen dat ze het had verdiend, maar dat deed ik niet. Ik dacht aan de soldaten die in Matjies-fontein naar me toe kwamen, en ik zei niets, voelde me alleen niet prettig. Ja, ik had er een slecht gevoel bij dat die Daughtie, of hoe ze ook mocht heten, dat zij was gepakt en ik niet, want ik weet dat ik net zo schuldig was als zij.

Misschien hebben we te veel met elkaar gepraat, Jack Perry en ik. Dat is niet netjes, dat hoort niet zo. Wie ben ik om zo met Jack Perry te zitten kletsen? Wie ben ik?

'Kom, zegt Jack, 'ik ga je wijzen waar de toiletruim-te is, dan ga ik gauw mijn bagage halen terwijl jij daar bezig bent.'

Hij zegt dat woord nog ook! En hier staat het boven de deur geschreven: *Lavatory for Ladies*. Ik kijk maar lie-ver gauw de andere kant uit.

'Wacht op mij bij de ingang,' zegt Jack. 'Blijf daar alsjeblieft staan, anders vind ik je nooit meer terug.'

Hier sta ik nou. Het ziet er hier zo precies uit als

op het station in Bloemfontein, behalve dat hier een spiegel is. De laatste keer dat ik mezelf heb gezien, was in de grot, in de spiegel die Tiisetso had meegebracht. Zonder de muts. Mijn haren lang en wild en los, en als ik mijn haar wegtrek, zie ik het litteken van de snee, precies bij de haargrens tot ver over mijn hoofd. Nu met de muts die alles verbergt. Ze had op zijn minst een kapje kunnen dragen, die Daughtie Lourens. Mijn hoofd was tenminste bedekt toen die vervloekte Kakie daar op het station in Bloemfontein zo naar me keek.

Jack staat buiten al te wachten. We banen ons een weg tussen de mensen door. Hij moet wel sjouwen met mijn spullen erbij. Buiten op straat moet ik eerst even blijven staan, het licht is erg scherp en er hangt een wel erg vreemde geur. Het stinkt. Jack kijkt me aan en zegt: 'Ik heb er nog eens over nagedacht en ik weet nu wat de beste plek is voor jou.' Hij begint weer te lopen. 'Kom,' zegt hij, 'het is niet ver. Alleen deze brede straat door; je kunt het huis al zien, dáár!'

Het is niet ver, maar met al die bagage dreig je wel onder de wielen of onder de voeten van de vele soldaten terecht te komen. Het is een Tommie-nest, dit Kaapstad. Er is een brede trap tot bij de voordeur met blinkende ruitjes. Jack praat met iemand die de deur opendoet en dan gaat de deur weer dicht. De lucht zit vol lawaaiige vogels. 'Meeuwen,' zegt Jack. 'De zee ligt hier vlak achter, kun je het horen?'

Ik probeer te luisteren, maar dan gaat de deur weer open en we gaan naar binnen waar een vrouw op ons staat te wachten in zo'n gang met een heel hoog plafond. Ze is al ouder, maar ze ziet er sterk uit, ze is ook erg sterk, en ze draagt deftige kleren, zwart, glanzend fluweel met zo'n klein spierwit kraagje hoog op tot tegen haar kin en haar haren zijn vanuit het midden strak naar achter gekamd en vastgemaakt, boven op haar hoofd zo'n plat hoedje. Mevrouw Koopmans, zegt Jack.

De vrouw kijkt naar mij en dan naar Perry. 'Mijn lieve hemel, meneer Perry,' zegt ze, 'hoe lang is het geleden dat ik je heb gezien?' Ze spreekt erg goed Engels. 'Dat moet geweest zijn toen jij die foto van prinses...' ze noemt een naam die ik niet erg goed kan verstaan, en Jack lacht en bloost een beetje. Mevrouw Koopmans zegt dat de prinses erg boos was om de foto. Ik heb nooit geweten dat dit land prinsessen had, we hebben niet eens een koning. Mevrouw Koopmans keert zich naar mij en zegt: 'Prinses Radziwill' en ze moet zeker gezien hebben dat ik frons, want ze zegt weer: 'Radtsie-wiel. Ach, maak je maar niet bezorgd, je zult nog heel wat over haar horen.' Ze buigt zich naar me toe, legt haar hand op mijn schouder en kijkt me bezorgd aan. 'Is er iets, mijn hartje?' vraagt ze, en voor ik kan antwoorden, pakt ze mij bij de schouders en laat me op een bankje bij de muur zitten. 'Mijn kind, mijn kind,' zegt ze, 'je bent doodsbleek.'

'Daarom zijn we eigenlijk hier, mevrouw,' zegt Jack. 'Ze is een Afrikaner. Ze komt uit het noorden.'

De tante van Jack kijkt me aan. 'Waar kom je vandaan, mijn kind?' vraagt ze.

'Uit Winburg,' zeg ik.

'Het kamp?'

Ik knik. Ik kijk haar niet aan. Met ingetrokken kin staat Jack naar mij te kijken. Achter hem is een kamer die volgepakt staat met kisten. Handelswaar, lijkt het me. 'Ik kan bij meneer Perry onderdak krijgen,' zeg ik.

Ze kijkt weer naar Jack, en hij maakt zo'n gebaar met zijn hand. 'Kom,' zegt ze, 'begin van voor af aan en vertel me hoe je heet.'

Dat doe ik. Susan, zeg ik, en dan zeg ik zachtjes, ik denk niet dat ze me heeft gehoord: Draper.

Ze kijkt me een poosje aan en dan praat ze weer met Jack: 'Meneer Perry, ik hoop niet dat je het erg vindt, maar je weet toch dat ik me ernstig zorgen maak over de lotgevallen van mijn landgenoten in de oorlog. Ik denk daarom dat het voor ieders bestwil is dat juffrouw...' en ze keert zich weer naar mij, 'hoe heet je ook weer, hartje?'

'Susan,' zeg ik.

'En je achternaam?'

Ik kijk naar Jack, en hij knikt even naar me. 'Draper,' zeg ik. 'Susan Draper.' En ik weet niet waarom, maar nu staat Jacks gezicht bezorgd.

'Uitstekend,' zegt mevrouw Koopmans. 'Mij lijkt dat juffrouw Draper maar het beste hier bij mij kan wonen. Denk je niet, meneer Perry?'

Jack slaakt een zucht van opluchting, en hij gebaart met zijn hand, wat wil zeggen dat ik moet beslissen. Voor ik kan antwoorden, zegt de deftige mevrouw: 'Noem mij maar tante Marie, hartje. Ik heet Marie Koopmans-De Wet.'

Hoofdstuk 31

Ze weet wat ze tegen Hurst moet zeggen, en als hij antwoordt nadat ze aan zijn kamerdeur heeft geklopt, is ze er klaar voor. Hij ziet er bijna net zo doorzichtig uit als bij hun eerste ontmoeting, herinnert ze zich, met het ochtendlicht dat vanachter hem door de opengeschoven gordijnen valt. Ze weet precies hoe hij vindt dat zij eruitziet, terwijl ze de vier, vijf stappen tot bij de stoel voor het bureau aflegt. Hoe werden ze beschreven, die Boerenvrouwen die niet voor de machtige Britse oorlogsmachine wilden zwichten? Schitterend in hun alles verachtende woede. Ze ziet dat hij terugdeinst, maar zonder angst. Hij is misschien op zijn hoede, maar niet zonder dat licht geamuseerde trekje om de streep van zijn mond.

'Ik wil, ik denk dat ik het moet doen, iets uitleggen,' zegt ze.

'Je bedoelt over wat er met Hamilton-Peake is gebeurd?'

'Natuurlijk niet. Ik bedoel met mij.'

'Wat er met jou gebeurd is?' Hij kijkt haar een tijdje nauwlettend aan, ze houden elkaars blik vast tot hij zegt: 'Ik hoop niet dat je jezelf op een of andere manier verantwoordelijk houdt voor zijn dood.'

'Dat is gedeeltelijk wat ik wil uitleggen, maar ik ben

er nogal van overtuigd, dat het niet is wat je vermoedt.'

'Wat ik vermoed... Goed, laat ik eerlijk zijn. Ik heb er gisteravond lang over nagedacht. Ik zal je zeggen wat ik vermoed, misschien maakt dat de zaak voor jou een stuk gemakkelijker.'

'Nee, laat ik...'

'Heeft het met Zuid-Afrika te maken?'

'Alsjeblieft, laat ik...' Hij weet het! Hij heeft het van het begin af aan geweten. Zou hij haar daarom hebben gevraagd? Het is alsof ze opeens leegloopt, vanaf haar schouders, door haar armen, via haar vingertoppen.

'Je hebt hem gekend,' zegt hij.

En jij hebt het geweten, denkt ze. En je hebt het gebruikt. Ze buigt zich snel naar voren op haar stoel. 'Majoor Hurst!' Ze schrikt van haar eigen stem – hij ook – en ze vervolgt zachter: 'Mag ik het misschien zelf uitleggen? Ik kan... Wil je alsjeblieft proberen mij niet te helpen?'

'Goed. Het spijt me.'

'Je hebt gelijk. Het heeft met de oorlog in Zuid-Afrika te maken. Je hebt natuurlijk op mijn cv gezien dat ik daar was.'

Dan weet ze het zeker: Hurst weet wat er gebeurd is, en hij heeft het gebruikt. Ze heeft hem onderschat. Hij wilde Hamilton-Peake helpen uit het leven te stappen en daarom heeft hij haar erbij betrokken. Hij wist het! Even is zij tezeer van streek om te praten, maar dan slaagt ze er toch in om te zeggen: 'Je hebt het allang geweten, is het niet? Je hebt mij naar Hamilton-Peake gestuurd, wel wetend dat ik...' Dan is het alsof haar gedachten worden vertroebeld. Het kan toch niet helemaal door Hurst komen. Hamilton-Peake is háár zaak, enkel en alleen het hare. Wat er gebeurd is, is tussen hen gebeurd en tussen hen alleen, Hurst moet zijn handen van hem afhouden.

Het is alsof de woorden van Hurst over een zompig heideveld naar haar toe komen gemarcheerd. 'Dat jullie jaren geleden aan tegenovergestelde kanten van de oorlog stonden? Nee, dat wist ik niet toen ik je vroeg. En zelfs al had ik het geweten, waarom zou ik dit feit dan willen gebruiken? Dat jullie elkaar gekend hebben... Dat heb ik pas gisteren uit het gebeurde afgeleid.'

'Elkaar gekend? Wat bedoel je daarmee?'

'Misschien heb je nu al tegen me gezegd wat je wilde zeggen, of wat je moest zeggen.'

Ze heeft nu iets van haar heldere gedachten teruggewonnen. Nu moet ze de juiste kaart uitspelen. 'Ik had zo'n antwoord kunnen verwachten,' zegt ze. 'Je bent per slot van rekening psychiater. Daarom ook kom ik met je praten. Ik weet genoeg van psychologie om te beseffen dat het je schade berokkent als je probeert dingen te verbergen.'

Ze verbeeldt zich dat er een rimpeling van een glimlach om zijn mond verschijnt.

'Ik had zo'n antwoord van een volgeling van Rivers kunnen verwachten,' zegt hij.

Ze zal er niet zo gauw in slagen hem te slim af te zijn, dat weet ze ook wel. Ze begint aarzelend, aftastend, haar ogen de hele tijd taxerend in de zijne: 'De feiten zijn dat ik in Zuid-Afrika, tijdens wat jullie de Boerenoorlog noemen – wij geven er de voorkeur aan de feitelijke agressor aan de naam toe te voegen...' Misschien zag ze weer die trek om zijn mond, maar te flauw om er iets uit af te leiden. 'Nou ja, in de Anglo-

Boerenoorlog was ik in een van de concentratiekampen die jullie held Kitchener voor vrouwen en kinderen had opgericht.' Ze kijkt over zijn schouder naar het zonlicht dat schitterend op de ruit valt en ze is er zich vaag van bewust dat haar woorden minder zwaar wegen dan ze gedacht had. 'Op 1 januari 1902, ik was toen achttien, heeft de dokter van dat kamp mijn overlijdensverklaring getekend. Officieel ben ik gestorven aan zoiets als darmstoornissen, ik weet het niet. Minder officieel ben ik vermoord door twee Britse officieren en wat wij een joiner noemden, een van de Boeren die voor jullie vochten. Ik was echter niet dood en ben van de wagen gevallen die elke dag de lijken naar het lijkenhuis bracht. Zwarte mensen hebben me opgeraapt en mijn leven gered.'

Dat is het dan. Dit zijn de feiten. Dit is haar verhaal. Van haarzelf.

Zijn lippen bewegen nauwelijks als hij praat. 'En Hamilton-Peake was een van die officieren?'

'Ja.'

'En jij hebt hem aan zijn eind geholpen?'

Ja, wilde ze zeggen, ik, niet jij. Maar ze weet dat het niet waar is. Ook zij heeft een hele nacht liggen worstelen met het gebeuren van de vorige dag, en ook met de aanloop ernaartoe, en toen ze zojuist aan zijn deur klopte, deed ze dat met de zekerheid die ze heeft verkregen door voetje voor voetje op de sporen van elk roersel in haar gemoed terug te lopen. Hurst had haar even van streek gebracht, maar nu was er weer helderheid. 'Nee,' zei ze.

'Zou het je geholpen hebben als je het wel had gedaan?'

'Ik weet het niet. Maar dat is niet de vraag. De vraag is of het feit dat ik hem heb gezien mij zal helpen.'

'Nu klink je niet meer als een overtuigde Rivers-volgeling.'

'En jij klinkt alsof je absoluut geen medelijden met me hebt.'

Hij kijkt haar uitdrukkingsloos aan, zegt geen woord.

'Ik zou je medeleven niet kunnen verdragen,' zegt ze dan.

'Ik weet het. Ik weet ook dat hij wílde sterven, daarom is hij overleden. En de vraag is vooral of je voldoende medelijden hebt met jezelf.'

Hoofdstuk 32

Daar in Kaapstad, waar ik tante Marie heb leren kennen, is mijn tweede leven begonnen. Daar heb ik geleerd om naar mijn leven te kijken alsof ik er van buitenaf op neerkijk, daar in haar huis in de Strandstraat. Daarvoor was ik totaal ingebakerd in mijn leven, als een kind dat in een deken *ge-pepa** wordt. Het is ook bij tante Marie dat ik heb leren wennen aan een stad, hoe moeilijk dat ook voor me was, en hoe vreemd alles was in het begin. Het was gelukkig niet nodig dat ik naar buiten ging, ik kon in het huis van tante Marie blijven en in haar zitkamer zitten luisteren naar haar en haar zuster, tante Margaretha, die met elkaar praatten. Als er mensen op bezoek kwamen, en er waren voortdurend mensen, ging ik meestal naar het achterplaatsje om te praten met de dienstmeisjes die de hele dag met hun witte schort voor door het huis scharrelden, of ik zat in het vierkante stuk blauwe lucht boven mij te kijken, heel hoog, hoe een stel krijsende meeuwen overvloog.

In het begin stond ik soms lang in de keuken, alleen om alle geuren diep op te snuiven, of soms het deksel van een van de pannen op te lichten en dan in een wolk van die heerlijke stoom te staan, en dan liet de hoofdkok, Salomina, mij zien wat er zo lekker rook. Ze legde het in mijn hand: kaneel, laurierblaren, komijn. In mijn andere hand deed zij een schepje kurkuma of kerriepoeder, of masala. Als er niet te veel mensen waren, ging ik bij de twee zusters zitten in de ontvangkamer en vergaapte ik mij aan al die mooie spullen, al de schilderijen, het glanzende bureau, de stoelen en banken van glanzend gekruld hout en zachte fluwelen bekleding, de hoge porseleinen vazen met de fijne decoraties erop, het mollige tapijt waarop je geruisloos kon lopen, en het aller- allermooiste, de zilveren kandelaar met de vier armen voor slanke witte kaarsen, en daarnaast een beeldje, ook van zilver, van een jongen met een staf in zijn ene hand en zijn andere hand omhoog alsof hij zijn ogen beschermde tegen de zon. Dan zat ik daar te luisteren naar de twee vrouwen, niet zozeer naar wat ze zeiden, want daarvan begreep ik weinig, en van de mensen over wie ze spraken, herkende ik alleen af en toe een naam: Rhodes, Steyn, Kruger... Het ging vooral om hóé ze praatten, hoe hun gedachten uitvloeiden in zinnen die gladjes en ritmisch aaneengeregen werden, zodat ik de indruk kreeg alsof alles wat een mens zei ook zó gedaan kon worden, nee, zo gedaan móést worden, en dat, om zo te praten, te luisteren en met je lichaam en handen te onderstrepen wat je bedoelde of hoe je het voelde, dat dit iets was wat je je eigen moest maken om te kunnen leven, om goed te leven.

Maar de allerbeste, of misschien was het eigenlijk net de allereerste ervaring in mijn nieuwe leven, of nee, dat was het niet – was de rit in de zacht wiegende landauer met de kussens waarin je wegzakte, dat was de eerste, met het zilverwitte licht en de wind tegen de zijkant van mijn gezicht en de vreemde geuren van de stad en zijn geluiden die nog veel meer dan in Bloemfontein weergalmden en boven je hingen als een natte jas. Maar het allerbeste ding van de eerste dag was toen tante Marie me laat in de middag naar de badkamer bracht. Het was de allereerste keer in mijn leven dat ik een badkamer zag, met het bad, een grote emaillen kom vol dampend water dat door de dienstmeisjes van beneden met emmers werd aangedragen, en met de gordijnen die je rond het bad dicht kon trekken.

Tante Marie droeg een heel stel kleren over haar arm en ze begon ze aan een kapstok in de hoek te hangen. 'Hier zijn vier jurken voor je, hartje,' zei ze. 'Kies maar uit welke je vanavond aan tafel wilt dragen. En hier op de stoel leg ik ondergoed voor je klaar, ik denk dat het je wel zal passen. Later kunnen we ook naar schoenen, hoeden en een jas of twee kijken.' Ze wees me waar een handdoek, een waslap en zeep waren klaargelegd op een spierwit marmeren blad, toen lachte ze me toe en trok de deur achter zich dicht.

Ik was alleen in die heerlijk dampende badkamer met de geur van zeep en bloemen en met de dunne witte linnen gordijnen die je om het bad kon dichttrekken zodat je je in een wit licht in het warme, warme water liet zakken. Ik probeer telkens terug te denken aan hoe het precies voor me was, die eerste keer, maar het is alsof het niet, niet helemaal echt is gebeurd. Te vaak als ik me probeer te herinneren hoe ik daar in dat witte bad lag, die eerste keer of sommige van die keren erna, zie ik mezelf weer in de grot liggen en opkijken naar de tekeningen op de rots, en als ik denk aan de stemmen die ik voor de badkamerdeur hoorde, de voetstappen op de gang, hoor ik uiteindelijk alleen de stemmen van Tiisetso en Mamello, en moet ik denken aan Mamello hoe ze me inzeepte in de poel regenwater en aan Tiisetso die me het stokstaartje gaf, en dan herinner ik me ook hoe we in het kamp water haalden bij de Engelse waterkar, één emmer per tent per dag, niet meer dan één emmer.

In zo'n badkamer vol stoom kun je huilen zonder dat je zeker weet of het druppels waterdamp of tranen op je wangen zijn, het maakt uiteindelijk niets uit. Ik droogde me af en koos een witte jurk die met een lint om mijn middel werd ingesnoerd. Het duurde lang om mijn haren droog te krijgen, maar daarna trok ik mijn schoenen aan en liep ik de trap af naar beneden naar waar ik de stemmen van tante Marie en tante Margaretha hoorde. Dat was 9 maart 1902.

Hoofdstuk 33

Ze moest de allervroegste trein halen om op tijd in Harwich aan te komen voor de mailboot terug naar Nederland. Ze vond een zitplaats bij een raam en nu zit ze te staren naar haar eigen weerkaatsing in de ruit. Er ligt een bezorgde uitdrukking op haar gezicht, bijna angstig, alsof haar weerkaatste beeld iets is wat ze niet durft te zien, maar ook niet kan negeren. Ach, kon ze maar zijn zoals Anne! Haar zou dit allemaal geen snars kunnen schelen, haar mond zou niet zo verbeten tegen de overgevoeligheid vechten, haar ogen niet zo wagenwijd naar zichzelf staren. Kon ze maar zijn als Anne.

Het is donker buiten. Soms flitst er een licht voorbij, schaduwen die bomen konden zijn, het wit van een muur, zelden kan ze een reële vorm ontdekken, en dat komt niet zozeer door de vreemde omgeving of het flauwe licht, ontdekt ze langzamerhand, maar omdat haar gedachten voortdurend teruggaan, teruglopen op haar sporen, op een andere weg, een andere spoorlijn.

Vanochtend was Mrs. Simms vroeg opgestaan om een laatste kopje thee voor haar te zetten. Jacobs kwam op tijd om haar naar het station te brengen. Haar tijd in Engeland was voorbij. Vroeger dan gepland. Maar wat was plannen en wat was voorbestemd om op een bepaalde manier te gebeuren? En als het was voorbestemd dat zij Hamilton-Peake hier in het hospitaal in Devon moest tegenkomen, dan was dat nu afgehandeld. Maar de reis, weet ze, gaat voort – de reis die zestien jaar geleden is begonnen in een donkere koets in een gitzwarte nacht, en een stem die uit het duister was gekomen, alsof het de nacht zelf was die sprak: 'Kon je toen zien wat je wilde zien, mister Perry?'

De andere man had niet onmiddellijk geantwoord. 'Wat ik wílde zien, dokter?' zei hij na een tijdje, en hij blies zijn adem hoorbaar uit voordat hij zei: 'Dat is moeilijk te zeggen. Wat wilde ik zien? Ik doe wat mijn opdrachtgever van mij verwacht, en de commissaris in Kaapstad wil foto's hebben van het Britse leger in actie, en van het dagelijks leven onder de bezetting. Bruikbare foto's, als u begrijpt wat ik bedoel.'

'Maar u was gisteren toch in het kamp, nietwaar?'

'Inderdaad.'

'En?'

'Ik weet het niet, dokter Molesworth. Het is erg moeilijk te zeggen. Je ziet iets en je stelt je camera op. Dan heb je al een plaatje in je hoofd. Soms is dat plaatje er nog als je je vooroverbuigt om door de lens te kijken. Soms niet. Soms moet je de mensen vragen om zo of zo te staan, zo of zo te liggen. Maar meestal moet je eerst de foto bekijken om erachter te komen wat je gezien hebt.'

'Maar ik bedoel nu, mister Perry. Je algemene indrukken. Alles in acht genomen.'

De zin van de dokter was in de donkere ruimte blijven hangen. Perry had geen antwoord gegeven. Molesworth had ook gezwegen. Zo hadden ze lang zitten wiegen, zij drieën die slechts vage vormen waren in

238

het donker. Uiteindelijk was de dokter weer gaan praten.

'Je weet het toch, mister Perry. Ik heb het gisteren zeker niet gezegd. Wellicht ben je er toch van op de hoogte, nieuws gaat snel in zo'n gehucht en ik heb het nu over de werkelijke reden waarom ik naar Bloemfontein moet.'

Perry zweeg nog steeds, en Molesworth vervolgde: 'Ben je in het Show Grounds-kamp geweest, mister Perry? Wedden van niet, Alexander had de wachtposten opdracht gegeven, dat weet ik. We noemen het hier Show Grounds, de plek voor "moeilijke gevallen", als je begrijpt wat ik bedoel, mister Perry. Mijn collega's, dokter Werdmüller en dokter Schnehage, hebben me verteld dat ze het in de andere kampen hebben over het "ooikamp" – zuster Bakkes zal het kunnen bevestigen. Een soort hok, weet je. En het klinkt afschuwelijk als je het zo zegt, maar in Brittannië kennen we dit verschijnsel ook, de afzondering en opsluiting van degenen van wie de psychische gesteldheid het niet toestaat deel te nemen aan het sociale verkeer. Eigenlijk hebben we er geen andere behandeling voor, mister Perry. Maar in een oorlog, in een ander land, geconfronteerd met andere culturen en andere gebruiken word je gedwongen anders naar de dingen te kijken. Alexander is het er niet mee eens, en het is een feit dat hij de bevelhebber van het kamp is, en ik de ondergeschikte. Zelfs wat medische aangelegenheden betreft. Daarom moet ik naar Bloemfontein. Ik moet verantwoording gaan afleggen.'

Er komt een man tegenover haar zitten, stug onder zijn zwarte hoed, en ze is terug in de Britse trein die door een inktzwarte nacht rammelt. Ze wordt zich weer bewust van haar eigen beeld in de ruit, de geremde trek om haar mond. Snel kijkt ze de andere kant uit. Toen ze afscheid ging nemen van Hurst, stond hij bij het raam, zijn rug naar de deur; draaide zich om toen ze binnenkwam. Ze liepen allebei naar het bureau, stonden elk achter een stoel die aan weerskanten van de schrijftafel stond, het blad als een slagveld tussen hen in.

'Je hebt goed werk geleverd,' zei hij.

Ze had op zijn gezicht, in zijn ogen, gezocht naar een aanduiding van wat hij precies bedoelde. Maar ook zíjn ogen waren zoekend, ernstig, bijna bezorgd, alsof hij wilde zien of zíj wist waarover hij sprak. Had hij het over Hamilton-Peake? Durfde ze dat te denken? En toen besloot ze, daar in de zondoorstraalde werkkamer van Hurst, en voordat hij de kans kreeg over haar leven te oordelen, of zijn goedkeuring te geven, daar en dan nam zij een beslissing over haar leven en zei: 'Ik heb hem om het leven gebracht.'

Dat had ze gezegd: ik heb hem om het leven gebracht.

Zijn blik was niet veranderd. Ze zag zijn ogen langzaam bewegen, in onderzoekende cirkels – twee, drie keer deden ze de ronde voordat hij weer sprak: 'Ik kan getuigen dat de patiënten over het algemeen baat hebben gevonden bij jouw begrip en empathie...' zei hij zacht.

'Ik heb hem om het leven gebracht,' was zij hem in de rede gevallen.

'...en bij jouw bezielende toepassing van psychische suggestie,' had hij gezegd alsof hij haar niet had gehoord.

Ze had haar uitspraak niet herhaald. Ze hadden elkaar zwijgend aan staan kijken. 'Dan is dit afgehandeld,' had hij uiteindelijk gezegd, was om het bureau gelopen en had haar een hand gegeven. 'Dat moet je geloven.'

Ze had naar hun handen gekeken; de zijne was bleker dan de hare. Toen keek ze weer op, probeerde te glimlachen en liet haar hand uit de zijne glijden.

Ze had de deur van Hurst achter zich dichtgetrokken en was met haar ogen gesloten blijven staan om op verhaal te komen. Toen ze weer keek, vloog haar hand naar haar mond, want een eind verderop in de gang zag ze Anne, ook bezig een deur achter zich dicht te trekken, bijna net als bij hun eerste ontmoeting. Susan overwoog een moment om te doen alsof zij haar niet zag. Ze zou liever ergens in een dienstvertrek afscheid nemen van Anne, of in een van de kantoren, alleen, om het afscheid... ja, als het niet privé kon, min of meer formeel te doen. Maar ze slaagde er niet in haar blik los te maken van de vrouw die de deur van een patiëntenkamer langzaam, half in gedachten, achter zich dichttrok en die toen met dat onverstoorbare gezicht naar haar toe kwam gelopen.

'Dus je gaat,' had Anne gezegd. Niets gevraagd, slechts een feit geconstateerd.

Ze had geen antwoord gegeven.

'Ging het over de patiënt in kamer 114?' Anne wees met haar ogen naar de deur van Hurst, en alsof dat gebaar het had teweeggebracht, ging de deur open.

'O,' zei Hurst. 'Je bent nog hier.' Zijn ogen gingen van haar naar Anne; ze volgde zijn blik naar Anne, en ze zag hoe die hem aankeek, wetend, alsof ze iets deelden, en zij wist wat het was: Anne geloofde hem en haar niet! Ze voelde een woede in zich opbruisen, als een golf tegen een havenmuur – háár wanhopige golf tegen hun muur, hun gezamenlijke front, hun poging Hamilton-Peake van haar af te pakken.

Ze draaide zich om en liep weg. Al snel was ze de hoek om en buiten bereik van hun verraderlijke ogen, van die listige samenzwering. Op de binnenplaats begon ze te draven, het grind kraakte onder haar schoenen. Wat in 's hemelsnaam had haar doen denken dat Anne aan haar kant stond? Hoe had ze zich zo bloot kunnen geven?

Hier in de trein, mijlenver weg al van dat dorp, dat hospitaal, probeerde ze te ontdekken wat daar was gebeurd. Waar zij zo heftig op had gereageerd. Maar hoe verder de trein wegrammelde van dat toneel, hoe onwerkelijker het voor haar werd. Ze probeerde de weg terug nog een keer. Wat precies was het dat haar zo kwaad had gemaakt op Hurst – en op Anne, ja vooral op Anne! Hoe was het mogelijk dat ze Anne had verdacht? In zekere zin had Anne haar leven gered, en misschien was dat de reden: dat zij het niet kon verdragen dat deze vrouw die zoveel voor haar had betekend, opeens zo eigen was met Hurst. Maar wat voor een onzin was dat? Was het een primitief soort jaloezie?

Ze ziet opeens weer haar weerkaatste beeld in de ruit; de frons tussen haar ogen. Ik ben nu alleen, denkt ze, en zo hoort het ook. Mijn leven, de weg die ik volg, ligt in mijn handen, en dat is het enige wat belangrijk is.

Deze gedachte brengt toch een zekere mate van troost. De onbeheerste woelige gevoelens in haar gemoed komen tot bedaren.

Na haar vertrek uit het hospitaal moest ze nog afscheid nemen van Mrs. Simms. In de keuken keek ze boven een kopje thee naar het gezicht van haar hospita. Om de een of andere reden was Mrs. Simms altijd vriendelijk voor haar geweest, nog altijd had ze die wat meewarige glimlach. Misschien weet deze vrouw inderdaad iets wat ik niet weet, dacht ze, ze had haar kopje met een beslist gebaar neergezet en was haastig opgestaan.

'Het is maar goed,' had Mrs. Simms gezegd, 'dat je weggaat van die...' Ze zwaaide met haar hand boven haar hoofd alsof ze vliegen verjaagde, en Susan slaagde er nog net in te glimlachen.

Toen Jacobs haar een paar minuten later bij het station afzette, was Susan in haar hoofd nog steeds bezig met de alwetende glimlach van Mrs. Simms, en weer, zoals vaker tijdens de korte periode dat zij haar hospita had gekend, moest ze denken aan het idee dat de vrouw iemand achter haar had gezien. Het was meer dan een idee, het was een soort gekriebel, een bevlieging, een voorgevoel. Toen ze afscheid nam van Jacobs, haar hand naar hem uitstak, en hij zenuwachtig giechelde, zijn tanden toonde, een schraapgeluid achter in zijn keel, schoot het haar te binnen. Op dat moment. Ze verstarde, en het was alsof ze door hem heen keek en iets anders zag – iemand anders, achter Jacobs. En Jacobs keek om, over zijn schouder, en weer naar haar. In de war.

'Wil je een boodschap overbrengen aan dokter Hurst?' had ze gevraagd.

Hij trok zijn bovenlip op. Zoals een ram, had ze weer gedacht. Dat kon ze toen denken, ze had het allemaal helder gezien, bij volledig bewustzijn.

'Zeg tegen hem dat er nog een was.'

'Alleen dat? Nog een?' Jacobs haalde zijn schouders op, keek haar met grote ogen aan alsof hij met een zwakzinnige of een kind sprak.

'Ja,' zei ze en ze draaide zich om. 'Er was er nog een.' Ze liep een klein eindje van hem weg, en keerde zich nog even om naar de jonge ordonnans die haar met schaapachtige grijns na stond te kijken. 'Zeg tegen hem dat het er twee waren,' zei ze nog eens en ze liep naar de wachtende trein.

Hier in de wiegende coupé vond ze het moeilijk, bijna onmogelijk, om iets van dat moment terug te halen. En de reden waarom ze het had gezegd. Het was alsof haar gedachten zich onomkeerbaar samen met de trein voortspoedden naar een andere bestemming, naar het aanbreken van een nieuwe dag, weg van de onpeilbare duisternis waar ze al zo lang doorheen was gegaan.

Hoofdstuk 34

Tante Marie zit aan het hoofdeinde van de lange geel-houten tafel in de eetkamer. Zij en tante Margaretha kijken mij glimlachend aan als ik de kamer binnen-kom. Er is voor mij gedekt aan tante Maries linker-hand. Ze wachten tot ik ben gaan zitten, maar dan lijkt het alsof ze nog op iets wachten, ze kijken allebei naar mij. Tante Marie komt wat omhoog en wappert een vlieg weg die rondjes draait boven de tafel, gaat weer zitten en legt haar hand op mijn onderarm. 'Susan, hartje,' zegt ze, 'zou je je baret niet afzetten? Het is bij ons geen gewoonte om een hoed te dragen tijdens het eten. Een lint of een sjerp is echt prima...'

Waar heeft ze het over? Ik heb het gevoel alsof mijn hart uit mijn borstkas plopt. Ik kijk naar tante Marga-retha.

'Je baret,' zegt ze en ze wijst met haar wijsvinger even naar mijn hoofd, 'de muts die je op hebt.'

Er begint iets te suizen in mijn hoofd. Ik probeer naar de tantes te kijken, maar ik kan hen niet goed zien. Mijn hoed? Ik heb een hoed op, de hoed die Jack Perry mij in Bloemfontein heeft gegeven. Langzaam wordt het me nu duidelijk. Ik heb de hoed al op vanaf het moment dat ik hem gekregen heb. Alleen tijdens dat poosje in het bad heb ik hem afgezet. Ik heb het niet geweten, maar nu weet ik het: er was maar één manier waarop ik de grot van Tiisetso en Mamello kon verlaten en dat was met een hoed die mijn hoofd verborg.

'Tante...' zeg ik, maar mijn stem is te droog om geluid uit te brengen.

Ze geeft een drukje op mijn arm; haar hand was daar nog de hele tijd blijven liggen. Ze schuift haar stoel achteruit en komt achter me staan. Voor mij zie ik alleen het wit van het bord, een verblindend wit. Ze trekt de hoed langzaam van mijn hoofd en mijn hele lichaam wordt zo hard als een geweerkolf. Ze zet haar vingers van achter af onder mijn haren en kamt ze terug. Haar ene hand gaat van boven af over mijn voorhoofd en glijdt al tastend weer omhoog, onder mijn haren. Ik begin te huilen, zie mijn tranen druppen. Ik zie Mamello naar me opkijken, haar ogen melkachtig als zeepsop in de rotspoel vol regenwater. De vingers van tante Marie strijken door mijn haren, de toppen zacht op mijn hoofdhuid. 'Mijn kind, mijn kind,' zegt ze, 'wat hebben ze jou aangedaan?' Ik hoor Mamello zeggen: *Ngwana wa ka*. En ik heb het gevoel dat ze allemaal hier bij me zijn, Tiisetso en Mamello tezamen met tante Marie en tante Margaretha, en dat ik hun kind ben.

Het lijkt alsof de stem van tante Marie van ver komt, alsof zij in de ingang van de grot staat, en ik achterin in het verste hoekje zit. Ze zegt dat ik moet proberen zonder hoed te leven, anders zal het litteken het belangrijkste ding in mijn leven blijven. 'Heb je familie?' vraagt ze. 'Waar zijn je vader en moeder?'

'Dood,' zeg ik. 'Mijn moeder en broertje in het kamp. Mijn vader op kommando.'

'En je andere familie?'

'We waren bijwoners,' zeg ik. 'Ik ben opgegroeid in Ermelo. Mijn vader temde paarden. Toen kregen we een plek op een plaas in de buurt van Heilbron. Dat was voor de oorlog. Vanaf de plaas van oom Thys is mijn vader vertrokken naar het Kroonstadkommando.'

'En jullie werden naar het kamp in Winburg gebracht?'

Ik blijf stil zitten. De handen van tante Marie liggen op mijn schouders. Tante Margaretha zit met haar hoofd schuin te luisteren. Ze kijkt me niet aan, ze kijkt alleen op de tafel vlak voor haar. En ik vertel van de Scouts die onze hond doodschoten toen ze ons kwamen halen. Mama en Neels en ik stonden bij het huifkarretje waarop onze paar spulletjes waren geladen. De hond stond aan een touw te blaffen en sprong de hele tijd op. Kippen- en ganzenveren fladderden over het erf. Mama's witte gordijntje waaide uit het raampje, in en uit, in en uit. De ene Scout – hij was als Olof Bergh, een Boer, maar toen kende ik hem nog niet, het was de eerste keer dat ik hem zag – kwam de deur uit en goot de laatste benzine die in het blik zat op de drempel uit. Er was geen enkel ander geluid, niets, niets, niets, alleen het blaffen van de hond.

Ik vertel over Alice, die ziek was, zo verschrikkelijk ziek. En over de mensen die het Nieuwe Jaar vierden, met muziek en die zo hard zongen dat je verder niets kon horen. Ik vertel over hoe ik in het donker tussen de tenten doorliep om medicijnen voor haar te halen en hoe iemand mij toen greep. Ik vertel tante Marie dat er toen iets heel slechts met mij is gebeurd. Ik vertel haar dat het een joiner was die ook uit Heilbron afkomstig was en twee Engelse officieren. Ik kende hen wel. Ik wist hun namen, van alle drie. Maar voor wat ze me toen hebben aangedaan, weet ik geen naam. Dat kan ik nog niet zeggen.

Dus zwijg ik. Ik weet niet hoe ik de rest moet vertellen. Ik heb het allemaal gezien, zoals het in de grot op me af is gekomen. Eerst kwam het als de rook van een mestvuurtje naar me toe gewaaid, in van die slierten, en toen was het weg en toen was ik zo bang dat ik maar liever dood wilde gaan. Maar dat heb ik nog nooit verteld. Ik kan er geen woorden voor vinden. Ik zal nog een tijdje bij tante Marie moeten blijven om die woorden te leren, en hoe ze in zinnen in te passen, zodat die zinnen dat wat ik in mijn hoofd zie en hierbinnen voel kunnen inpakken zodat het iets wordt wat ik voor andere mensen kan neerzetten en kan zeggen kijk, dit is hoe het was. Kijk, ik leg het hier tussen ons neer, op de grond, schrik maar niet, het zal je geen kwaad doen.

Het enige wat ik kan doen is tante Marie en haar zuster vertellen over de grot. Over de koets. Over de trein. Over Tiisetso en Mamello. Over Jack Perry. Dat is het enige wat ik kan doen. En ik vertel dat ik Susan Nell heet, dat ik de achternaam van Alice heb gepakt. Dat mijn echte naam Nell is, maar dat de naam van Alice gemakkelijker voor me was omdat het oorlog is. En omdat Alice heel zeker dood is.

Tante Maries handen glijden van mijn schouders naar mijn bovenarmen. 'Neem je eigen naam terug,' zegt ze. 'Je bent Susan Nell. Het is de enige manier om weer te beginnen met leven, je eigen naam gebruiken. Het is een begin.'

Hoofdstuk 35

Het regende toen ze in Dordrecht aankwam. Een stille, Europese regen die recht uit laaghangende wolken valt om in spiegelgladde watervlakken de weerkaatsing van gevels en daken te prikken. Ze liep onder een paraplu over een dun membraan van water, elke voetstap een schok die deze hele harmonische met licht doorstraalde wereld uiteen deed spatten in energieke golfcirkels. En dat was goed zo.

Als ze bij de praktijk aanbelt, is het Reymaker zelf die opendoet. Vreemd. Ze glimlacht snel en keert hem dan haar rug toe om de paraplu dicht te klappen en tijdens dat proces het fladderen in haar binnenste onder beheer te krijgen.

'Recht uit de loopgraven!' begroet hij haar en hij duwt haar naarbinnen, stuurt haar linea recta naar zijn kantoor. De receptioniste is ziek en de hulpverpleegster, die haar vervangt, is achter in de kliniek.

Hij gaat achter zijn bureau zitten, glimlacht met een brede gesloten mond. Hij is blij om haar te zien. 'Je bent heel teruggekomen,' zegt hij, 'dat is het belangrijkste.'

Ze gaat zitten. 'Mijn kamer is gelukkig ook nog heel,' zegt ze, totaal overbodig, maar ze heeft een aanloopje nodig, ze moet eerst vaste voet aan de grond krijgen. 'Ik heb er gauw mijn bagage naartoe gebracht.'

Hij slaat haar nog steeds gade met die katachtige glimlach, zijn ogen scheef terwijl hij nadenkend knikt. Alsof ze zit te beschrijven hoe ze een *Bergonische stoel**, compleet met schakelbord, schakelaar en het kraaiennest van elektrische snoeren tegen de trap op naar haar appartement probeert te krijgen. Ze zal wel móéten vertellen.

'Ik kwam bijna in een oorlog terecht,' zegt ze.

'De oorlog, ja,' zegt hij.

'Ja, maar ik... bedoel dat ik er zelf in zat,' zegt ze.

'Ja, jij,' zegt hij. 'Ik denk dat ik begrijp wat je bedoelt. En ben je nog heel?'

'Voor ik wegging, zei je tegen me dat het de oorlog was die mij trok. Kun je je dat nog herinneren?'

'Zeker, dat heb ik gezegd.'

'Wist je dan dat mijn oorlog nog niet afgelopen was?'

Hij staat op, de glimlach is nu weg, hij tuurt naar iets achter haar. Ze kijkt om; hij loopt langs haar heen en haalt een boek uit de kast die de hele muur achter haar in beslag neemt. Hij geeft het haar.

'Maar je zult Duits moeten leren,' zegt hij en hij gaat weer zitten, weer schuin achter het beeldje van de kat. 'Freud,' zegt hij. 'De dingen waarvan jij dacht dat ze voorbij waren.'

Ze leest de titel: *Zur Psychopathologie des Alltagslebens.* Ze zal eerst Duits moeten leren. Ze strijkt met een vlakke hand over de omslag, maar dan beginnen de letters voor haar ogen te zwemmen. Snel kijkt ze de andere kant uit, opzij, zodat hij haar ontsteltenis niet merkt.

Waar komt dat nu vandaan? Ze veegt met haar mouw over haar ogen.

'Maar je hebt eerst rust nodig,' zegt Reymaker en hij staat op, komt op haar toe. 'Morgen praten we verder. Een goede nachtrust maakt een enorm verschil uit, dat zal Freud je ook vertellen.' Hij lacht even giechelig en gaat met dat licht slingerende loopje van een oude man met haar mee tot bij de voordeur, zichtbaar bezig zich om iets te verkneukelen.

Deze keer schiet haar iets te binnen vlak voordat ze de deur van haar appartement opendoet. Jacques. Ze kijkt over haar schouder; zijn deur is dicht. Natuurlijk, hoe anders? Toch loopt ze tot bij zijn kamer. Misschien is er iets. Een poststuk. Een bericht. Het een of ander signaal. Maar er is niets. Ze ruikt aan de deur, alleen omdat ze er zo dichtbij staat. Ze rilt. Wendt haar neus af zodat haar voorhoofd tegen het hout rust.

Dan hoort ze het, een geluid, binnen. Het klinkt als een bezem tegen een plint. Weer. Ze houdt haar adem in. Er wordt iets over de vloer verschoven. Voetstappen. Er is beslist iemand binnen.

Ze klopt. Aarzelend. Te zacht. Ze klopt weer.

De deur gaat open en er staat een jonge vrouw voor haar die haar handen aan haar schort afveegt. Piepjong. Een haarsliert over het ronde gezicht.

'Sorry, ik ben op zoek naar Jacques,' zegt Susan. 'Jacques la Mer.'

De vrouw strijkt de sliert achter haar oor. 'De vorige eigenaar?'

Vorige? Iets meer dan een maand geleden was hij nog hier. Of liever gezegd, toen was dit nog zijn huis.

'Hij is weg,' zegt de vrouw. 'Wij wonen hier nu.' Ze kijkt over haar schouder alsof ze iemand wil roepen; kijkt dan weer terug, haar gezicht bedroefd. 'Hij is dood,' zegt ze. 'Gesneuveld. Dat hebben ze ons beneden verteld.'

Het duurt een seconde voor het helemaal tot Susan doordringt. Hij is dood. Ja, dat is toch heel begrijpelijk. Dood. Eigenlijk het logische gevolg van alles. Wat had ze anders kunnen verwachten? 'Het spijt me dat ik u gestoord heb,' zegt ze tegen de vrouw en ze draait zich om.

Ze voelt zich eigenaardig licht als ze terugloopt, bijna alsof ze loskomt van de aarde. Licht en koel en totaal gedachteloos. Ze steekt de sleutel in het slot van haar deur, hoort schuin achter zich de deur van Jacques dichtklappen, draait de sleutel om. Ze probeert zich te concentreren op elk detail van wat ze doet: het omdraaien van de deurknop, de lichte inspanning om de deur open te duwen, de duidelijke klik van het slot achter zich.

Ze gaat bij de kleine tafel in de lege kamer zitten. Wacht. Ze wacht tot iets bij haar opkomt. Dat ze zich iets zal herinneren. Dat ze iets zal voelen. Lang zit ze zo in de kamer waarin het licht langzaamaan wijkt. Roerloos zit ze, totdat zelfs de onrust over de gevoelloosheid in haar verdwijnt en er niets anders is dan stilte.

Hoofdstuk 36

De tram die ze moet nemen stopt niet ver van de voordeur van het huis van mevrouw Koopman-De Wet. Ze weet waar ze naartoe moet en hoe ze er moet komen. In de coupé buigt ze zich diep voorover om door het raam de platte kruin van de berg te zien en het wolkenkleed dat eeuwig en altijd aan de zijkanten uitrafelt. Ze kan zich niet buigen zonder dat haar aandacht weer wordt gevestigd op de punten van haar nieuwe roodbruine schoenen die onder de zoom van haar rok uitkomen. Haar nieuwe schoenen! Ze proest van plezier bij die gedachte, het kriebelt zo lekker in haar buik, terwijl ze aan de plafondriem hangt en zich overgeeft aan het schommelen en stampen, de drukte van de passagiers, het schuren van dameshoeden, de vreemde mengeling van geuren – tabakslucht is het enige wat ze herkent. Af en toe waait de stad naar binnen – paardenmest, rook, afval, rotte vis, de zee... maar ook daaraan is ze al gewend; het is een deel van het geheimzinnige van deze stad, deze opeenstapeling van beton en metaal die vecht om de gunsten van de berg en de zee.

Vroeg in de ochtend had ze een tijdje naar de meeuwen liggen luisteren, daarna naar het gerammel van de eerste trams en naar de stemmen op straat. De baai lag volgewaaid met schepen, hun masten als een stel

acaciatakken die kippen uit pas ingezaaide groente-
bedden moeten houden. Ze had de twee zusters in de
woonkamer gevonden, tussen kratten, stapels kleren
en bergen schoenen, tezamen met drie andere vrouwen die uitpakten, sorteerden en hoopjes maakten.
Tante Marie zat op de pianokruk te wijzen en bevelen
te geven. 'Kom binnen, Susan, hartje,' zei ze toen ze
haar zag. 'Goedemorgen kind, heb je goed geslapen? Ik
wil je graag voorstellen aan de dames met wie je vanaf
maandag zult werken.' Nauwelijks had ze de vrouwen
een hand gegeven zoals tante Marie haar gezegd had,
of tante Margaretha wees naar een rij schoenen tegen
de muur. 'Kies wat je nodig hebt, Susan, dan brengen
we terug wat overblijft.'

Terwijl ze nog staat te genieten bij de schoenen,
jurk en onderjurk om haar benen, haar haren in lokken over haar voorhoofd, begint achter haar tante Marie al weer te praten: 'Susan, Margaretha heeft me verteld, dat je Vondel leest.'

Wat bedoelt ze daarmee? Ze heeft het boek in de
kast zien staan; het exemplaar dat haar vader haar
nog had gegeven is samen met hun huis op de plaas
verbrand. Ze kent delen van Lucifer uit haar hoofd: is
't noodlot, dat ick vall', van eere en staet berooft, Laet
vallen, als ick vall', met deeze kroone op 't hooft...

'Dat heeft me op een idee gebracht en ik heb er al
met Margaretha over gesproken.'

Ze loopt nu sneller de Pleinstraat door, steeds sneller, gedreven door de opwinding. Ze had het uithangbord vanuit de tram al gezien, ook al een paar keer vanuit de landauer: Perry's Photographic Services.

Achter in de winkel waar hij over een tafel gebogen

staat recht hij zijn rug; er is een deftig geklede jonge man bij hem met een te uitbundige snor en een belachelijk streepje baard in het midden van zijn kin. Jack steekt onmiddellijk, verbaasd, zijn hand naar haar uit om haar te begroeten; de andere man kijkt uit de hoogte op haar neer. Om de een of andere reden dwalen haar ogen naar haar nieuwe roodbruine schoenen, en als ze weer opkijkt, staan beide mannen ernaar te staren. Dan neemt de jonge man met hoge stem afscheid van Jack en gaat weg, zonder haar nog aan te kijken.

Jack en zij geven elkaar een hand en Jack zegt iets – iets moois – over haar uiterlijk en ze gaan op de twee stoelen in de hoek van de winkel zitten, en ze begint te babbelen, hoofdzakelijk om het ongemakkelijke tussen hen weg te praten, het ongemak over wat er gebeurd is, de geschiedenis, haar verhaal. Hij zit bijna verbaasd naar haar te luisteren, soms komt er iemand binnen, om naar de meubels of de uitgestalde foto's te kijken, maar hij hoeft geen enkele keer op te staan. En dan valt ze stil, alsof de veer is afgedraaid, en als hij ook niets zegt, zegt zij met lage stem: 'Er is een kans dat ik naar Nederland kan gaan.'

Hij houdt zijn hoofd schuin alsof hij haar niet goed verstaan heeft, maar dan verschijnt er een lach in zijn ogen, en ze vertelt over de poging van mevrouw Koopman om een beurs voor haar te krijgen waardoor ze in het buitenland kan studeren.

'In het buitenland? Waarom niet hier? Hier zijn toch ook mogelijkheden.'

Ze weet het niet. Het is niet bij haar opgekomen een vraagteken te zetten bij het voorstel van mevrouw Koopman. Ze zou tevreden zijn geweest als ze gewoon had kunnen voortzetten waar ze nu mee bezig was, namelijk helpen met de administratie en het verzenden van kleren en voedsel naar concentratiekampen, maar toen die lieve tante vertelde over de mogelijkheden, over de Nederlandse familie waarbij ze in het begin zou kunnen logeren, begon het plan in haar hoofd vorm te krijgen en onbedwingbaar in haar te groeien.

'Ik weet het niet,' zegt ze bedrukt en ze kijkt naar haar handen, blijft een tijdje zo zitten, en slaat dan haar ogen naar hem op. 'Misschien denkt ze dat het een goed idee is dat ik hier wegga.'

'Weet je al welke opleiding je daar krijgt?'

Dat weet ze niet. Tante Marie zegt dat ze zelf mag beslissen wat ze wil studeren. Voor een universiteit heeft ze niet genoeg vooropleiding, dat is de schuld van de oorlog. Denkt Jack soms dat ze te weinig heeft geleerd? Dat ze een bijwonerskind is, een oorlogswees. Ze probeert te lezen in zijn ogen wat hij bedoelt, en hij kijkt naar een stuk karton dat hij de hele tijd al in zijn handen heeft.

'Wat is dat?' vraagt ze.

'Je hebt nu tenminste voldoende zelfvertrouwen,' zegt hij.

'Dat ding in je handen,' houdt ze vol, 'wat is dat?'

'Een foto,' zegt hij, 'van de man die hier was toen jij binnenkwam.'

Hij geeft haar de foto; ze bekijkt hem onverschillig. Hij is eigenlijk maar een opscheppertje, realiseert ze zich weer, en op de foto zit hij achterstevoren op een stoel, zijn linkerelleboog op de rugleuning. Met zijn luie, hooghartige blik kijkt hij langs de camera.

'Hij vindt de foto niet mooi,' zegt Jack.

'Waarom heb je zijn zakdoek niet netjes voor hem gevouwen?'

'De vorige keer dat ik je een foto liet zien, vond je hem ook niet mooi,' zegt hij.

Ze kijkt hem scherp aan. Hij slaat haar zwijgend gade, met een blik die niet wijkt. 'Wat zegt een foto eigenlijk?' zegt hij dan. 'Wat grijpt een mens aan, of stoot hem af?'

Ze herinnert zich het vale landschap door het raam in de trein; het meisje bij de kar, die rechte, uitdagende, absoluut onverschrokken blik. 'Het was geen foto van mij die je me hebt laten zien,' zegt ze.

'Dat weet ik,' zegt hij.

Er is iets op die foto, die van – hoe heette ze ook weer? – van Daughtie, ja, nu herinnert ze zich de naam, maar de indruk die ze had, weet ze nog, zit nog altijd in haar geheugen, vlak onder het zand, klaar om opgeraapt te worden, zoals assegaaien die met voorbedachten rade daar begraven zijn. Het is de hoerigheid van dat meisje. Dat was het. Perry weet dat ook, daar is ze zeker van. Hij wéét het. Haar ogen dwalen voorzichtig, behoedzaam naar hem toe, maar hij zit naar de foto in zijn handen te kijken, niet naar haar. 'Waarom vond deze man zijn foto niet mooi?' vraagt ze.

'Misschien heeft hij gezien wat jij nu gezien hebt.'

'Gaat het dan om iets wat hij niet wist, iets over zichzelf?'

'Foto's – goede foto's – gaan over meer dan wat je aan de oppervlakte ziet.'

'Je hebt zijn zakdoek expres zo in een knoedel in de zak van zijn jasje laten zitten, zijn das onhandig geknoopt en ervoor gezorgd dat iedereen zijn lompe boerenhanden kon zien.'

'Je weet opeens een heleboel over fotografie,' zegt hij, en dan met een scheef lachje: 'En over psychologie.'

'Psychologie?'

Hij knikt.

'Wat is dat, psychologie?'

Hij kijkt haar vanonder zijn wenkbrauwen aan, zijn ellebogen op zijn knieën. 'Dat is de kunst, nee, de wetenschap om erachter te komen wat zich afspeelt in het binnenste van de mens. In je hart, in je hoofd. In je ziel, kun je wel zeggen. Wat daar verkeerd is, en hoe het weer recht te breien. Je kunt ervoor studeren. Dan word je een soort dokter.'

Schuin achter hem valt het late namiddaglicht op de winkelruit, en alles buiten – voetgangers, fietsen, rijtuigen – stollen op dat moment in de gloed, zoals op een foto. Ze blijft even verdwaasd staren. 'Dank je wel,' zegt ze dan, langs het hoofd van Jack het licht in. 'Heel hartelijk bedankt, Jack,' zegt ze.

Minder dan een maand later staat ze op het voordek van de Glenart Castle op weg naar Nederland. Ze zal zich gaan bekwamen in de psychologie. Daar zullen mogelijkheden zijn. Een nieuw leven. Achter haar bulderden de golven als ver kanonvuur tegen de rotsen van een door god verlaten continent.

Hoofdstuk 37

Ze is nog één keer teruggeweest in Zuid-Afrika. Ze was pas zeventig geworden, en uiteindelijk had ze het juk van haar werk bij de psychiatrische kliniek Reymaker neergelegd. Na de grootschalige ontwrichting van de Tweede Wereldoorlog had het leven in Nederland weer zijn normale loop genomen, stil en onverstoorbaar, zoals de Oude Maas die vlak bij haar huis langsstroomde. Ze ging terug zoals ze tweeënvijftig jaar geleden gekomen was, met een passagiersschip naar Kaapstad en per trein naar Bloemfontein. Het enige verschil was dat de afstand naar Winburg per auto werd afgelegd.

Slechts één keer, op het schip naar de Kaap, had ze gedacht: ik ga naar huis. Ik ga dan toch naar huis. Alleen dat – alleen die ene gedachte. Geen enkele emotie ging ermee gepaard, niets. Ze stond met de wind in haar gezicht te wachten; te wachten tot die gedachte zich in een of andere definitieve betekenis zou uitkristalliseren, maar het leek alsof hij gewoon niets méér kon zijn dan dit, een flard rook verwaaid door de wind. Haar ogen begonnen wel te tranen, maar dat kwam ook door de wind, meer niet.

Kwam dat omdat de gedachte zo vreemd was? Hij was inderdaad zelden bij haar opgekomen. Ze kon zich niet herinneren dat ze ooit in al die jaren in Europa naar huis had verlangd. Trouwens, wat zou 'huis' in haar geval kunnen betekenen? Misschien een grot ergens in de Vrystaat. Ja, juist: iets zo klein en benauwends als een grot. Daar was immers dit leven begonnen. En teruggaan is teruggaan naar dat waaruit je geboren bent, terug naar de baarmoeder. Iedereen die ook maar iets van psychologie weet, zal begrijpen wat dat betekent. Maar in haar geval lag het nog iets ingewikkelder. Als je hunkert naar de terugkeer van het begin, is dat een verborgen doodsverlangen, zegt men, maar zijn bij haar begin en einde niet van meet af aan omgewisseld? Wat haar graf had moeten zijn, was haar geboorteplek.

Ze had haar rug naar de wind gekeerd en haar armen voor haar borst gevouwen, haar kin laten zakken. Drie oorlogen later, en hier sta ik, denkt ze. Ik ga naar huis, de oorlogen zijn voorbij. Dat is wellicht de enige betekenis van naar huis gaan, dat de oorlog voorbij is. Mijn vader was een van de eersten die zijn gevallen in de oorlog van de Republiek tegen Engeland. En ik ging naar Nederland. Maar toen drukte een puisterige Servische tiener een revolver in de nek van een zwaar besnorde Oostenrijkse aartshertog en haalde de trekker over. Het begin van de Grote Oorlog. Nauwelijks twintig jaar later was het weliswaar geen puisterige tiener, maar Hitler. En het vreemdste van dit alles is, dat dit ontzaglijke lijden, deze waanzin, haar zo natuurlijk zijn voorgekomen. Vanaf het moment dat zij destijds – ze was eigenlijk nog maar een kind – daar op die stinkende Kaapse kade had gestaan tussen de krijsende meeuwen, het geroep van kruiers, zeelieden en soldaten en het geronk van scheepshoorns, en zij met grote zekerheid en opwinding had gevoeld dat ze zichzelf en alles wat bekend was achter ging laten. Bijna drie weken later was het schip de plechtige stilte van de Amsterdamse haven binnengewiegd, en stapte zij in een wereld die ze zich nooit had kunnen voorstellen: de plakkerige lucht, de hoge spitse daken, de schaduwen die over het roerloze water vielen en de mensen die zo onverschillig, zo volstrekt ongeïnteresseerd, als van achter glas, zich door die wereld bewogen. En zij had gedacht: zo hoort het. Zo kan een mens leven in dit absolute vreemde, in deze volstrekte afzijdigheid.

Totdat de Grote Oorlog uitbrak waardoor iets als ijs in haar gekraakt werd. Ze ging naar Devon, naar het shellshockhospitaal. Daar speelde de episode met Hamilton-Peake zich af, alsof het noodlot het had voorbestemd. En die scheur in haar binnenste was ver genoeg opengeduwd om het licht binnen te laten. Ze herstelde en ze zorgde ervoor dat dit licht andere levens verhelderde. Het waren de elementen die het haar mogelijk maakten haar latere loopbaan als psychotherapeut uit te oefenen, en tijdens de Tweede Wereldoorlog... en toch, en toch... ja, er bleef iets knagen.

Eigenlijk is het onderdeel van een lang verhaal, dat weet ze al jaren. Je kunt het niet in drie verschillende oorlogen opdelen, want het is haar geschiedenis: het is mijn verhaal. Het is mijn thuis. Het is wat het gedoe met Hurst indertijd heeft opgeleverd. Hoe lang heeft het haar gekost om het uit te zoeken? Een jaar? Meer? Feit is dat zij het gevoel had dat Hurst haar de gelegenheid wilde ontnemen haar verhaal in eigen hand te nemen. Zij was er zelf de schepper van en niemand anders, vooral geen man. En in haar verhaal was Hamilton-Peake van haar, zij zou bepalen wat er met hem gebeurde.

Dat was het enige wat haar was gegund, een verhaal. Dat had ze destijds ook tegen Lucille, het Javaanse oorlogsweesje, gezegd toen zij haar tijdens de rivier de Kwai-verhoren in die geheel en al ontredderde toestand had aangetroffen. En daarna had ze het ontelbare malen tegen haar gezegd: zorg dat je de schepper blijft van je eigen verhaal. En zij, Susan, had ervoor gezorgd dat Lucille háár verhaal kende, het verhaal van hoe zij daar in het naakte veld bij het concentratiekamp was opgeraapt... Zodat ze het wist, en er inspiratie uit kon putten. Zodat ze allebei konden leven.

Misschien is je thuis, de plek die je 'je huis' noemt, niet meer dan een verhaal. Of ten minste de plek waar je je verhaal situeert. En er zijn heel wat verhalen die zich maar op één plek afspelen, nergens anders. Díé plek is dan het thuis van dat verhaal. En als het jouw verhaal is, is die plek ook jouw thuis.

Eigenlijk is haar verhaal nu verteld. Alleen het slot hoort er nog bij. Maar daaraan wil ze nog niet denken, zo heeft ze haar leven niet geleefd, denkend aan de dood. Nee, allerminst. En waarom zou ze zich zitten inspinnen in een cocon van sombere gedachten?

Ze stond haastig op om in een van de helder verlichte ruimtes van het passagiersschip ontspanning te gaan zoeken, tussen de groepen passagiers die er altijd en eeuwig uitzagen alsof ze pas naar de kwartieren van de kapitein waren ontboden. Maar voordat ze opgenomen werd in het bonte geroezemoes, het geruis van voetstappen en het gefladder van stemmen kwam er nog een laatste gedachte bij haar op: ook al ga ik nu zoeken naar een geschikte ruimte voor het eind van mijn verhaal, dan zijn mijn begin en mijn einde toch nog altijd omgewisseld?

Jack Perry woont echter nog altijd in de Kaap. Hij is nu begin tachtig; zijn vrouw is al tien jaar geleden overleden, en hun enige zoon staat aan het hoofd van Perry's Photographic Services in Bloemfontein. Door nu en dan een postkaart, af en toe een brief, is zij oppervlakkig op de hoogte gebleven van de bijzonderheden van zijn bestaan. Soms stuurde hij foto's en de fysieke tekenen van het verloop van de tijd waren voor haar dus niet zo'n heel grote schok. Hij wás oud geworden.

Het land – de Kaap – kwam haar echter totaal onbekend voor. Het enige wat ze herkende waren de zee, de golven, de berg. Sommige straatnamen herinnerde ze zich. Ze stond op het punt om de taxichauffeur te vragen door de Strandstraat te rijden, maar ze was even helemaal gedesoriënteerd, en toen ze weer tot zichzelf kwam, was ze al een heel eind op weg naar het huis van Jack in Rondebosch.

Nu zitten ze tegenover elkaar in de restauratiewagen van de trein naar Bloemfontein. Ze weet niet precies waarom hij beslist met haar mee wilde. Misschien omdat hij de enige is die contact heeft gehad met daar waar alles voor haar begonnen is. Of waar alles geëindigd is, dacht ze wrang. Misschien voelt hij zich verantwoordelijk, op een vaderlijke manier. Het verschil in leeftijd tussen hen is zichtbaar groter geworden, hij zit daar echt als een grijze vader tegenover haar, trommelt met stompe vingers op het tafellaken van spierwit katoen, maakt keelgeluidjes en verzinkt regelmatig in gedachten. Buiten ligt het weidse open veld; langs de spoorlijn slanke, zilverwitte graspluimen, donkere stenen gezaaid op bleekrode grond die hier en daar is weggespoeld om grauwgroene en roestbruine grindlagen bloot te leggen. Na verloop van tijd hield ze op naar het open landschap te staren, maar ze blijft zich ervan bewust dat hij er is, die schrikwekkende leegte. Heb ik dit ooit zó ervaren, denkt zij, starend naar de bankbekleding, toen ik zoveel jaar geleden op deze spoorlijn reisde? Vond ik het toen ook zo erg, die verlatenheid? En toen bevond ik me in de greep van de dood. Of was het na al die jaren onbewust nog aanwezig, het weten dat dit hier op me wachtte. Misschien is het dit wat mij ervan heeft weerhouden terug te keren, of zelfs ernaar terug te verlangen. Juist omdat ik het leven met zoveel wanhoop heb aangegrepen. Ik kon het me om niets of niemand veroorloven naar huis te verlangen. Alleen in Nederland, in den vreemde, kon ik een verhaal scheppen waarin ik me thuis voelde. Míjn verhaal.

Maar nu, zich intens bewust van de oneindige, glinsterende leegte om haar heen, weet zij ook dat wonen in een vreemd land, wonen is in een verhaal, leven in een irrealiteit, in een geconstrueerde werkelijkheid. Al is dit ook de enige manier waarop ze kon leven.

Ze stelt zoveel mogelijk vragen. Maar Perry praat niet graag over zijn leven, heeft ze ontdekt. De vraag over het gemis van zijn vrouw doet hij met een schouderophalen en een gepijnigd lachje af. Maar over het land en de veranderingen die er zich hebben voltrokken, het leven onder een nieuwe regering – 'jouw mensen'– daarover praat hij geestdriftig, soms zelfs driftig.

Wat viel er over háár leven te vertellen? Dat bestond voornamelijk uit werk. Ze had haar relaas maar beperkt tot haar laatste grote project, waarin zij als specialist en getuige-deskundige betrokken werd bij de militaire tribunalen die werden gehouden over de Japanse misdaden tijdens de Tweede Wereldoorlog. Ze vertelt over Lucille. Hoe zij haar onder haar vleugels heeft genomen en dat ze nu nog steeds bevriend zijn en regelmatig contact hebben.

Hij luistert met licht geopende mond, één hand rustend op het tafelblad. 'En toen werd je psychiater,' zegt hij. 'Merkwaardig, absoluut merkwaardig.'

'Psychotherapeut,' zegt ze. 'En jij hebt me ooit op het spoor gezet.'

'Ik? Ach nee, dat kan toch niet waar zijn. Het was Koopmans-De Wet, als ik het me goed herinner. Ja, zij heeft het gedaan.'

'Zij, ja. Zonder haar was het nooit zover gekomen. Maar ik heb het nu over het idee om opgeleid te worden in de psychologie.'

'O ja,' zegt hij, 'psychologie. Maar psychiatrie, dat is iets heel anders, toch?'

'Ja, en dat gebeurde omdat ik Duits moest leren om Freud te kunnen lezen. En toen ik Duits sprak en iets van Freud wist, ben ik naar Duitsland gegaan om psychotherapie te studeren.'

'Merkwaardig, absoluut merkwaardig.' Hij kijkt langs haar heen, naar de lucht, peinzend. 'Maar je bent nooit getrouwd,' zegt hij. 'Daar heb je nooit iets over gezegd.'

Ze geeft niet meteen antwoord; kijkt vast in zijn bijna roerloze ogen, een beetje wantrouwend als die van een oude, lieve hond. Onschadelijk, denkt ze, je moet er niet zo van schrikken, maar ze blijft op haar hoede, en ze besluit zijn opmerking te negeren. 'Eigenlijk is alles begonnen daar in die grot bij Winburg,' zegt ze. 'Weet je nog dat ik je daarover heb verteld?'

'Ik kan me voorstellen dat zoiets een mens helemaal van de gedachte doet wegvluchten... Ja, van de gedachte alleen al.'

Het duurt een tijdje om uit te pluizen wat hij bedoelt, alsof haar bewustzijn er weerstand tegen biedt. Dan dringt het tot haar door: die zachte hondenogen waren pure misleiding. Ze trekt haar nagels over het witte katoen en vervolgt onverbiddelijk haar relaas. Het enige wat belangrijk was, was waar alles was begonnen en wie of wat destijds de richting had bepaald. Dat is toch het enige verhaal dat je kun vertellen in dit land, de *story* van het begin. 'En toen kwam jij,' zegt ze kil, haar ogen gericht op haar hand die nog altijd verkrampt op het tafelblad ligt. Ze doet haar best, maar ze kan deze plotseling opkomende vlaag van wrevel niet wegdrukken. 'En ik weet niet wat het was, maar nu vind ik die gedachte gewoon afschuwelijk, deze poging om in de ziel van mensen te kijken.' Ze was zich ervan bewust dat ze zijn woorden had overgenomen en helemaal in een andere richting stuurt, dat ze zijn eigen woorden tégen hem keert, maar ze heeft eenvoudigweg niet de energie om over haar liefdesleven of het gebrek daaraan te praten. 'Ach, het waren zeker maar de dingen van een kind. Kinderachtige fixaties.' Haar stem is nu weer mild. 'Maar het zijn dingen die een mens zijn leven lang bijblijven. Die je leven bepalen, op manieren die je nooit zou kunnen voorzien.'

Hij kijkt haar nu aan, stil en in gedachten, alsof hij er alles van begrijpt, en tegelijkertijd ook niet. Maar dan treft het haar dat ook zij niet precies weet over welke fixaties ze het heeft; de manier waarop ze destijds het leven heeft gegrepen toen het haar geboden werd, of de manier waarop ze nooit van het zaad van de dood in haar gemoed heeft los kunnen komen.

Als hij begint te praten, kijkt hij uit het raam, maar naarmate de zin vordert keert hij zijn gezicht traag naar haar toe. 'Je hebt me geschreven destijds...' Langzaam knikt hij alsof hij zijn eigen woorden moet opporren. 'Dat je...' hij kucht, brengt een vuist naar zijn mond, zijn ogen draaien weg en komen terug, 'de verkrachter, je weet wel... ik bedoel die andere, de tweede, dat je ook tegen hem aangelopen bent?'

Ze beseft nu dat het knikken een poging is om zijn woorden te verzachten, een gebaar om de directheid van de vraag te dempen, een beetje af te zwakken, te relativeren. Ze kijkt recht in zijn ogen; hij wendt zijn blik af. Zal ze het hem vertellen? Het is niet moeilijk, ze kent de woorden. Ze heeft het Lucille verteld. Ervoor gezorgd dat ze elk detail ervan goed begreep, het helder kon zien. Maar hoe moet het met hem? Hij heeft het niet nodig. Lucille, ja, voor haar was het verhaal noodzakelijk. Zelfs meer dan voor haarzelf. Perry? Wat zal het hem opleveren? Het verhaal van het levenseinde van een man. Ha. Oh, nee. Hij is in het stadium van zijn leven dat hij begint te dromen over het allereerste begin, van toen hij de wereld recht in de ogen kon kijken en hij heel zeker was van wat hij zag.

'Heb ik dat gedaan?' vraagt ze uiteindelijk. Alleen dat.

Hij keert zijn gezicht van haar af, naar het milde, licht deinende landschap waar ze doorheen rijden, naar de nuances van groen en lichtbruin, de schaduwen van de wolken op de graszaden, wuivende zwarte kinderen, een vrouw die langzaam de vracht hout op haar hoofd draait om het voorbijrijden van de trein te volgen.

En opeens, kennelijk was zij zich niet van het naderen bewust, beginnen de huizen, omheiningen en tuinhekjes, de schaars verspreide bomen van de buitenwijken van Bloemfontein voorbij te flitsen, als afval dat langs de spoorlijn ligt verspreid: brokkelig, bont en volledig willekeurig. Als de trein tussen de perrons zijn laatste stuiptrekking heeft doorstaan, blijven Jack en zij nog even zitten, half verdwaasd; zij zelfs een beetje angstig. Jack grijpt het open raam vast om zich er dichter naartoe te trekken; hij probeert zijn zoon te vinden die hen hier komt afhalen.

Ze loopt voor hem uit door het gangetje, stapt wat wankelend het perron op, zich vastklampend aan de deurpost en heel even helemaal verblind door het heldere licht.

Kan dit dezelfde plek zijn? Ze blijft een tijdje totaal verstard staan, probeert zich te oriënteren, maar niets komt haar bekend voor. Ook dit land is een onwerkelijkheid geworden, denkt ze. De enige werkelijkheid leeft alleen in mijn binnenste.

Achter in de auto van Jack Perry jr. keert ze zich nog eens om naar het stationsgebouw. Ze herinnert zich een victoriaanse veranda, maar nu heeft het een neoklassieke façade met... Ze lacht geamuseerd, ziet uit haar ooghoeken dat Jack zich ook probeert om te draaien. Dat belachelijke oude klokkentorentje, het lijkt wel een piepklein piemeltje! Ze gaat weer rechtzitten, strijkt haar rok glad over haar benen. Ach, deze stad is onschadelijk, en zo klein... Wellicht is ze tezeer gewend aan Europese steden, en deze stad – dorp! – waarin ze nu teruggekomen is, is eigenlijk nog net zo als in haar herinnering, een ervaring die ze had als jonge vrouw.

'Wat is er, Susan,' vraagt Jack naast haar en hij kucht een beetje meelevend, lachend. 'Wat zag je zojuist voor grappigs?'

Ze weet eigenlijk niet wat ze moet zeggen. 'Ach, Jack,' zegt ze dan en ze hoort een warme gemoedelijkheid in haar stem die haar licht amuseert. Het is voor het eerst sinds ik in de Kaap ben aangekomen dat het zo klinkt, denkt ze, zo... welwillend? Ze kijkt naar Jack en ziet dat ook hij haar geamuseerd gadeslaat. 'Ik weet eigenlijk niet waarom ik moest lachen,' zegt ze dan, wrijft een tijdje wat verlegen met een vinger naast haar op de zitplaats.' Je weet immers hoe gebouwen die in je kindertijd groot en overweldigend waren... tja, als je ze dan jaren later weer ziet, kun je bijna niet geloven dat het dezelfde dingen zijn.'

'Ja, ja, ik weet het,' zegt Jack. 'Als ik je de foto's zou laten zien die ik destijds in Bloemfontein heb gemaakt... Herinner jij je de wagens nog, de paarden? Hier,' en hij wijst met vlakke hand door het raam, 'lag de paardenmest zo hoog.'

'Willen jullie een ritje maken door de stad?' vraagt de jonge Perry schuin over zijn schouder.

'Ach, nee,' zegt ze impulsief, en nadat ze er even over heeft nagedacht, weet ze het zeker: 'Ach nee, dank je. Ik denk dat je vader uitgeput is, en ik...' Nee, ze zegt het niet, ze zegt niet dat ze er geen behoefte aan heeft. Het enige wat ze zegt is dat ook zij aan rust toe is.

Het is niet ver rijden naar het huis van Perry. Het is een massief, lichtblauw gebouw met een veranda die oprijst uit de rode aarde van een groot open erf. Susan kan zich niet voorstellen dat je zulke huizen in een Europese stad zou vinden. Ze ontdekt nu dat de jonge Perry ook niet zo jong meer is. Zijn vrouw is dat wel, en ze staat boven aan de verandatrap te wachten, komt keurig op haar hoge hakken naar beneden om hen te begroeten.

Ze eten vroeg die avond. De twee kleuters die aan het begin van de maaltijd werden binnengeroepen om beleefd te groeten, worden ook gauw naar bed gestuurd, en kort daarna – ze zitten nog aan het nagerecht – neemt de jonge Perry zijn vader mee naar de slaapkamer. Susan zit dus alleen met de vrouw aan tafel, en nadat een tijdje alleen het tikken van de lepels tegen het porselein hoorbaar was, is het Susan die begint te praten. Gewoon om een babbeltje te maken vraagt ze naar dat ene Bloemfonteinse gebouw dat ze zich herinnert van vijftig jaar geleden: een imposant gebouw van zandsteen met torentjes op de façade.

'O, dat is het oude paleis van de president,' zegt de vrouw, 'waar vroeger de Vrystaatse president woonde. Maar de laatste paar jaar wordt het gebruikt als kantoor.'

Niet echt een bijzonder toegankelijke vrouw, denkt Susan. Haar stem is dof, haar gezicht zonder belangstelling. Ze knippert traag met haar blauwe ogen achter de enorme brillenglazen. Toch komt het gezicht Susan bekend voor. De vrouw, Helen heet ze, kijkt op haar dessertbordje, werpt haar steile haren over haar schouder en brengt een stukje perzik met vla bestudeerd naar haar mond. Nadat ze het doorgeslikt heeft, vraagt ze: 'Bent u al eerder in Bloemfontein geweest? Ik begrijp dat u uit Nederland komt.'

'Ik ben één keer in Bloemfontein geweest. Jaren geleden. Heel kort, met je schoonvader.' Ze realiseert zich dat deze uitspraak, de manier waarop ze hem gesteld heeft, aanleiding kan geven tot allerlei veronderstellingen over de relatie tussen haar en Jack. Ze wil er ter verduidelijking nog gauw iets aan toevoegen, maar ze bedenkt zich. Waarom zou ze zich druk maken over zoiets? Dat zou toch al te belachelijk zijn. 'Dat is eigenlijk de reden waarom we gekomen zijn,' zegt ze dan rustig. 'Ik wilde de plekken graag zien die ik als kind heb gekend. Morgen gaan we naar Winburg.'

'Hebt u daar in het concentratiekamp gezeten?'

Ze weet het dus, ze deed net alsof ze het niet wist. Susan kijkt de vrouw onderzoekend aan. 'Ja,' zegt ze. 'Een van de gelukkigen die het heeft overleefd.'

'En u verwijt ons niets?'

'Wie is die "ons" waar je het over hebt?' Ze zegt het niet agressief, maar de veronderstelling die in deze opmerking ligt besloten irriteert haar toch.

'Ik bedoel met ons wij Engelsen.'

'Maar jullie zijn toch geen Britten? Jullie zijn Zuid-Afrikanen. Vrystaters.'

'Ja, zeker. De stad is de laatste tijd echter zo veranderd.'

'Je bedoelt...?'

'Tien jaar geleden was het nog echt een Engelse stad,' zegt Helen, maar ze zegt het met een stijgende intonatie zodat het als een vraag klinkt, met de duidelijke bedoeling dat Susan maar zelf de conclusie moet trekken.

Susan duwt haar bordje weg. Waar kent zij deze vrouw toch van? Ze besluit echter noch over het eenvoudige nagerecht, noch over Helens opmerking iets te zeggen. Het gesprek heeft nu een richting gekozen waar zij helemaal niets voor voelt. Dit is niet wat ze zou willen zeggen, het is allerminst wat ze op haar hart heeft. Ze wil absoluut niet bij dat Boer-Brit-gedoe betrokken raken.

'Ik had een vriendin daar in het kamp,' zegt Susan dan zacht. Ze weet ook niet waarom ze dit nu juist kwijt wil. Alsof ze er toch behoefte aan heeft om intieme bijzonderheden van haar leven met deze vreemde, norse vrouw te delen. Dus nu moet ze ook maar doordrukken; ze leunt achterover tegen haar stoelleuning en praat voor zich uit. 'Alice Draper. Op en top Engels. Maar ze was in het kamp omdat haar familie zich als Vrystaters beschouwden.'

Nu aarzelt Susan, want ze ontdekt dat ze al weer op oorlogspad is – en dat geheel tegen haar bedoelingen in. 'Vrystaters en geen Britten,' voegt ze er futloos aan toe.

Helen reageert er echter niet op. Ze zegt alleen: 'Wat is er van haar geworden?' Haar stem klinkt vlak en ongeïnteresseerd.

Aanvankelijk is Susan opgelucht dat Helen niet in het aas bijt, maar dan irriteert het haar weer dat de vrouw zo'n gebrek aan medeleven toont. Alice. Een tijdlang was ik Alice, denkt ze. Een tijdlang droeg ik de naam van een gestorven meisje. 'Ik weet niet zeker wat er van haar geworden is,' zegt ze dan. 'Ik heb nooit meer iets van haar gehoord.'

Helen staat op en begint de bordjes op elkaar te zetten.

'Ik denk dat ze dood is,' zegt Susan, maar Helen

hoort haar niet; ze gaat gewoon door met afruimen en het serviesgoed naar de keuken te brengen.

Susan blijft alleen achter bij de verlaten tafel met enkele ongebruikte stukken eetgerei die op het witte linnen tafellaken zijn achtergebleven. Ze hoort geluiden in de keuken, ergens in dit onbekende huis gaat een deur dicht. Ze denkt: al die implicaties en suggesties, al die onderliggende betekenissen en spanningen in mijn gesprek met deze jonge vrouw zijn vast iets wat alleen ik zo aanvoel; het is mijn probleem en van niemand anders. Dat alles maakt deel uit van een verhaal dat alleen ik begrijp, een waarvoor zelfs dit land en zijn mensen geen context meer bieden.

Vroeg in de ochtend zet Jack hen af bij het huis van ene meneer Marais. Het schijnt dat hij een comfortabele auto heeft en dat hij heeft aangeboden hen naar Winburg te brengen. Hij was zelf kind in die oorlog, vertelt de jonge Jack onderweg. Te jong om te vechten, maar hij herinnert zich heel wat, hij vertelt graag.

Ze stoppen voor een hek in een gaasomheining. Het huis ligt er een heel eind vandaan op een erf vol fruitbomen, moestuinen en scharrelkippen. Twee geplaveide sporen leiden van het hek naar een afdak op dunne metalen palen. Daar wacht de auto met glanzende vinnen in de ochtendzon.

Meneer Marais komt op kromme benen aangelopen, gekleed in een kakikleurige broek en een hemd. Hij licht zijn donkergroene vilten hoed bij wijze van groet. 'Aangenaam,' zegt hij tegen haar, en als hij Jack begroet: 'Ach wat, ik spreek maar Afrikaans. Kom maar voorin zitten, bij mij, dan kan de dame achterin zitten.'

'Nee, nee,' protesteert Jack, 'ik wil dat Susan voorin zit. Het is haar uitstapje, ze moet alles goed kunnen zien.'

'Vooruit dan maar, mij ook goed,' geeft Marais toe, hij houdt het portier voor haar open en laat het voorzichtig dichtklikken.

Ze hoort de banden over het grind knarsen, voelt de schaduwen van de cipressen en de *kareebomen** over hen heen zwiepen.

'Ik begrijp dat je in het kamp hebt gezeten,' zegt Marais tegen haar.

Ze schrikt. Het is voor het eerst sinds haar aankomst dat ze Afrikaans moet spreken. Wanneer deed ze dat voor het laatst? Een volledige zin en niet zomaar een paar woorden of uitdrukkingen. Achter haar blijft Jack stil. 'Je kunt...' begint ze, maar dan valt Marais haar in de rede.

'Winburg, niet?' zegt hij. 'Dan moeten we daar naartoe.' De wijsvinger van zijn rechterhand op het stuur schiet schuin naar voren, kennelijk in de richting die ze moeten volgen.

'Ik heet Susan,' zegt ze. Harkerig, maar ze vindt de strenge toon in haar stem prima.

'Susan,' hoort ze hem zeggen. 'Zeg maar Piet,' zegt hij dan.

'Piet.' De naam ploft over haar lippen. Lekker. Het woord ligt lekker in de mond. Een woord als een vonk vuur die wegschiet. Ze keert zich om naar Jack, en spreekt met opzet Afrikaans met hem. 'Piet heeft een lekkere auto, vind je niet, Jack?'

'Het is een lekkere auto, Susan,' zegt Jack. 'Echt een lekker karretje.'

Verbeeldt zij het zich, of heeft Jack de r'en met opzet flink door de Engelse boter gehaald? In de trein had ze hem met de obers heel wat beter Afrikaans horen spreken. Maar ze grinnikt ingenomen met wat voor haar een authentiek Afrikaans beeld is: Engelse boter.

De stad ligt nu achter hen: voor hen de smalle blauwe streep van de snelweg naar het noorden. Dit kan toch niet hetzelfde land zijn? denkt ze. Aan weerskanten opent het landschap zich in heuphoge grassen, groen, rimpelend – bijna alsof de uitgestrektheid zelf kriebelt onder de aanraking van een onzichtbare hand. De wijsvingers van Marais schieten om de beurt van het stuur omhoog om ergens hun aandacht op te vestigen of iets aan te wijzen: oriëntatiepunten, boerenbedrijven, afritten. Af en toe neemt ze iets in zich op, maar de meeste tijd zit ze bijna verbijsterd. Kan dit hetzelfde land zijn? Waar komt dit wuivende gras vandaan? Waar is het stof? De rook? Ze ziet bonte koeien grazen, veereigers lui opvliegen. Hier en daar staan zwarte mensen langs de weg. Ze vraagt zich af waar ze op wachten, maar ze krijgt niet de indruk dat Marais op hen let. Ze slaat hem gade, ogen tot spleten, lippen vertrokken alsof hij pijn lijdt. Ze ziet het bloedrode veertje in de band van zijn hoed. Ze wendt haar hoofd af, kijkt naar de wolken die zich opstapelen aan de horizon. Dát kan ze zich herinneren. O lieve vader, de wolken – dat weet ze nog!

'Man,' zegt Marais, 'en ze hollen zo met hun staarten, zo, zo, zo...' Hij wijst met een trillende wijsvinger.

Susan weet niet waarover hij het heeft, ze kijkt verward rond of ze iets staarterigs ziet, maar er is niets wat haar opvalt. 'Waar?' vraagt ze. 'Waar zie je dat?'

'Winburg,' zegt hij, 'in die tijd.' Hij kijkt haar niet aan, merkt haar verwarring niet. 'Winburg had immers een racebaan. Je had daar tentoonstellingsterreinen, en de racebaan.'

Dat herinnert zij zich niet. 'Ben je daar dan geweest?' vraagt ze. 'Was jij ook in het kamp?'

'Niet in het kamp, nee,' zegt hij, 'maar ik weet het wel. Want daar waren ik en mijn maatje van toen, Paultje, we waren nog kleine mannen, klein. Dan wilden we naar de paardenraces gaan kijken...' Maar hij onderbreekt zichzelf, buigt zich diep naar haar toe en zijn wijsvinger wijst schuin voor haar naar het veld. 'Kijk, kijk, kijk,' zegt hij.

Ze ziet het: een langstaartvink die laag over het veld scheert, die eigenlijk door de wind wordt opgeraapt en meegesleurd. De zwarte vogel waait over het veld, als een losgerukte rouwband tuimelt hij over het bewogen rode gras. Ze blijft kijken tot ze de vogel niet meer kan zien. Dat dit nu voor die simpele Marais iets bijzonders is. Ze kijkt weer naar hem. Zijn gewone boerengrimas weer op zijn gezicht, het gezicht dat de mannen van dit land de wereld voorhouden. Als het niet voor dat prachtige pronkerige rode veertje was, zou ze niet in staat zijn naar hem te kijken.

Bij de vink ziet ze een handvol kleine stippeltjes. De wijfjes, weet ze. En opeens valt het haar in: Anne Maxwell – waar de vrouw van Perry op lijkt! Die botte jonge vrouw doet haar aan Anne denken. Al die jaren heeft ze niet aan haar gedacht en nu hier, in Zuid-Afrika, hier waar ze op weg is naar een kampkerkhof, schiet de herinnering aan die weerbarstige Britse vrouw haar te binnen. Hoe had zij zich niet tot haar aangetrokken gevoeld – nee, hoe afhankelijk was zij niet geweest van de volslagen onverschilligheid van die vrouw.

Is dit een waarschuwing van mijn onderbewuste voor wat komen gaat, denkt ze. En wat wordt hier voorbereid? Ze probeert het te ontrafelen: ik rijd met twee mannen naar de plek waar mijn moeder en mijn broertje begraven liggen. Nee, ze moet niet proberen zichzelf iets wijs te maken: ze rijdt nu waarschijnlijk naar de plek waar háár graf in dit Vrystaatse grasveld ligt, en zij voelt niets, heeft geen verweer. Geen haat, geen liefde, niets.

Een bord kondigt aan dat ze in Winburg zijn. Ze pakt de lus boven haar hoofd vast. Keert zich om naar de zwijgzame Jack Perry. Hij lacht flauwtjes, leunt wat voorover en drukt haar schouder. Het landschap komt haar nu wel bekend voor, maar de wegen, de nieuwe asfaltweg en ook een paar brede onverharde wegen die daarvandaan het land in lopen, brengen haar totaal in de war. Marais rijdt een van die zijwegen op. 'Weet je hoe je bij de begraafplaats moet komen?' vraagt ze.

'Nee, man, al die nieuwe wegen hier... Ik zal het ergens vragen.'

Marais stopt bij een zwarte man aan de kant van de weg en draait het raam open. De man komt gedienstig naar hem toe, bukt zich bij het raam en kijkt fronsend, zijn ogen springen nerveus van de chauffeur naar de inzittenden en weer terug. Ze herkent onmiddellijk de Sotho-klanken; ze springt bijna overeind als ze de woorden herkent, ook het begroetingsritueel dat ze zich na al die jaren heel goed herinnert. Ze kijkt de man indringend aan, ziet zijn ernst, de kromme wijsvinger, de mond, de manier waarop hij op de vraag van Marais om zich heen kijkt alsof hij iets zoekt wat tussen de struiken aan de kant van de weg ligt, hoe hij weer hoofdschuddend zijn hoofd buigt en zegt dat hij het niet weet. Het is allemaal sociale conventie, weet ze, elk gebaar is een oergebaar, maar ook weer niet – de onzekerheid, de bereidwilligheid, die zijn haar niet bekend. Eist de witman dit van deze Sotho? Marais had onverschillig met hem gesproken, zonder een greintje respect, als met een kind. De boer draait het raampje omhoog, laat de auto vooruitspringen. Ze kijkt om, ziet de man in de stofwolk teruglopen naar de kant van de weg. Dan kijkt ze naar Jack, maar zijn ogen zeggen niets. De ogen van een oude man, denkt ze. Ogen die niet meer doen wat het hart vraagt.

'Er was ook een kamp voor de zwarte mensen,' zegt ze. Ze praat nu met haar gezicht naar het zijraampje gekeerd, haar mond dicht bij het glas. 'Vlak naast dat van ons.'

'Die zaten altijd met zijn allen bij de racebaan,' zegt Marais.

'Over wie heb je het, Susan?' vraagt Jack.

'Over Tiisetso en Mamello,' zegt ze.

'Wie?' vraagt Jack.

'Kaffers,' zegt Marais.

'De mensen over wie ik je heb verteld, Jack,' zegt ze. 'De mensen die mij destijds hebben genezen. Weet je nog?'

Ze voelt de blik van Marais. Dan komt de stem van Jack van achter in de auto: 'Het is zo lang geleden dat je me dat verteld hebt... Nee, Susan, het spijt me, mijn geheugen is niet meer wat het was.'

Ze wil zich omdraaien naar Jack, maar Marais maakt

een klikgeluid en uit haar ooghoeken ziet ze een van zijn vingers omhoog schieten.

Ze kan nu het dorp zien, de kerktoren, de daken van de huizen. Waar zou de grot zijn, vraagt ze zich af. Ze heeft niet het flauwste benul. Zelfs de kerk komt haar vreemd voor. Ze doet haar ogen dicht, is zich bewust van haar ademhaling, in, uit.

Marais, naast haar, zit te praten. 'Dat ventje zei dat hij dacht dat het naast de afvalberg van het dorp was.' Hij zwijgt, stapt uit en doet een hek open.

Ze zijn nu niet meer in het dorp. Hij stapt in en rijdt voorzichtig over twee sporen tussen het hoge gras en verspreid staande struiken. Dan stopt hij. Ze blijven even in stilte zitten.

'Het is niet te geloven,' zegt Marais en doet het portier open. Hij loopt om en helpt haar en Perry uitstappen. 'Kan iemand het...' Marais maakt zijn zin niet af. Hij loopt tussen de overwoekerde graven, draait zich dan om naar Susan en Perry, die er wat hulpeloos bij staan. 'Weet je wat je zoekt?' roept Marais haar toe.

Weet ze wat ze zoekt? Ze keert zich naar Jack, die met een frons op zijn voorhoofd voor zich uit tuurt. Ze volgt zijn blik, maar ziet niets dan wat ze zelf tot nu heeft opgemerkt. Ze begint achter Marais aan te lopen. Zwikkend op schoenen die niet geschikt zijn voor zo'n veld.

'Hier heb je toch nog een steen die overeind staat,' roept Marais.

Ze loopt naar hem toe, lees het grafopschrift op de puntige steen waarop het ingekerfde leliemotief goed bewaard is gebleven: *In loving memory of our sister Alice Alvina Rosie Draper. Died 6th Jan 1902.* Ze leest het weer en weer en het lijkt alsof haar verstand niet bereid is de woorden te begrijpen. Alice. Het is de steen van Alice.

Ze wendt zich af van Marais en het graf van Alice. Jack komt schuifelend naar hen toe. Ze loopt blindelings aan hem voorbij, is er zich vaag van bewust dat hij een hand naar haar uitsteekt, maar ze loopt gewoon door, haar ogen op de horizon gericht. Ergens achter die heuvels daar moet de grot zijn geweest. Ze loopt heen en weer door het hoge gras tussen de ruwe rijen verwaarloosde graven. Hier en daar zijn nog oude nummers te zien, of is een opschrift nog leesbaar. Ze loopt verder en verder weg van het graf van Alice, tussen de struikjes die aan haar schoenen plukken, grashalmen die tegen haar benen zwiepen, een verblindend licht in haar ogen. Mijn graf hoort hier ook ergens te zijn, denkt ze, maar waar. Mijn God, mijn God... Hier ben ik gestorven, hier naast die vuilnishoop, tussen het scherpe gras en de rondscharrelende mieren, zo klein, zo klein dat je ze nauwelijks opmerkt, zo klein. En ergens daarachter, mijn lieve Heer, waar? Daar achter, daar, in die lage heuvels, is een grot, een grot waarin ik geboren ben. Mijn begin en mijn einde. Is dit alles? Is dit alles?

De terugrit voltrekt zich voornamelijk in stilte. Nadat ze zijn weggereden, had Marais opgemerkt: 'Ik hoop dat je hebt gevonden waar je naar zocht', maar ze had geen antwoord gegeven. Ze was er niet toe in staat. Volledig beheer hebben over wat er is gebeurd, is altijd een illusie. Een authentiek einde is altijd een volslagen verrassing. Een schok. Tot in merg en been. Ze zal eerst tot zichzelf moeten komen.

Op zeker moment remt Marais onverwacht en

wijkt woest uit voor een schaap dat over de weg holt. De auto schuift van het asfalt af, grind spat op van de rand van de weg, de auto schuift weg, kantelt en Susans hoofd komt met een doffe klap tegen de zijruit aan. Dan hebben de wielen het asfalt weer gevonden en zwaait de achterkant van de auto haaks terug. Susan had zich schrap gezet met haar handen tegen de voorkant; ze denkt dat ze heeft gegild. Ze voelt de schrik in haar vingertoppen en haar linkeroog traant van de klap.

Marais rijdt langzamer en zet de auto dan aan de kant van de weg. Zijn tanden zijn zichtbaar tussen zijn lippen en er staat zweet op zijn neus en zijn bovenlip. 'Tjonge-tjonge-tjonge,' prevelt hij onder zijn hoed met de veer als een spat bloed. Ze voelt Jacks hand op haar schouder, warm tegen haar nek. Dan steekt Marais zijn hand uit naar de hare die op haar rok ligt en de stof verfrommelt. Twee mannen reiken haar hun hand en raken haar zacht aan, hun handen rusten warm, vertroostend en koesterend op de hare. Een paar tellen zitten ze zo, in de auto die een tikgeluid maakt en onder een wolkendek dat dikker wordt onder een donkerder wordende lucht. 'Rij maar door,' zegt ze dan en duwt hun handen weg, haar ogen verbeten gericht op het punt ver voor hen waar de weg zich oplost in het niets. 'Rij in godsnaam door.'

Nawoord

Dit boek is gebaseerd op het merkwaardige verhaal van Susan Nell zoals het is opgetekend door Nico Moolman in zijn roman *The Boer Whore*. Hoe Moolman Susan Nell op het spoor is gekomen, is eveneens een bijzonder verhaal.

Op vrijdagavond 7 augustus 2009 zat Moolman bij een van de computers voor algemeen gebruik van het Manohra hotel in Bangkok. Hij was voor zaken in de stad – vanwege zijn in-en exportbedrijf moest hij dikwijls naar het Oosten reizen – en hij wilde snel een e-mail sturen naar zijn dochter. Naast hem zat een vriend, tevens collega. De computer stond een paar passen verwijderd van de lift. De deur van de lift ging open en een al wat oudere oosterse vrouw in een bermuda stapte eruit. Moolman maakte een opmerking over de benen van de vrouw tegen zijn vriend, en zij bleef staan, draaide zich langzaam om en kwam op hem af. 'Bent u Afrikaans?' vroeg ze.

Moolman geneerde zich, maar de vrouw stelde hem gerust en begon te praten. Ze vertelde dat ze Lucille heette, van Thaise afkomst was, uit de stad Ubon. Ze was op Java opgegroeid, vandaar haar kennis van het Nederlands. 'Maar mijn moeder was een Afrikaanse,' zei ze.

Dat moest ze eens uitleggen, zei Moolman, en zij zei: 'Heb je tijd? Het is een lang verhaal.'

Ze gingen in een café zitten en zij vertelde. Lucille had de vrouw die zij als een moeder had leren liefhebben, ontmoet tijdens de militaire verhoren in 1946 die als de verhoren van de rivier de Kwai bekendstonden. Lucille was een van de zogenaamde 'troostmeisjes', vrouwen – en kinderen – die door Japanse soldaten als seksslaven werden vastgehouden. Tijdens deze verhoren had een van de getuigen-deskundigen een ontredderd Javaans meisje Nederlands horen spreken en ze had zich over haar ontfermd. Lucille was dat Javaanse meisje; de getuige was Susan Nell.

Lucille uit Ubon begon die vrijdagavond aan Nico Moolman het levensverhaal van Susan Nell te vertellen. Het was een lang, complex verhaal en ze kwamen nog twee avonden bij elkaar voordat Nico alle bijzonderheden kende. In de versie van Moolmans verhaal werd Susan Nell, een bijwonersmeisje van wie alle gezinsleden omkwamen in de Anglo-Boerenoorlog, op 1 januari 1902 in het Winburgse concentratiekamp door twee Britse officieren en een joiner verkracht. Een Sotho-man raapte haar op nadat ze in het veld van de lijkwagen van het kamp was gevallen en hij en zijn vrouw verzorgden haar in een nabijgelegen grot tot zij weer sterk genoeg was om per trein naar Kaapstad te reizen. Tijdens die treinreis ontfermde een fotograaf, Jack Perry, zich over haar en zorgde ervoor dat ze uiteindelijk onder de vleugels kwam van de bekende mevrouw Marie Koopmans-De Wet. Met de hulp van mevrouw Koopmans-De Wet belandde Susan in Nederland, waar ze zich bekwaamde in de psychiatrie.

In Europa kwam Susan allebei haar verkrachters tegen, de eerste gedurende de Eerste Wereldoorlog in een militair hospitaal in Devon; de tweede tijdens de rivier de Kwai-rechtbankverhoren die na de Tweede Wereldoorlog werden gehouden.

Dit zijn de gebeurtenissen die een Javaanse vrouw in een tijdsbestek van drie avonden in augustus 2009 aan Nico Moolman heeft verteld. Terug in Zuid-Afrika verwerkte hij het verhaal tot een roman. Hij schreef hem in het Engels zodat degenen die dit hem en zijn mensen hadden aangedaan, er kennis van konden nemen. Hij gaf hem in eigen beheer uit onder de titel *The Boer Whore*.

Via een van mijn broers, de journalist Charles Smith, hoorde ik van dit boek. Hij ging ervan uit dat het de moeite waard was om te kijken of een Afrikaanse uitgave zinvol was. Ik legde het voor aan Riana Barnard van de uitgeverij Tafelberg, en zij was meteen erg enthousiast. Ze was het echter met mij eens dat een vertaling van *The Boer Whore* niet de goede weg was, maar dat de basisgegevens gebruikt moesten worden voor het schrijven van een nieuwe roman. En zij besliste dat ik die moest schrijven.

Mijn boek wijkt in een aantal opzichten af van dat van Moolman, vooral omdat ik op literaire wijze het levensverhaal van Susan Nell wilde ontdekken, en onder meer wilde onderzoeken wat er zou gebeuren als zij met een van haar verkrachters werd geconfronteerd.

Mijn versie dekt niet de volledige levensloop van Susan Nell, maar het is toch van belang, ook voor mijn verhaal, om te weten wat er uiteindelijk van haar is geworden. Hier te lande zijn haar sporen doodgelopen.

In de kerk in Ermelo had je nog een bewijs van haar lidmaatschap kunnen vinden, maar die kerk is met zijn hele archief in de Anglo-Boerenoorlog afgebrand. Dat haar naam niet in de officiële administratie van het Winburgse concentratiekamp voorkomt, is absoluut niet uitzonderlijk. Een groot aantal van de overledenen in het kamp, volgens raming ongeveer zo'n twintig procent, werd als 'onbekend' aangemerkt.

Maar wat is er dan van Susan Nell geworden? Volgens het boek van Moolman is zij na haar laatste bezoek aan Zuid-Afrika rond 1950 weer teruggegaan naar Nederland. Nauwelijks drie maanden later is zij daar aan kanker overleden. Haar stoffelijk overschot is wel teruggekomen naar haar geboorteland, en Jack Perry heeft ervoor gezorgd dat haar as werd verstrooid zoals zij in haar testament had gevraagd. Tijdens haar laatste bezoek aan Winburg had Susan namelijk gezien dat er zich naast het graf van haar jeugdvriendin Alice Draper een leeg en ongemarkeerd graf bevond. Ze ging ervan uit dat dit het graf was dat de kampoverheden voor haar hadden bestemd. Daar wilde ze haar as verstrooid hebben. Dat lege naamloze graf is nu het hare.

Francois Smith
mei 2014

Woordverklaring

kierie: stok met een knop erop, zowel een wandelstok als een vechtstok

nooi: aanspreektitel voor dochter van een blanke boer

bijwoner: voorman op een boerenbedrijf die meestal in een huis dicht bij de boer woont, man met veel verantwoordelijkheden

Scout: door Baden-Powell gestichte groep voornamelijk zwarten, in de Boerenoorlog onderdeel van het Britse leger met doodshoofdinsignes op hun hoed

Kakies: Britse soldaat tijdens de Anglo-Boerenoorlog, zo genoemd naar de kleur van zijn uniform

plaas: Boerenbedrijf, uitgebreider dan een Nederlands bedrijf, met huizen voor de arbeiders, soms een klein schooltje, een slachthuisje en een klein kerkhof

biltong: repen gedroogd vlees

kommando: actieve bereden gevechtseenheid, meestal van burgers, vrijwilligers, georganiseerd onder professioneel commando

tannie: aanspreektitel voor blanke vrouw, hoeft geen familielid te zijn

doilie: stukje tule waaraan op kunstzinnige wijze kraaltjes zijn bevestigd en dat dient om glazen en potjes af te dekken

lokasie: tegenwoordig vaak township genoemd, woon-
wijk voor niet-blanken

soetdorings: altijd groene acacia, kan 15 m hoog worden, heeft goudgele bloemetjes, komt voor in de
Karoo

pixie: mythologisch wezen uit Cornwall, meestal in de
gedaante van elf, fee of kabouter

bontpootjies: scheldnaam voor een burger die tijdens
de Tweede Boerenoorlog met de vijand samen-
werkte; hij droeg een bonte band om de arm

pepa: Sotho-woord voor 'op de rug dragen'. In andere
delen van Zuid-Afrika zegt men wel: abba

bergonische stoel: stoel die gebruikt werd voor een patiënt die elektroshocks werd toegediend

kareebomen: altijd groene bomen